环境工程地质

刘起霞　李清波　邹剑峰　编著

黄河水利出版社
·郑州·

内 容 提 要

本书阐述了环境工程地质的产生背景,建立了环境工程地质的理论体系;概述了工程地质环境研究的基本内容;详细论述了城镇的工程环境、矿山工程环境、水利工程环境、地下水开采利用中的工程环境问题、交通工程环境、人类活动对地质生态环境的影响评价以及文物地质景观的环境工程地质问题,并讨论了环境工程地质调查、评价、规划和编图的基本理论和原则。

本书为环境类、工程类各专业中专或本科生的教材,也可供从事环境工程、工程地质、岩土工程、环境保护、环境监测等专业的研究人员、技术人员和管理人员参考。

图书在版编目(CIP)数据

环境工程地质/刘起霞,李清波,邹剑峰编著.—郑州:
黄河水利出版社,2001.3(2002.6 重印)
ISBN 7 - 80621 - 458 - 5

Ⅰ.环…　Ⅱ.①刘…②李…③邹…　Ⅲ.环境地质
Ⅳ.X141

中国版本图书馆 CIP 数据核字(2001)第 04985 号

责任编辑:王路平　　　　　　　　　　封面设计:谢　萍
责任校对:张晓霞　　　　　　　　　　责任印制:温红建

出版发行:黄河水利出版社
　　　地址:河南省郑州市金水路 11 号　邮编:450003
　　　发行部电话:(0371)6022620　传真:(0371)6022219
　　　E-mail:yrcp@public2.zz.ha.cn
印　　刷:黄河水利委员会印刷厂
开　本:787mm×1 092mm　1/16　　印　张:15.5
版　次:2001 年 3 月　第 1 版　　　　印　数:2 001—4 000
印　次:2002 年 6 月　郑州第 2 次印刷　字　数:377 千字
　　　　　　　　　定　价:25.00 元

序

自 20 世纪 70 年代起，环境工程问题就引起了广大工程地质专业学者的重视。30 a 来，随着人类活动的广泛性和多样性，环境工程地质问题发展得愈来愈突出。环境工程地质问题的产生，是人类经济活动不断加剧的必然产物。

刘起霞、李清波和邹剑峰等根据十余年对环境工程地质的科研、生产和教学经验，在艰苦实践和悉心钻研的基础上，从环境工程地质条件、环境工程地质问题、治理环境工程地质问题的措施以及环境工程地质监测等方面，广泛吸收了当前有关环境工程地质研究的主要成果，经过吸收消化、实践、总结加工等细致工作，编写出版了《环境工程地质》一书。该书图文并茂，内容丰富，信息量巨大，观点明确，论述简练，多有新意，是近几年我读过的最好的著作，也是我们从事环境工程地质工作者值得庆贺的一件大事。

该书从环境工程地质问题产生的背景出发，建立了环境工程地质理论体系，详尽叙述了工程地质环境研究的主要内容，作为工程地质学的分支学科，环境工程地质是主要研究由于人类工程—经济活动所引起的区域性有害工程地质作用的科学。

环境工程地质的主要研究内容是在查清工程地质条件和自然地质作用的基础上，探索人类工程与地质环境相互作用，从定性分析到定量评价，着重研究各种工程环境系统的演化和发展趋势，提出合理利用、经济的防治措施，为制定人类工程—经济活动发展规划提供科学依据。环境工程地质是工程—经济活动诱发出来的地质生态作用在大、中、小环境中的反映，它不仅影响工程建设的安全，更重要的是影响人类的生存条件，这是一个十分重要的问题，环境工程地质工作的目的就是要通过它的工作，尽量减少人类工程—经济活动引起的地质环境变迁的恶化，把这种风险减小到最低程度。无论是在进行地质工程建设，还是进行地质环境改造，在塑造和谐而优美的人类生存环境的同时，都需要进行地质体改造。而进行地质环境改造时，不仅要考虑地质因素，还要考虑生态的、人文的以及社会发展的综合需要来进行。

当前，人类工程—经济活动对环境的影响，已经引起有关文面的重视，但现在这种重视还处于受法制约束的被动状态，是局部的、暂时的。今后，应当大力宣传保护与人类息息相关的环境的重要性，将人类的认识提高到自觉地爱护环境、保护环境的高度上。首先要认识人类工程—经济活动对地质环境变化可能带来什么样的后果，其中的不良后果是否有办法避免和改造；其次要研究和掌握环境地质作用规律、发生发展趋势预测方法和解决环境工程地质问题的相应对策。

该书详细论述了城镇环境工程地质、矿山环境地质、水利水电环境工程地质、交通环境工程地质、文物地质景观工程地质环境等。运用地质作用规律、工程—经济活动规律、环境学规律、有关方面的自然界作用规律以及人类社会发展规律和理论，对工程和经济活动的地质环境发展趋势进行预测，并提出环境保护的措施和方案。

本书涉及到工程地质学和环境地质学等诸多方面的理论知识。我相信它的出版发行一定会对环境地质学的发展起到重要的推动作用，对我国工程地质环境的规划、勘察、开发、研究和利用也将具有参考借鉴价值。当然它也必将成为广大环境工程地质工作者、环境研究者以及大、中专院校师生的良师益友。因而，我十分荣幸地借此机会向读者推荐这本书。

水利部黄委会勘测规划设计研究院专家委员会副主任

中国地质大学（武汉）等三所大学的兼职教授　　马国彦

中国水利学会勘测专业委员会常务副主任

2000年12月

前　言

　　《环境工程地质》是根据教育部环境类环境工程专业的教学大纲和教学计划而编写的教材。

　　环境工程地质是工程地质学的一个分支学科，本书主要阐述了环境工程地质产生的背景，建立了环境工程地质的理论体系，针对传统工程地质的研究内容，明确了环境工程地质研究的基本内容，详细论述了城镇工程地质环境、矿山工程环境、水利水电工程环境、交通工程环境以及文物地质景观的环境工程地质问题，同时从环境工程地质的研究方法、调查评价、编图制图等方面作了详细的论述，并已引入了系统工程、计算机辅助决策等新的研究方法。

　　在编写过程中，按照国家新颁发的规范、规程和标准，紧密结合工程实例，系统介绍环境工程地质的基本知识和基本理论，力求反映国内外先进的研究成果，编写时做到条理清楚、体系完整、内容精练、图文并茂。

　　本书由刘起霞、李清波、邹剑峰编著，其中绪论，第一、二、三、四、五、八、十章及附录由刘起霞、邹剑峰编写，第六、七、九章由李清波编写，第十一章由孙雪汾编写。全书由马国彦主审。在编写过程中曾得到李铁汉、刘传正等专家的指导，在此表示衷心感谢。全书由刘起霞统稿，邹剑峰制图。

　　由于编者水平有限，书中难免不妥之处，敬请批评指正。

编　者

2000 年 6 月于郑州

目 录

序

前　言

绪　论 ……………………………………………………………………………… 1

第一章　环境工程地质问题 ……………………………………………………… 8

　第一节　自然环境与自然灾害 ………………………………………………… 8

　第二节　地质灾害 ……………………………………………………………… 8

　第三节　环境地质问题 ………………………………………………………… 10

　第四节　工程与地质环境的可持续协调发展 ………………………………… 12

　复习思考题 ……………………………………………………………………… 14

第二章　工程地质环境的岩土基础 …………………………………………… 15

　第一节　岩体与土体 …………………………………………………………… 15

　第二节　工程地质岩组与岩土体结构 ………………………………………… 16

　第三节　地质体的赋存环境 …………………………………………………… 18

　复习思考题 ……………………………………………………………………… 20

第三章　环境工程地质系统分析概述 ………………………………………… 21

　第一节　工程地质环境问题的相关性、协调性 ……………………………… 21

　第二节　地质系统方法 ………………………………………………………… 22

　复习思考题 ……………………………………………………………………… 29

第四章　城市、乡镇环境工程地质 …………………………………………… 30

　第一节　城镇地质环境与城镇地质作用 ……………………………………… 31

　第二节　城镇环境工程地质研究的目的、任务和内容 ……………………… 32

　第三节　城镇环境工程地质问题研究的基本内容 …………………………… 33

　第四节　城镇环境工程地质的研究思路 ……………………………………… 76

　第五节　城镇环境工程地质研究的方法步骤与编图 ………………………… 77

　复习思考题 ……………………………………………………………………… 80

第五章　矿山环境工程地质 …………………………………………………… 82

　第一节　概　述 ………………………………………………………………… 82

　第二节　地下采矿引起的地面沉陷与山体开裂 ……………………………… 82

　第三节　采矿引起的边坡失稳问题 …………………………………………… 89

　第四节　采矿诱发地震及其他问题 …………………………………………… 95

　第五节　工矿废物污染问题 …………………………………………………… 98

　复习思考题 ……………………………………………………………………… 102

第六章　水利环境工程地质 …………………………………………………… 103

　第一节　坝址环境工程地质问题 ……………………………………………… 103

　第二节　库区环境工程地质问题 ……………………………………………… 125

复习思考题……………………………………………………………157

第七章　交通环境工程地质……………………………………………158
　第一节　概　述………………………………………………………158
　第二节　交通线路主要工程地质问题………………………………159
　第三节　高速公路的环境工程问题…………………………………170
　第四节　交通线路工程地质问题的研究方法及防治对策…………173
　复习思考题……………………………………………………………174

第八章　文物性地质景观的环境工程地质问题………………………176
　第一节　文物性地质景观的研究动态………………………………176
　第二节　我国文物地质景观的类型及工程地质环境………………176
　第三节　石质文物的主要环境地质灾害……………………………178
　第四节　石质文物病害的研究方法…………………………………181
　复习思考题……………………………………………………………182

第九章　人类活动对地质生态环境影响的评价………………………183
　第一节　人类发展对生态环境平衡的影响…………………………183
　第二节　地质生态环境影响评价原则与方法………………………188
　第三节　地质生态环境影响评价实例………………………………190
　第四节　可持续发展农业的问题……………………………………198
　复习思考题……………………………………………………………202

第十章　工程环境质量监测与环境信息系统…………………………203
　第一节　工程环境质量监测…………………………………………203
　第二节　工程地质环境信息系统……………………………………207
　复习思考题……………………………………………………………208

第十一章　环境工程地质评价与环境工程地质制图…………………209
　第一节　环境工程地质调查…………………………………………209
　第二节　环境工程地质评价…………………………………………210
　第三节　环境工程地质区划…………………………………………218
　第四节　环境工程地质图系的编制…………………………………219
　复习思考题……………………………………………………………223

附录一　我国水环境标准目录…………………………………………225
附录二　我国国家水环境质量标准（GB3838—88）…………………227
附录三　我国生活饮用水水质卫生标准（GB5749—85）……………229
附录四　国家饮用水水源的水质标准…………………………………230
附录五　我国污水排放标准（GB8978—88）…………………………231
附录六　污水排入城市下水道水质标准（CJ18—86）………………232
附录七　工业污染物排入城市排水系统的限值………………………233
附录八　水电部水利工程环境影响评价提纲…………………………235
附录九　新技术新方法在环境工程地质中的应用……………………237

参考文献…………………………………………………………………239

绪　论

一、环境工程地质问题的产生

世界性的环境问题，如大气污染、温室效应、水污染、热污染、放射性污染、固体废物、噪声污染、石油污染、资源枯竭、土地减少、水土流失、农药滥用、稀有野生动物植物灭绝等，一直困扰着地球的生态环境。首先，人类是首当其冲的受害者。环境污染仍然在威胁人类的健康与安全，例如空气污染引起呼吸道疾病，放射性污染导致癌症，噪声破坏听力等情况依然存在。长此以往，若干年后的地球，也许人类将无法居住。其次，与人类直接相关的自然环境的破坏还在加重。例如饮用水源污染使人们饮用水质量下降，农药、化肥的滥用造成农产品污染，自然景观的破坏减少人们对美的享受，宁静的乡村扩展为喧嚣的城镇，人们的居住环境变得拥挤，等等。

环境问题，古已有之。西亚的美索不达米亚、我国的黄河流域，都曾是人类文明的发祥地。后来由于大规模毁林垦荒，又不注意培育林木，结果造成严重的水土流失，以致良田美景逐渐沦为贫壤瘠土。

环境保护的任务就是要防止或减轻人类活动对环境的污染和破坏，保护地球环境和生态平衡，改善人类生存环境，促进人类社会健康发展。其内容大致有两个方面：一是保护自然环境，合理利用资源；二是改善人类生存条件，提高环境质量。

世界进入了可持续发展的时代。从 20 世纪 50 年代开始，随着工业经济的快速发展，一系列污染事件发生，形成了第一轮环境问题。80 年代，新一轮经济的快速发展使环境与发展的矛盾再次突出。随着人类工程和经济活动的规模和范围日益扩大从而引起了具有代表性的问题——环境工程地质问题，我们必须解决工程活动对地质环境的作用所产生的新问题，这就形成现代工程地质学的新分支——环境工程地质。

国际交流与协作为环境工程地质的创立作了组织准备，对加速环境工程地质问题的研究起了重要推动作用。1970 年，国际地球科学联合会（IUGS）正式成立了"地球科学与人类"专业委员会；1972 年，第二十四届国际地质大会将"城市与环境地质"列为第一专题；1979 年，国际工程地质学会（IAEG）在波兰召开首次"人类工程活动对地质环境变化的影响"专题讨论会；1980 年，在巴黎第二十六届国际地质大会上，国际工程地质协会一致通过了《国际工程地质协会关于参与解决环境问题的宣言》。《宣言》倡议所有从事工程地质和相邻学科的人员，在设计和修建任何工程时，不仅要注意工程设施的可能性及经济效益，而且必须考虑保护和合理利用环境问题；要求查明工程地质条件，并在空间、时间上进行定量的预测评价；要求开展以了解某些地区地质环境为目的的区域地质调查，编制世界性的分类环境工程地质图。环境工程地质问题的研究，在经过多次各种类型的与人类活动有关的地质灾害的教训、长期的思想孕育和组织准备后，已开始在全世界普遍开展。《宣言》已成为现代工程地质学向环境工程地质学进军的时代标志；同时，也肯定了已有的环境工程地质问题。

80 年代以后，环境地质尤其是环境工程地质的研究成果愈来愈多，质量也愈来愈高。1980 年 12 月，在印度新德里召开的第四届国际工程地质大会上，关于环境评价与开发的工程地质研究论文达 119 篇。同年 11 月，我国在湖北孝感召开了首届环境工程地质问题学术研讨会，这显示着我国的工程地质学领域中的一个新分支学科——环境工程地质开始崛起。1989 年 11 月在西安召开了第二次会议，在这次会议上对环境工程地质的概念、涵义、目的、特点和它的研究地位等问题都进行了比较深入的探讨，对环境工程地质的理论研究有重要的指导意义。1992 年 12 月，我国召开了第四届工程地质大会，区域环境工程地质等方面的论文占了 1/3，古建筑与古文物保护的工程地质研究受到了极大重视。1994 年 9 月，在葡萄牙里斯本举行了第七届环境工程地质大会，主要讨论了地质与灾害、工程地质与环境保护等问题。1995 年 9 月，在兰州又召开了第三次全国环境工程地质会议，在会上对环境工程地质的学科特点问题，各方面的专家与学者都发表了很多学术见解，在某些方面取得了共识，同时也存在着不同的学术观点，这些共识和不同的学术观点对工程地质的学科发展将产生深远影响。1999 年 8 月在哈尔滨举行了第四届全国环境工程地质会议，共同探讨了环境工程地质科学的发展，明确了 21 世纪人口、环境与发展的战略。

二、环境工程地质的基本概念和学科特点

我国的地质词典（1986 年）对环境工程地质的定义是：它是工程地质学的一个分支，是研究由于人类工程—经济活动所引起的（或诱发的）区域性和有害的工程地质作用的科学。这些有害的地质作用是诱发地震、滑坡、泥石流等。环境工程地质研究这些作用产生的条件和机制，提出减弱或消除它的工程措施，为制定利用、保护和改造地质环境方案提出依据。刘国昌（1982 年）提出：环境地质的中心问题是环境工程地质问题。从广义来说，其中包括第一环境与第二环境。所谓第一环境，即自然环境，它是在区域工程地质条件下发生、发展的，具有显著区域性规律。所谓第二环境，即是人类的工程—经济活动的影响，除与自然工程地质条件有关外，更主要与人类的工程—经济活动有关，故区域性规律不明显。胡海涛（1984 年）曾经提出过一个比较全面的论述："环境工程地质学是在区域工程地质学研究基础上，主要研究由于人类工程—经济活动引起的地质环境的变化，以及这种变化所造成的影响；其目的是为了改造、利用和保护地质环境。环境工程地质学以其研究领域的广泛性、研究内容和方法的综合性、环境评价的预测性和改造利用地质环境的能动性，以及以人类活动为主导的动力因素来区别于传统工程地质学。"我们认为：环境工程地质是研究解决与人类工程—经济活动有关的合理开发、利用、改造和保护工程地质环境的一门学科。

环境工程地质的产生，是经济活动不断加剧的必然产物。换句话说，在现代科学技术条件下，人类的工程创造给人类带来了极大利益，同时也给人类环境带来极大影响，出现了各种不良的工程地质现象，直接或间接地对人类环境产生反作用。为了解决这个问题，开展了环境工程地质研究。

环境工程地质的主要研究目标，是为了合理地进行工程开发，在满足人类发展需要的同时，保护地质环境，使人类工程活动与地质环境保持良好的协调关系，更有利于人类的生存、生活和生产的发展。

环境工程地质的主要研究内容，是在查明工程地质条件和自然地质作用的基础上，探索人类工程与地质环境相互作用，从定性分析到定量评价，由静态认识到动态观测，着重于研究各种工程环境系统的演化和它的发展趋势，提出合理利用、经济的防治措施，为制定人类工程——经济活动发展规划提供科学依据。因此，它是一门应用型科学，是工程地质学与环境科学之间的边缘学科，也是现代工程地质学的一门分支学科。

应当说明的是，传统工程地质学与环境工程地质是不能截然分开的。环境工程地质也是研究工程的地质环境条件，以及它对人类工程——经济活动的制约和作用。但是，这是当作基础工作进行的，且侧重于研究地质环境的组成、各部分的相互关系、现状以及发展变化趋势，进而讨论对人类工程——经济活动的适宜性和适应性，提出环境地质综合评价，为保护和合理利用工程地质环境提供科学依据。

环境工程地质的学科特点归纳如下：

（一）环境工程地质的广泛性

环境科学所研究的环境问题是以人为主体而言的外部世界，即人类环境问题。它的广泛性起因于人类工程——经济活动的广泛性。它具有非常广泛的环境概念，如图 0-1 所示。

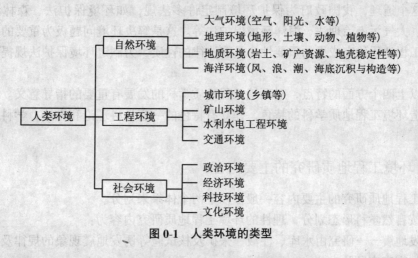

图 0-1　人类环境的类型

由上图可见，人类环境是由自然环境、工程环境和社会环境等三方面构成的。三者之间是相互联系、相互影响、相互作用的。但其中起主导作用的是人类工程活动，由此而产生的环境问题，毫不夸大地说，是环境科学中最主要的环境问题，也是环境工程地质的最主要的研究内容和研究任务。由此可以说明环境工程地质在环境学中占有重要的地位。这种地位将会越来越重要，越来越多的学者关注和从事专门工作。由于人类工程规模越来越大，对环境影响也越来越明显，对解决环境工程问题的迫切感也越来越强。

（二）环境工程地质的多学科性

工程环境问题涉及面很广，如大型水库建成后，对小气候的改变，涉及到气象学等问题；水库浸没对土壤的改变，涉及到水文地质学和土壤学等问题；矿山开发、交通建设、破坏植被、占用农田、造成水土流失，涉及水文学和生态学问题；城市建设中出现的地裂缝、地表沉陷、滑坡等，涉及到工程地质学等问题。所以，环境工程地质的理论和方法是多元化的、多学科的。但是，其中最主要的理论基础是工程地质学与生态学。认识环境工程地质问题发生和发展过程，必须应用工程地质学的成因理论和工程岩土体稳定性理论。

由于工程活动所造成的植被覆盖率减少、水土流失等危害生态环境的现象，并预测它的发展趋势和进行治理，必须运用生态学的理论和方法，才能得到很好的解决。

（三）环境工程地质问题的复杂性

对环境工程地质问题的研究，必须从研究环境要素开始。环境要素是多序列的，每个序列中又有多种类型。在工程活动中，各种要素之间的相互关系和相互作用又在不断地变化。由此而产生的环境工程地质问题，由局部逐渐向区域扩展，对这种扩展的过程和未来发展趋势进行分析，需要收集大量的信息，并要快速地处理。解决这种复杂的环境演化问题，只能运用现代系统工程的理论与方法，才能获得满意的效果。

（四）环境工程地质成果的社会性

环境工程地质的研究成果，具有广泛的应用价值，这一点是毫无疑问的。但又是一种很难应用的成果，不像数、理、化方面的成果，应用十分方便。谁都需要一个好的环境，谁都知道环境的重要性，但就个人和某一个单位讲，谁都无能为力改变环境的现状。因为环境问题是系统工程问题。由此产生了这样一个问题：环境工程地质的研究成果，除能帮助人们提高环境意识外，如何能得到实施？解决这个问题，必须得到法规的承认和支持。正是由于这个道理，我国政府为保护环境制定许多法规，如环境保护法、森林法、资源法、水法、大气污染治理法、海洋环境保护法等。这是解决环境问题极为重要的手段。因此，环境工程地质研究成果的重要性，具有法律的性质，为制定环境保护法规提供科学依据。

认清以上四个方面的特点，对环境工程地质学科的发展有重要的指导意义。根据这些特点，创造环境工程地质学科的特色，建立有特色的一套学科理论和方法，学科发展才有生命力。

三、环境工程地质研究的主要内容

环境工程地质研究的主要内容一般按以下两个体系来划分。

（1）按自然学科形态划分，理性的环境工程地质研究内容为：

①诱发地震——研究由水库、注液、采矿及核试验等诱发地震现象的规律及预防，进而有助于地震灾害预防。

②人类活动与地表岩土工程边坡——研究因水库蓄水、各类工程开挖及矿山采掘等引起的大范围破坏地表及工程设施的边坡变形、失稳等问题。

③地面沉降——研究由过量抽取地下液态矿体或开采固态矿体而引起的地面沉降、地裂缝及地面陷落等。

④人工堆积物引起的地表环境恶化——如城市生活垃圾与人工填土、废矿矸石堆放及核废物的工程地质处理。

（2）按社会部门形态，环境工程地质可分为：

①城镇环境工程地质——主要研究城镇地区的环境工程地质问题。因为城镇是人类工程—经济活动最集中的地方，故有人认为城镇地质是环境地质研究的中心问题。

②矿山环境工程地质——主要研究采矿（露天和地下开采）所引起的山体崩滑、地面沉陷和废矿矸石堆放引起的滑坡、泥石流等，此外尚涉及矿坑复填与环境美化问题。

③水库环境工程地质——专门研究因水库蓄水而诱发地震、边坡失稳及水土流失等。

④交通线路环境工程地质——专门研究修筑交通路线对工程地质环境的危害。

⑤文物性地质景观地区环境工程地质——研究旅游区自然景观及石质文物遗迹的保护以及自然旅游区内的工程建设合理性。

四、现阶段我国环境工程地质的研究重点

针对现阶段环境工程地质研究现状和我国现代经济建设发展趋势，为了解决建设中所出现的环境工程地质问题，合理利用和保护地质环境，为进一步改善人类生存环境做出应有贡献，今后的一段时期内，我国环境工程地质研究必须在深度和广度上有一个大的发展，将微观研究和宏观研究推向深化，同时，加强微观研究和宏观研究的结合。

（一）加强环境工程地质的理论与方法的研究

（1）在普遍揭示各类工程建设有关工程地质问题的研究中，要观其表征，寻其发生、发展规律，深入分析工程建设与地质环境的依存关系和相互作用机理。因此，要有目的、有组织地开展各类工程建设效应的研究工作。

（2）努力应用系统论的理论与方法开展环境工程地质研究，逐步组织不同类型地区、不同工程组合类型的建设区开展示范研究。

（3）加速各类问题的数据库及其信息系统的建设。

（二）加强区域性环境工程地质研究

（1）针对国家制定的国土整治规划和经济建设的战略，不失时机地开展重点经济开发区和生态环境脆弱区的治理开发中的区域环境工程地质评价工作，为有关地区经济发展（区域开发）的战略决策，提供基础性的依据。

（2）工程地质学家已经有能力与社会、经济界协同研究区域资源开发、生产力布局和环境整治问题。

（三）注重地质灾害的形成规律、趋势预测及减灾对策的研究

这种研究既要注意自然地质作用、人类行为以及它们的联合作用所产生的地质灾害本身，又不能孤立地研究地质灾害，而必须把各种自然灾害间的相互关系摸清，即应当考虑自然灾害的相关性、综合性、地区性以及社会性。

同时，要在地质灾害规律研究的基础上，把注意力放在预测、预报、预警和减灾对策及防治措施的研究上，并付诸实践。

（四）开展环境工程地质制图研究

要求图件反映所及地区的工程地质环境特性的区域规律，一方面要表征环境工程地质评价所需的实际资料，另一方面要预测规划的建设项目可能引起的工程地质环境变化趋势。显然，这类图件既有服务于不同目的的需要，又必须有各种因素的分析图件和综合图件，所以是一整套系列图件。

同时，要积极积累资料，在区域图件编制的基础上，编制全国性图件，为国家高层次的国民经济发展、地区生产力布局和国土整治规划的战略决策提供基础性资料，努力实现我国资源、环境的合理开发和保护，加速改善人类生存环境的进程。

五、环境工程地质的发展方向

环境工程地质问题规模日大，影响范围越来越广泛，随着世界新的开发计划实施，

"全球将变成一个大工地"，预期对地质环境影响也就更加严重。例如大坝坝高已超过300 m，边坡高度已近1 000 m，隧洞埋深已达2～2.5 km，矿井采深已超过1 200 m，石油采深已超过3 000 m；又如三峡水利枢纽工程，除巨大的坝区工程外，在水库区域内，还将迁建10多个县市城市以及150个集镇，而且大多分布在物理地质现象发育、地势陡峻的库岸附近。平脊填沟，架桥开路，工程浩大，同时还要在山区重建和改造交通网络，垦殖、移民，将在较短时期内强烈改变地球环境。另外，由于社会发展、经济建设整体的需要、国防的需要，已经和将要在更复杂的地质环境条件下进行建设活动，环境工程问题也将趋于复杂化。总之工程—经济活动与地质环境相互依赖、相互作用、相互影响的关系，越来越明显、越来越深刻。

在世界范围内，举世瞩目的我国三峡工程、非洲中央人工湖、喜马拉雅山水力发电计划、苏联与美国之间的白令海峡大坝以及加拿大中央原野开发等工程(见图 0-2)，其规模和影响之大，均属空前。这些世界级的巨大工程将会涉及和诱发出更广泛、规模更大、风险也更高的环境工程地质问题，因此环境工程地质理论与应用研究的发展都是刻不容缓的。

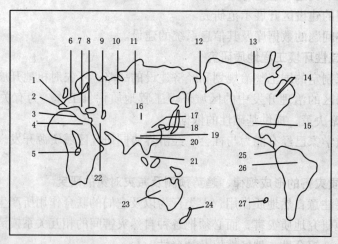

图 0-2　世界主要巨大工程计划示意图

1—多米尔运河；2—横穿地中海海底管道；3—直布罗陀海峡隧道；4—卡塔腊盆地开发；5—非洲中央人工湖；
6—多佛尔海峡隧道；7—捷克-南斯拉夫铁路隧道；8—墨西哥海峡大桥；9—里海水坝；10—苏联河流逆流计划；
11—西伯利亚运河；12—白令海峡水坝；13—加拿大中央原野开发；14—加拿大运河；15—布腊索斯河拦河工程；
16—欧亚大陆公路；17—南北大运河；18—三峡大坝；19—中国南水北调西线工程；20—喜马拉雅山水力发电计划；
21—克拉地峡运河；22—里海—黑海运河；23—澳大利亚运河；24—库克海峡隧道；25—第二条巴拿马运河；
26—南美水利资源开发；27—南极冰山拖航

(原载（日）《科学朝日》1986 No.3)

复习思考题

0-1　什么是环境工程地质？其学科特点是什么？

0-2　环境工程地质与相邻学科之间的关系如何？

0-3 环境工程地质研究的主要内容是什么？

0-4 我国现阶段环境工程地质的研究重点是什么？

0-5 如何理解"地球将变成一个大工地"这句话的含义？

第一章 环境工程地质问题

第一节 自然环境与自然灾害

一、自然环境

环境（Environment）是指人类周围自然和社会的全部条件和情况，也包括影响自然界性质的条件和物质。

自然环境（Element）是对人类社会而言，与人类社会发展有关，它包含着人类生存所必须的生产和生活资料。也是人类从事各项活动的源泉和基础。自然环境的好坏直接影响到人类社会发展速度和质量。

自然环境是由岩石圈(包括土圈)、水圈、大气圈和生物圈四个部分组成，这四个部分相互依赖，共同存在于地球表面或其上部，组成一个整体。从时间上讲，今天的自然环境与过去的自然环境有关，并且可以影响到未来的自然环境，这就是自然环境的可预测性。

二、自然灾害

所谓自然灾害（Nature Disaster）是指由于自然因素引起人类的生命安全、财产、赖以生存的资源、环境发生损坏和恶化，导致人类正常生活受到干扰，社会有时失去稳定等。自然灾害是自然环境系统的一个组成部分，自然环境有良性和恶性之分。自然灾害属于恶性自然环境系统。

自然环境与自然灾害的关系如表 1-1 所示。

表 1-1　自然环境与自然灾害关系

自然环境	自然灾害系列
岩石圈	地震、火山、滑坡、泥石流、崩塌等
土　圈	沙漠化、土滑坡、地裂缝、水土流失、地面沉降等
水　圈	洪水、暴雨、雪灾、冻灾、海啸、海水入侵等
大气圈	飓风、沙暴、酷热、严寒、干旱等
生物圈	虫灾、火灾、植物退化等

第二节 地质灾害

一、地质灾害概述

我国是一个幅员辽阔、地质和地理条件复杂、气候条件各地区变化较大的国家，加之工农业、城市、交通、水利的迅速发展，每年都会发生一些不同类型的自然灾害，其中地质灾害在自然灾害中占有很大的比例。

地质灾害（Geology Calamity）是大自然支配人类的最显著的因素，在地球内部动力和岩石圈、大气圈、水圈和生物圈的相互作用和影响下，生态环境和人类生命、物质财富受到损失的现象和事件。它包含着两种动力地质作用，一是内动力，另一种是外动力。外动力除自然动力外还有人为因素所引起的地质动力，有时它成为岩石圈表面强大的地质动力，对大气圈、水圈和生物圈带来直接和间接的影响。

二、地质灾害的分类

地质灾害的影响因素和过程是十分复杂的，其类型划分的格式一般为：类→亚类→灾害，见图1-1。由图可知，地质灾害类型可分为3种，亚类可分为12种，灾害可分为34种。

三、我国地质灾害发育及分布规律

地质灾害是在一定环境条件下形成的，它受诸多因素的控制，如地形地貌、地质构造、地层岩性以及人类活动等。我国的地质灾害的分布存在以下几方面的规律：

（一）地震灾害受到地球板块迁移的影响

我国位于欧亚板块东南部，东部是太平洋板块，西部是印度洋板块，受到世界两大地震带的挟胁，因此，在全国有许多地震活跃区，如台湾、青藏高原、华北平原等。我国地震分布面积广、强度大、频率高。据统计，我国30多个省市中，20世纪以来有21个发生过Ⅶ级或Ⅷ级以上的地震。全国有312万km²土地面积和136个城市属于地震区。

地震灾害也会产生次生效应。如长江中上游横断山地区、黄河中上游祁连山地区和华北燕山一带，其滑坡、崩塌、泥石流发育分布多是沿着活动构造带和地震带。

（二）地质灾害受纬度和气候条件的控制

中国大陆自南向北气候分布依次为热带、亚热带、温带、亚寒带，这一气候模式显然与纬度分布有关。所以引起的地质灾害南北方有明显的差异，南方雨量充沛，以喀斯特陷落、岩土体变形、山洪、滑坡、水灾为主；北方气候干旱，土地沙漠化、盐碱化严重；到东北大兴安岭地区，纬度高，气候寒冷，以冻融灾害为主。

（三）地形地貌对地质灾害的影响

我国地势自西向东由高变低，大体可分为三个阶梯。第Ⅰ级为青藏高原，海拔4 000 m以上，年平均气温在-0.8～6.5 ℃。温度变化以冻害、雪崩为主。依次向东为Ⅱ级阶梯，海拔在1 000～2 000 m，秦岭以南长江流域为湿润—半湿润气候。秦岭以北黄河流域为干旱—半干旱气候。但两者均在夏季降雨，雨量充沛，故地质灾害常以滑坡、崩塌、泥石流、水土流失为主。在太行山、伏牛山至雪峰山以东地区为Ⅲ级阶梯，它包括了东北平原，黄淮海平原、长江中下游平原以及江南广大盆地、丘陵区，海拔在500 m以下，地势平缓。这些地区人口密集，城市集中，工农业发展快，交通便利，形成了以人类活动、工程活动为主的地质灾害，如地面沉降、海水入侵、诱发地震、土地沙漠化、水土流失、江河淤积等。

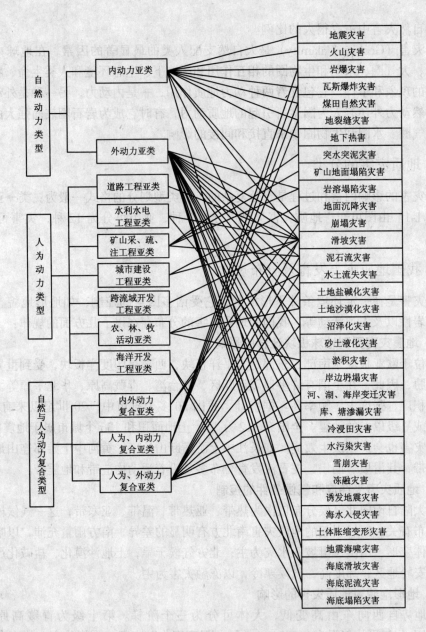

图 1-1 地质灾害成因类型体系框图

第三节 环境地质问题

一、环境地质学的定义

环境地质学是近 20 a 来兴起的一门新兴科学，它是环境科学中的一个重要组成部分，是地质学科的一个分支，应用地质学的理论和方法研究地质环境的基本特性、功能和演变规律；研究人类活动与地质环境之间的相互作用、相互制约的关系；解决人类开发利用自然环境遇到的和可能引起的地质问题；探索在经济发展过程中合理利用和保护地质环境的途径。

二、人类活动与环境地质学

由环境地质学的定义可知，它是研究由于人类活动所引起的一切地质现象。这些现象随着社会经济的发展和科学进步在不断扩大。就现阶段而言，人们的经济活动主要可引起以下几方面的地质作用：

（一）人为的剥蚀地质作用

主要有矿山剥离盖层、工程挖掘土石、农业平整土地等。人工对大自然的剥蚀作用，其速率和强度有时大于天然剥蚀作用。

（二）人类的搬运地质作用

人类为了开发和利用自然资源，为了某项经济活动，每年要搬运大量不同类型的材料。如填筑工程地基、采矿、开垦荒地和坡地等都会引起人类搬运地质作用。据估计，由于人类地质活动，每年搬运的物质达 1 万 km^3，超过全球水流的搬运作用。

（三）人类的堆积地质作用

人类在地球上许多地方的堆积已达到相当大的规模，如布拉格市有一层厚 6 m 的人工堆积物。

（四）人为塑造地形作用

人为塑造地形作用和经济建设有关，往往形成许多地貌景观，如人造平原、梯田、水库、运河、人工边坡、假山、填平低地、天堑、人工岛等，其速率甚至比天然外动力地质作用更强大。

（五）人类活动所诱发的地质作用

如大规模开采地下水而引起的地面沉降、在喀斯特地区所造成的地面塌陷、水库和深井注水引起的诱发地震等。

上述举例的一些地质作用，常导致天然地质环境失去平衡。深入研究这些人为地质作用发生、发展对改善地质环境是十分有益的。

三、环境地质区划

我国是一个地质灾害多发的国家，如地震、地面沉降、水土流失等活动在许多地方每年都有发生。这些灾害在当前要达到控制的地步是很困难的，但采取措施，加以预防和预报，较有效地减少一些地质灾害给人们带来的损失，达到人与地质环境有着较好的协调还是可能的。也就是说从环境观点出发，对全国或某一个行政区加以环境地质区划。所谓环境地质区划是按区域的地质环境结构特征和功能有利、不利因素展开经济活动，用区域所存在的地质问题来评估人类活动与地质环境的相容性以及它的容量和质量。所以，环境地质区划是进行国土开发、环境管理和保护不可缺少的环节。

地质环境的容量是指一个特定地质空间可能承受人类社会—经济—工程发展的最大潜能。其地质环境质量是指自然地质条件稳定性、抗人类活动干扰能力和原生地球化学背景（钙、镁、钾、钠、碳、氮、氧、磷和某些微量元素对人体的有利和不利影响，环境受污染和破坏的程度）。

环境地质区划的内容与步骤是：

（1）对规划区的地质构造、岩性、水文动态、地质作用、地形和气候加以分析研究，以划分出不同的地质环境单元。

（2）对每一类型单元进行地质环境容量和质量评价。主要评价地质环境对人类活动的承受能力。

（3）对单元内环境地质问题作出评价和预测，对人类活动给地质环境已造成或正在造成的影响、性质、范围和程度作出评价并提出防治和治理对策。

（4）提出规划的利用方向、开发利用和保护措施。

第四节　工程与地质环境的可持续协调发展

本章第一节中已经讨论了自然环境和自然灾害，以及人类活动和诱发灾害两个侧面，但这两种过程不是孤立的，它们是相互联系和相互作用的，并可以协调发展。

在工程地质学发展的早期，工程活动的地质评价是以其自然地质特性和自然灾害为基础的。即使这样，许多工程在规划和选址时缺乏对自然环境的足够认识，对自然灾害的估计不足而造成重大失误。所以，传统工程地质学非常尖锐地指出它的必要性和重要性。随着测试、勘探技术的发展，尤其是计算机技术的发展，定量的工程地质和岩土工程评价能力有大幅度的提高，这毫无疑问是保证工程建设安全而经济的重要保证。但是，人们在认识上又会产生一种倾向，在工程评价中忽视对较大范围的自然环境和自然灾害的认识和研究的重要意义。环境工程地质学应进一步强调这一点。

随着环境科学的发展，人们注意了人和自然的关系，认识到人类和环境的相互作用关系，反映在工程地质学界就是环境工程地质学的提出和兴起，或者是关于工程建设和地质环境相互作用的提出和探讨。在这种思路下，工程地质评价和对工程地质问题的预测不仅要建立在对自然地质特征和自然灾害的评价基础上，而且要进一步依据人类工程建设活动对自然环境的影响，及环境改变对人类工程建设的反馈影响过程，即相互作用过程来作评价和预测。因此，工程地质学既要研究自然地质环境，更要研究受人类工程活动影响后的地质环境特征。

在工程地质力学提出并开始发展的时候就注意到一点，即在倡导把力学手段引进工程地质，解决工程地质问题时，不可忽略研究的对象是自然历史形成的地质体，不能只看到岩石，而要重视它的内在结构和特性。不久以后就提出工程建筑物和地质基础的相互作用。20 世纪 80 年代初就在这个命题上开展了一系列工作，尤其是水库区和地质环境的相互作用及城市建设和地质环境的相互作用，认识到这些重大的工程建设中人类活动对自然环境的巨大影响，以及地质环境在人类社会短暂时期内产生显著变化的可能性。由于次生环境的演化导致诱发的或称为引发的灾害。这种对工程建设和地区的反馈影响也是很自然的。因此，提出原生环境和次生环境及原生约束和次生约束的概念。约束是环境对工程建设的约束，在工程的评价、规划和设计中必须考虑这种约束，解除和摆脱约束，才能使工程建设得到安全和经济效益。

在考虑工程建设的环境工程地质问题时，一方面不能局限于工程场址的直接的工程地质条件，而要考虑更大范围的地质环境和本工程的协调；另一方面要从本工程在建设和运行期间可能导致地质环境的次生演化出发，根据变化后的地质环境特性，考虑本工程和本区工程建设与之是否协调。

为了进行环境工程地质评价必须追踪工程建设和地质环境的相互作用过程，这种过程可能是阶段的，反复协调，而且各阶段的作用机制还可能有所不同，因而这种预测是相当复杂和困难的。有经验的工程地质学家能够注意到这种相互作用的发展趋势和过程，才能作出正确的评价，提出可靠的有效对策。

各类工程建筑物和地质环境的相互作用过程首先是从工程作用力的直接作用开始的。但是工程作用是多功能的，一种作用力可能不致于破坏地质环境平衡，但是在另一种作用力作用下地质环境受到干扰，向一定的趋势发展。这一作用也许对工程尚无不利的影响，但是发展到一定阶段可能引起另一阶段或另一作用发生，到那时才会产生对工程或对环境有明显的不良影响。当我们发觉不利影响时，其作用远远不是工程的直接作用所表现的，而是作用多次转化的结果，这是相互作用的序列问题。

当我们建筑大坝时，首先考虑的工程稳定性是坝基的变形、渗透压力和抗滑稳定性，经过实验和验算，证明大坝荷载不足以破坏平衡，趋势受到制约。但是，坝基应力重分布，这一作用的趋势在一定的坝型条件下出现拉应力区和压应力区。应力重分布的结果尚不会产生对大坝的直接影响，但是随着大坝蓄水周期性涨落却导致新的作用，即库水从拉应力区入渗，在上游坝基的帷幕可能逐渐破坏，下游排水系统失效，这一作用趋势逐渐扩展，在坝基下出现高渗透压力。渗透压力的剧增在一定条件下导致扩展趋势，造成大坝基础的滑动失稳。著名的法国马尔巴塞坝的惨重失事就是这种过程的发展结果。我国的梅山水库连拱坝的右坝肩岩体变形也属于这种相互作用的结果。

又如在修建大坝时可能坝基稳定性没有问题，虽然有软弱夹层，但下游抗力体可提供较高的安全系数。上述这种渗透压力发展过程趋势受到制约。可是，坝体溢流每年下泄洪水，巨大的挑流水能冲刷着下游岩体。有时当下游岩体坚硬完整、又无软弱夹层时，这一作用趋势仍被抑制。但是，有些坝址坝基有平缓的软弱夹层。在这种情况下，坝址下游形成冲刷坑后就出现过类似的问题，后来采取了必要的治理措施。

在隧道的设计、施工中，一般只注意到隧道围岩的稳定性和施工期间是否会有巨大的突水发生。在这两方面问题不太严重、并有相应措施的情况下，隧道方案从工程地质评价角度来看是可行的。瑞士一座隧道施工结束后工程运转正常，但是它却成为地下水的排泄通道，地下水径流和水位产生了逐渐的变化，虽然隧道内地下水流出量逐渐减少，但是水位仍在不断下降。地下水的排水、岩层的固结和变形随之进行，开始觉察不到，逐渐才发现隧道附近地区地面产生变形和下沉，附近一座大坝出现裂缝，威胁到整个地区的安全。

湖北盐池河山崩发生后，工程人员曾对山崩发生的机制进行了研讨。这次山崩从山体失稳的运动来看是很奇特的。从滑动角度看，软弱层的倾角很平缓，在块体运动方向视倾角才3~5°，似乎抗滑稳定性是比较高的。从重力倾倒来看块体的基座宽度同块体的高度很接近，重心似乎很难移动到基座外，因而倾覆的稳定性也应当说是比较好的。这次山崩实际上是多年来自然过程和人为作用酝酿造成的。这个地区山体顶部由厚层岩构成，而下部为泥质灰岩等薄层状岩体构成，夹有磷灰石矿。在自然边坡作用下，下部软层的蠕变可导致顶部灰岩出现拉裂缝。几十年来又因开采磷灰石矿，采场达相当深度，造成地面变形，使坡顶开裂，自坡面向山里发展，自坡顶向深部发展，形成山崩的边界条件。当铅直裂缝因充水作用后不仅裂缝可向纵深发展，而且和上述地裂缝形成作用一起造成块体的倾斜变形和水平层面的张裂，但在坡面上这种层面裂隙受压，不易排水。在这种条件下，既有侧向渗透压力，也出现块体底部的浮托力。在这种综合的荷载下坡顶有三个块体逐次向坡外倾覆造成巨大的山崩。因为这次山崩受到采矿的诱发作用，矿山受到的危害也就最严重，人员也有很大的伤亡。这种山崩的机制在意大利、捷克很多地方都有报道。人为的采矿不仅加速了失稳的过程，增大了失稳的规模，同时也大大加剧了成灾的严重性。

从以上一些实例中可以得到以下一些基本认识：

（1）人类活动造成工程地质作用，参与到成灾过程中，是可以起诱发或触发灾害作用的，有时我们称为工程地质灾害。

（2）即使在这种工程地质灾害的形成过程中，地质环境的内在结构和特性仍是决定性因素，人类工程活动应适应这种地质环境的要求。

（3）工程地质灾害的形成是人类工程建设和地质环境相互作用的结果，这种作用有时是很复杂的，是多阶段的，作用的机制是在转化着的。

（4）工程地质灾害的预测要求系统地考虑全部工程因素和地质因素的关系，判断其作用机制和作用趋势，有些作用将受到抑制，有些作用将有所扩展。对于扩展性作用要继续跟踪，并预测其是否产生机制和作用的转化。最后，才可排除可能受到抑制的作用，找出可能成灾或给工程和环境带来危害的过程。

复 习 思 考 题

1-1 什么是自然环境？自然环境由哪几部分组成？

1-2 什么是地质灾害？地质灾害是如何分类的？

1-3 我国的地质灾害发育及分布规律是什么？

1-4 人类活动可引起哪些地质作用？

1-5 环境地质区划的内容和步骤是什么？

1-6 工程与地质环境将如何协调发展？

第二章 工程地质环境的岩土基础

工程地质环境研究，首先考虑的是地质体的构成、特征及成因。他们决定了地质体的工程地质性质及其内在规律性和相互联系性。

第一节 岩体与土体

作为工程地质环境研究对象的环境地质实体，由地壳表层与工程建筑直接或间接相关的各种成因的土体、软弱岩体、岩体和地下水体等构成，它们是地质环境的物质基础。

一、土体

所谓土体（Soil Mass）是由一定的土体材料组成的，具有一定的土体结构，赋存于一定的历史环境中的地质体。土体结构是指土层组合和被节理裂隙切割成土块的土体内排列、组合方式。在研究土体时必须考虑到土体成分、土体结构和土体赋存的地质体环境等。土是土体的成分。土（Soil）是岩石经过风化、剥蚀、搬运和堆积而形成的。任何一种土体都是由固体、液体及气体三相组份构成。从矿物学角度来看，土的固体组份系由原生矿物颗粒、粘土矿物、有机质和胶体四种成分构成。土体中的液体成分主要是指吸附在土体颗粒表面和胶团周围的水。

目前对一般土体的研究已比较成熟，但对特殊土的认识尚不足，如西北的黄土、华南的红土及膨胀土、沿海的淤泥土和东北及青藏的冻土等，都严重影响地基的稳定性，易受外界条件变化的干扰而破坏环境。

黄土（Loess）是指粉粒含量大于60%，孔隙比接近1，肉眼可见大孔隙和垂直节理的粘性土。大量分布于我国西北、华北，多在二级以上的阶地上或塬、梁、峁上，具有明显的湿陷性，特别是风成的新黄土更是如此，加上某些地区的新地裂发育，对水库、渠道和厂房地基均有影响，如边坡的塌滑、地基的沉陷等。某些水成的类黄土也会造成很大的危害，如黄河中上游地区大量分布的类黄土区经常发生大型高速滑坡，1983年春，甘肃省东乡自治县发生的洒勒山滑坡给人民生命财产造成惨重损失就是一例。

膨胀土（Expand Soil）属高塑性粘性土，它含有一定数量的蒙脱石矿物颗粒，吸水膨胀，失水收缩。广泛分布于湖北、河南、山西、广西等省区，其成因多样，如残积、坡积、冲积和湖积等，常发育在斜坡、丘陵和阶地上，以其胀缩的敏感性对各种建筑设施产生破坏作用，有的铁路边坡经多次处理尚不稳定。如山西太焦线及其附近城市建设普遍遭受到破坏，不得不迁建。

软土（Soft Soil）是指孔隙比大于或等于1，天然含水量大于或等于液限，承载力低于100 kPa的软塑到流塑状态的粘性土。如淤泥或淤泥质土以及其他高压缩性饱和粘性土、粉土等，工程上习惯称为饱和软粘土（或软土）。主要分布于上海、天津、广州、温州、连云港等省市。软土地基往往会产生过大的沉降而使建筑物失稳。因此，必须重点研究其压缩性、渗透性、抗剪性等。

华北平原、松辽平原大量富水细沙层的存在，在地震影响下极易出现大面积砂土液化和流砂现象；东北、青藏地区的冻土融冻后则导致道路"翻浆"，等等。

二、软岩

第五届国际地质大会软岩讨论会，将软岩（Soft Rock）定义为：岩石材料本身软弱或具有软化结构构造的岩石。1987 年广东茂名软岩会议将软岩概括为"强度低、易变形和具膨胀性、崩解性、易流变的松散软弱岩层"。工程地质上软岩是指新鲜岩石的饱和单轴极限抗压强度小于 30 MPa 者。按以上定义，常见的软岩主要有：

（1）性质软弱的原岩，如胶结程度差的砂岩、泥岩、泥灰岩、凝灰岩以及含大量云母、绿泥石的片岩、千枚岩等。

（2）经构造破碎及次生风化的岩石，如风化岩、断层破碎岩、泥化夹层等。

（3）与水作用敏感的岩石和各类膨胀岩。

软岩的存在，不仅构成了岩体稳定性分析的重要边界条件，而且往往是控制岩体稳定性的重要因素之一，常出现的工程地质问题是：

（1）易产生重力变形破坏现象，在侏罗系、白垩系和第三系中软岩往往产生重力变形和破坏现象。

（2）地层中发育的软弱夹层易孕育成滑动面。如长江葛洲坝工程坝基由白垩系紫红色砂泥岩、砂砾岩组成，其内发育的软弱夹层的摩擦系数（f）仅为 0.17。当然，滑面的形成与否也与具体的气候和地貌条件有关。

三、岩体

岩体（Rock Mass）是经历过多次、反复的地质作用，经受过变形、遭受过破坏，形成有一定的岩体成分、一定的结构、赋存于一定的地质环境中的地质体，作为力学作用对象研究时称为岩体。

岩体一直是环境工程地质学重点研究的对象，其主要问题是：

（1）对于成岩较好岩体，如古生界和中生界的沉积岩及弱风化火成岩、深变质岩，多产生崩塌现象。如长江西陵峡新滩链子崖山崩与滑坡，一直持续了近两千年而未最终休止。

（2）在灰岩地区，常产生岩溶现象。

（3）基岩裸露的峡谷库段，则往往是诱发水库地震的一个基础条件。

第二节　工程地质岩组与岩土体结构

所谓工程地质岩组，是时代上延续、空间上相依，且工程地质性质相近的一套地层和岩体。工程地质岩组的地学规律决定了相应岩体的结构及性质。

一、工程地质岩组

（一）工程地质岩组的划分类型

工程地质岩组的研究具有实用性。国际工程地质学会为适应环境工程地质和区域工程地质编图的要求，1976 年提出了四级分类系统，即：

工程地质类型 ET (Engineering Geological Type)

岩石类型 LT (Lithological Type)

岩石复合体 LC (Lithological Complex)

岩组 LS (Lithological Suite)

工程地质类型是据岩土的物理性质的变化范围和一般的工程地质特征来划分的。岩石复合体具有确定的岩土类型组合，是中等比例尺和某些小比例尺的制图单位。岩组为一定古地理和构造条件下的许多岩石组合而成，一个岩组具有相近的工程地质性质。

（二）工程地质岩组的基本特征和评价

当前，工程地质岩组划分是在建造类型的基础上进行的，而不同建造的基本特征是有差异的，因此岩组也具有这些基本特征。

1. 沉积岩建造的各类型岩组

岩性岩相变化大，沉积模式复杂，相变显著，层面特征发育清晰，典型层状结构，常出现软弱夹层或透镜体，层间错动明显。

这类岩组的工程地质评价，要注意岩组的各向不均一性、岩体物理力学性质的各向异性、软弱夹层特征和不稳定特征，以及遇水作用岩性转化（如泥化、膨胀、流砂等）。

2. 岩浆岩建造的各类型岩组

岩性较简单，组织结构复杂，相变多样，原生节理发育，具块状结构和镶嵌结构特征。岩性均一，各向同性，强度较大。其工程地质评价是注意风化等问题，特别是风化岩的强度评价问题，此外，还要注意岩脉的特征和空间分布状况。

3. 变质岩建造的各类型岩组

岩性复杂，种类繁多，片理、板理、层理、片麻理发育，层状碎裂结构，具明显的各向异性及不均匀性。

工程地质评价，主要注意岩组的构造破碎程度，如层间错动、揉皱、节理等，变质结构面的强度特征及软岩特征等。

对以上各建造岩组进行评价时，均要注意水的作用，以及水在岩体内的赋存形式、渗透能力（流动场）、对岩体性质的影响等；同时注意针对具体目的的定量评价，如强度参数、声波波速、变形参数、物理性质指标。

二、岩土体性质与结构关系

近 10 a 来，人们越来越强调的是岩体的工程地质性质，而非岩土的工程地质性质。因为二者有着本质的区别。现场载荷试验和承压板原位测试为区分这种差别提供了有效手段，三轴试验模拟岩体的受力状态更接近实际情况（见图2-1）。

谷德振（1979 年）等提出了岩体结构的概

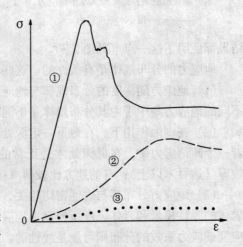

图 2-1　一定围压状态下岩体岩石断层破碎带试件的应力—应变示意图

①花岗岩块；②裂隙发育的花岗岩体的试件；
③花岗岩体中破碎带的试件

念，认为岩体是由被称为结构面的地质界面（次生结构面大到区域断裂，小到一般节理，甚至更小；原生结构面是由各种原始层面，如不整合面、沉积岩和变质岩中的层面等）和被称为结构体的岩块（由结构面切割成的块体）共同组成的，划分出整体块状结构、层状结构、碎裂结构和散体结构四个一级结构类型；每一级又可细分，以适应不同阶段的岩体工程地质研究需要。

第三节　地质体的赋存环境

地质体的赋存环境应是区域构造、地应力、地下水、地理地貌和人文因素等多方面条件的组合。这里重点研究地应力与地下水的作用。

一、地应力

地应力主要起源于地质体的重力和构造作用。之所以把地应力作为地质体的赋存条件，是因为地应力既存在于地质体内，又从周围作用于地质体。

（一）地应力的分布规律

地应力的分布随深度增大呈线性变化，无论是垂直地应力还是水平地应力都是如此。这个规律被称为布林—哈盖（Bulin-Herget）模型（见图 2-2）。但实际工程中发现最大水平地应力多数大于垂直地应力；最小水平地应力多数小于垂直地应力。地应力在剖面上有集中分带现象，二滩、三峡、小湾等水电站的地应力测量

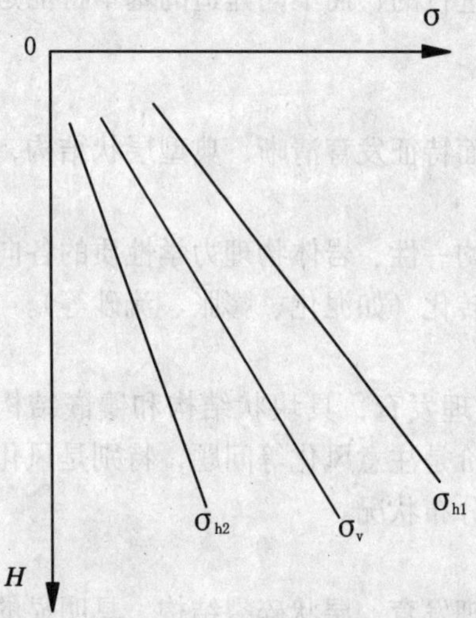

图 2-2　地应力随深度分布的 Bulin-Herget 模型
σ_v—垂直地应力；σ_{h1}—最大水平地应力；
σ_{h2}—最小水平地应力

结果都证明了这一点（见图 2-3）。

地应力的分布规律是有条件的。这些条件是：

（1）地应力随深度的分布规律与地应力场形成的过程、构造作用及剥蚀作用有关，在不同的地应力集中带内其分布规律是不同的。

（2）在剥蚀作用下，在地下一定深处存在一个地应力集中带，接近于地面的地方存在着一个卸荷应力带，在更深处才是正常的地应力带（见图 2-3）；有的地方卸荷应力带比较厚（达百米以上）；有的地方比较薄（接近于地表，深仅 $10\sim20$ m）。

（3）地应力分布还与岩性密切相关，坚硬岩体内地应力高，软弱岩体内地应力低，受岩体的弹性模量和岩体强度所控制。地应力随深度的分布，岩性的影响不是线性的，而地应变或应力系数的分布则可能是线性的。

（二）地应力特征的工程地质判别

一个地区的地应力高低和最大主应力方向在地质上是有征兆的，即存在高地应力区、低地应力区和最大主应力方向的地质标志。高地应力区和低地应力区系指水平地应力与垂直地应力值的大小比较而言，并非达到一定值；它还与其所处的地质体强度有关。高地应

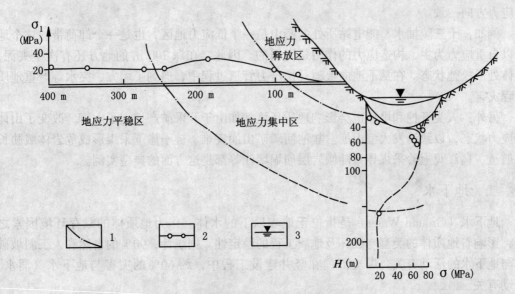

图 2-3 雅砻江二滩坝址地应力空间分布特征

1—地应力分区界线；2—地应力实测值及拟合曲线；3—江水面

力地区和低地应力地区的地质标志列于表 2-1 中。

表 2-1 高地应力地区与低地应力地区的特征对比

高地应力地区的地质标志	低地应力地区的地质标志
1. 围岩产生岩爆、剥离	1. 围岩松动、塌方、掉块
2. 收敛变形大	2. 围岩渗水
3. 软弱夹层挤出	3. 节理面内有夹泥
4. 饼状岩芯	4. 岩脉内岩块松动，强风化
5. 水下开挖无渗水	5. 断层或节理面内有次生矿物呈晶簇、
6. 开挖过程有时有瓦斯突出	孔洞等

地应力的最大主应力方向的地质标志：

（1）一个地区现存的地应力最大主应力方向大体上与该地区最强烈的一期构造作用方向一致；

（2）如果一个地区泉水出露方向具有规律性，泉水出逸方向与地应力最大主应力方向一致；

（3）岩体内夹泥节理方向大体上与地应力最大的主应力方向一致；

（4）探硐或隧洞顶渗漏水出水节理方向多与地应力的最大主应力方向一致；

（5）探硐或隧洞顶渗漏水滴水排列方向与地应力最大主应力方向基本一致；

（6）开挖竖井时，竖井内有时出现井壁岩体沿着岩体内软弱结构面而错动，其错动方向平行于地应力最大主应力方向；

（7）在高应力地区打钻孔时，孔壁常常出现围岩剥离现象，两壁围岩剥离连线方向与地应力最小主应力方向一致；

（8）钻孔内采取定向岩芯进行岩组分析得到最大主应力方向，多与该地区地应力最大主应力方向一致。

例如，十三陵抽水蓄能电站所处的蟒山是一个低应力地区，也是一个卸荷带。这个地区以自重应力为主，构造应力的作用是微弱的。因此，在深 200 m 的地方还有次生夹泥，岩体处于松弛状态。在从下池向上池开挖压力管道过程中，遇到了塌方、突水等严重地质工程灾害。

另外，人类开挖和堆载也会影响地质环境，如由于开采矿产挖空了山脚，改变了山体的应力状态，以致诱发大型山崩。盐池河磷矿山崩灾难、链子崖下采煤形成危岩体威胁长江航道、乌江鸡冠岭采煤导致陡倾岩层崩塌堵江等都是这方面的典型实例。

二、地下水

地下水（Ground Water）是指位于地表以下的水体。作为地质体的赋存环境因素之一，影响着地质体的类型与破坏及地质工程的稳定性。据统计，90%的自然和人工斜坡破坏与地下水的活动有关。煤炭部门在竖井建设工程中，约 60%的灾害与地下水（涌水）活动有关。

地下水具有双重性，双重性是指：①地下水既是地质体的赋存环境，又是地质体的组成部分；②在力学作用上，地下水的多与少，既可以使地质体的稳定状态发生敏感的变化，同时又是其地应力的组成部分。

作为赋存环境，地下水的补给、径流和排泄特点是地质体的动态水文地质边界条件；地下水的水化学特征决定了地质体的化学成分变化。这两方面因素及其变化，决定了地质体的演化。

作为地应力的一部分，地下水的状况直接与地质体的内部的应力分布相联系。潜水状态下，地下水减小了自重应力；在暴雨状态下，渗入地质体内的地下水来不及排出，导致地质体内部孔隙水压力（在土体中）或裂隙水压力（在岩体中）急剧增大，地质体内部结构之间的有效应力急剧降低，从而引起地质体变形或破坏，如滑坡；承压水状态下，过量抽取地下水，增大了地质体内部结构之间的有效应力，引起结构骨架压缩，宏观上即表现为地质体变形，如地面沉降。例如：上海市、天津市地面沉降是过量抽取厚层第四纪沉积物中的地下水引起的地面沉降的典型实例。西安地裂缝与地面沉降是渭河地堑现代断裂活动与人为过量抽取地下水双重作用叠加的产物。

复习思考题

2-1　什么是土体？什么是土体结构？

2-2　特殊土对环境有什么影响？

2-3　什么是岩体？什么是岩体结构？

2-4　工程地质岩组是如何划分的？有什么现实意义？

2-5　地质体赋存的环境是什么？各有什么特点？

2-6　为什么说地下水是地质体赋存的环境？

第三章 环境工程地质系统分析概述

传统工程地质学对诸如地基、斜坡、洞室围岩稳定性等专门性工程地质问题的研究是比较深入的，其基本点是尽可能安全、可靠。但对整个工程的地质环境以及各工程地质问题的联系考虑得不够。对工程的地质环境与工程的其他环境要素之间的联系、相互影响和相互制约也考虑较少。实际上，工程的地质环境只是工程系统的自然环境的一个组成要素，它与自然环境的其他要素以至工程的社会经济环境一起制约着工程，同时又受工程的反作用而引起环境系统和要素的变化，因此，必须将工程地质环境放到工程系统和工程环境大系统中去考察。

工程地质环境基本问题的中心内容是拟建工程所涉及到地质环境的工程地质问题及其相关性，尤其是强调各种问题的相关性，强调它们共处于同一环境中，而不是彼此孤立的。即把工程地质环境作为一个整体系统来研究。

就环境方面来考察，仅从工程地质角度分析，确定有利的场址和地基，并非一定是优越的。随着人类活动的日益广泛，优越地基、场址的可选性逐步降低，上述问题就变得更加突出。现代工程，尤其是大型工程，不但要考虑其一般的工程地质条件，而且必须考虑水土保持及生态、小气候等的再造以及移民问题，还要预测可能诱导出的环境工程地质问题。例如在举世瞩目的我国长江三峡水利枢纽工程中，三峡大坝的详勘工作从20世纪50年代就开始了，最初只是考虑到该水利枢纽是如此巨大，其勘测和选址应十分慎重。50年来，随着一系列令人震惊的水库环境工程地质问题与生态问题的出现，要求对三峡工程进行更广泛、更系统也更深刻地多学科论证。对诸如水库环境工程地质问题、库区移民工程地质问题、下游河道地质作用演变问题和生态环境问题等，进行了广泛、深入、系统的科学论证；对地壳区域稳定、水库诱发地震、库岸稳定、水库淤积和下游河道冲刷等问题进行详尽的预测，并提出了防治措施。

第一节 工程地质环境问题的相关性、协调性

传统工程地质学很重视对某一工程地质问题的研究，而对这些问题的相关性却讨论不够。对此，不少地质学家们已在不同程度上有所认识，并在实际工作中和科研中作了努力。例如近年发展起来的地震地质，就比较重视地质作用、地质现象的普遍联系。过去老一辈工程地质学家所持的区域工程地质观点就是这方面的重要课题，只是没来得及广泛、深入开展下去。

实际上，任何工程地质环境，都组成为系统，具有综合性，是多种因素综合作用的结果。因此，要特别注意其整体性，注意在这个整体之中各种地质作用和地质现象相关性。

例如，即使单纯从地学角度讨论活动断层的成因及外在表现时，也应特别强调活断层与地热现象分布的关系。这种关系大到板块下插俯冲地带，如我国西藏、日本岛弧等大量地热田的出现，小到沿活动断裂温泉成串珠状分布，如我国新疆的富蕴断裂等。

刘传正提出一个地区的工程地质条件和问题——工程地质环境在时间、空间和强度三方面的相关性问题，并对三峡地区进行了研究，给出了重力变形（指由于重力作用所造成的陡崖、崩塌、滑坡等现象的统称）与区域孕震构造时空相关的例证。

工程地质问题相关性，实际上是地质作用和地质现象相关性的表现，而地质作用和地质现象相关性主要表现为：发生时间的同时性（或稍有滞后），发生空间的成群性、成带性和地域性，发生强度的一致性，而且三者之间是相互关联的。

之所以具有相关性，是因为在一个确定的工程地质环境系统内，各环境要素既是独立的自然客体，又是相互作用的和相互影响的。正是由于这些相互作用和影响，才形成了环境系统内种种地质现象和工程地质问题，即它们是环境因素综合作用的产物，受环境因素综合作用的控制。

第二节 地质系统方法

一、地质系统方法的含义

系统论认为，任何事物都是以系统的形式存在，并且在自身的内在矛盾运动中，在与环境相互作用中发展。

鉴于工程建设和地质环境的相互作用是一个多因素、多层次、多阶段的复杂过程，应将工程地质环境以及人类合理开发利用的整个过程视为一个动态系统，并依据系统分析原理进行综合评判。

（一）地质系统

所谓系统（System）是指具有特定功能的、相互间有机联系的许多要素所构成的整体。主要包括目标确定、系统结构和背景分析、状态分析、协调分析及实施管理等。所谓系统分析（System Analysis）是以整体效应为目标，对研究的对象采取最佳方案的分析方法。

所谓地质系统是指地球物质客体的基本存在方式，由相互联系、相互制约的若干部分（要素），按一定的地质规律所组成，并具有一定的功能的整体。一个地质系统既是它从属的一个更大地质系统的组成部分，又可包含若干个次一级的系统。因此，从微晶地质构造到整个地球，以至更大，都可以看做地质系统。前述的工程地质体就是一个地质系。

（二）地质系统方法

将系统论的概念引入到地质研究方法领域，便产生了一个新的研究方法，这就是地质系统方法。所谓地质系统方法是将地质客体放在系统中加以研究、认识和控制的一种方法，它强调的是从地质系统的观点出发，始终着重从系统与要素、系统与环境之间的相互联系、相互作用和相互制约中，综合、精确地考察地质客体，以达到认识的目的。

这一方法能克服传统地质研究方法在研究复杂地质问题时之不足。在认识论上，它把研究的对象置于与环境、要素等相互联系的作用网中；在方法论上，通过一系列的步骤，把具有不同功能的传统方法，按内部逻辑的一致性，有机地结合起来形成一门具有多种功能、多种用途的新的综合性方法。地质系统方法与认识过程，和地质客体系统存在严格对应，使之不但能有效地研究简单工程地质问题，也能理想地研究工程—地质大系统的复杂问题。

二、地质系统方法的基本原则

（一）整体性原则

一切地质客体、地质作用、地质过程等都自成系统，又互成系统，这是地质系统方法整体性原则的客观依据。这一原则，要求人们在研究地质问题时，要始终注意从整体出发，把研究对象看做是由不同环节组成的统一体。因此，只有从整体出发，合理解决整体与部分的相互联系，才能达到整体最佳。

例如，在评价区域稳定时，大断裂常是不稳定因素，但它在特定的条件下，又能阻隔地震波的传播，有利于场地稳定；岩体风化将影响地基强度，但在开挖工程中，则有利于施工；可溶性的灰岩，常形成严重的岩溶渗漏，却有较高的强度；软弱的页岩，强度虽低，却有很好的阻渗能力。这些个别有问题的地层，在特定组合条件下，又可能形成较好的场址。

（二）层次性原则

地质系统具有明显的层次性，因此，要求人们在研究地质客体规律时，要遵循客观层次性原则，注意整体与不同层次以及层次之间的关系。地质系统层次不同，所具有的存在形式和运动规律也是不同的。

（三）有序性原则

所谓有序性是指地质系统的组织结构、层次关系、运动过程和演化，都存在有规律的联系与转化，是地质系统有机联系的反映。

有序性是地质系统的普遍属性，它不仅表现在地质客体的存在形式上，还表现在地质客体的运动形式和作用过程之中，即地质系统在时间过程和空间结构上都是有序的。

运用时间有序原则，可以帮助我们探索地质体的发展规律，如岩浆岩的结晶顺序、地层的沉积过程、地质分异过程、各种物理地质作用的演化过程等；运用空间有序原则，可以帮助我们揭示地质构造、断裂构造等。

（四）最优化原则

最优化原则，是地质系统方法的宗旨，是任何传统地质方法所不能做到的。这一方法的基本思路是：从多种可能的途径中，选择出最优的方案，在动态中，协调地质系统与其内部各子系统之间的关系，使其始终处于最佳的状态，以达到最优的效果。

（五）地质环境原则

这里的地质环境是指影响地质系统存在和发展的全部外在条件的总和，即地质系统的环境。一个地质系统没有内部要素是不可思议的，同样，如果没有周围的地质环境，也是不可能存在的。地质系统与地质环境是两个相互依存的对立统一体。

地质环境原则，就是要求人们在研究、认识和改造地质系统时，要注意系统整体同环境的相互联系和作用，否则，研究所得出的结论将是局部的、片面的。

以上基本原则，必须同时兼顾，否则就破坏了地质系统方法的完整性。

三、地质系统方法的基本步骤

地质系统方法，大致可分为如下几个基本步骤：

（1）选择研究课题、确定研究对象。

（2）确定地质系统研究目标。复杂地质系统的总目标只有一个，但表现和说明目标的指标却可以有多个，如各种工程地质技术指标、经济指标等，这些指标常常相互影响，相互制约，组成一个指标体系，共同体现着实现目标的优劣程度。

确定地质研究目标，就是要确定总目标，并将其分解成体现总目标的指标体系。

（3）综合地质系统方案。地质研究目标的确立，为系统研究指明了方向，为了达到既定目标，可以有多种研究方案和途径可供选择，而且每一种都有自己的特点。

为了选择最优的地质研究方案，有必要将所有可行性方案都列出来，以备比较，到底使用哪一种，待方案优化分析以后再定。

（4）分析地质研究方案。所谓分析地质研究方案，就是对大型复杂地质系统的各种可行性方案进行比较，一般的方法是，首先进行数学分析处理，建立相应的地质数学模型，然后在计算机上进行仿真和定性定量分析，从而为地质研究方案的最佳选择，提供准确的依据。

（5）最优地质方案选择。通过系统分析，各种地质研究方案的优缺点已经显露出来，如何选择最优地质方案，这就要看哪一种方案能使地质系统在一定条件下整体功能最好，或者地质系统的目标函数达到最大值或最小值。

（6）决策最优地质方案。一个复杂的地质系统，往往具有多个优化方案，具体选择哪一种优化方案，要根据实际情况而定。

（7）实施最优地质方案。实施初期，可能出现新的情况，要及时提出处理新情况下各种问题的办法，若是问题较多，方案实施不下去，就得返回到前面几个步骤中的某一步，重新做起。

由于地质问题的复杂性、多样性，实际应用中要根据工作需要，灵活取舍每一步和决定步骤的先后次序，只要保证地质系统运行达到最优目标，具体运用可以不拘一格。

四、常用地质系统方法分述

由于地质系统的复杂性、多样性，地质系统方法也具有多样性。对于不同种类和不同层次的地质系统要选择不同的方法。

目前，地质系统方法可分为：地质系统的黑箱方法、功能模拟法、反馈控制法以及信息方法等。下面介绍其中两种目前常用的方法。

（一）地质黑箱方法

所谓地质黑箱是指这样一类地质系统，其内部结构无法直接观察，只能从外部了解对它的输入值与输出值。

在研究中，常常会遇到某些地质客体，其内部物质组成、结构构造以及形成机理都无法或不便于直接观察到，类似不透明而又密封的箱子，故称其为地质黑箱。地下的岩体、水体、岩石构造等都可视为地质黑箱。一般来说，工程环境地质体内部的情形，是不便于直接观察到的，因此可视为地质黑箱。

地质黑箱方法的基本思路，就是通过分析地质体输入和输出（包括地质信息、物质、能量等）的动态过程，了解其内部结构、行为方式、功能特性以及运动机理的一种科学方法。

地质黑箱方法的基本步骤：

1. 确认地质黑箱

地质黑箱，既是一类特定的地质系统，就必然和环境处于一种特定的相互联系与作用之中，要研究它，首先就要将其与周围环境分离开来，使之成为一个相对独立的地质客体。

地质黑箱与环境之间的界限有两种类型：

(1) 泾渭分明，易于辨别。如断层的界限、岩层界限、某些岩体与围岩的界限等；

(2) 逐渐过渡型，辨别难度大，但采用一定方法处理后，也可以辨识和划分。

分离界限一经确定，地质黑箱也就被初步确认了。

2. 寻找主要联系

地质黑箱处在环境包围之中，二者间必然不断地进行着物质、能量和信息的迁移、转化和交换。从某种意义上讲，环境决定着地质黑箱的形成、存在和演化。我们可以把二者间的相互联系视为相互发生相互作用的通道，把地质环境对地质黑箱的影响，看作是通过特定通道实现的"输入"，把地质黑箱对环境影响看作为"输出"。在此基础上，根据地质黑箱的性质和研究的目的，可确定地质黑箱的一组输入 $X(t)$ 和输出 $Y(t)$（见图3-1）。

图 3-1 地质黑箱的确立

3. 观察地质黑箱

地质黑箱的一组输出、输入变量确定之后，就要对其动态进行观察、测量和实践，以获取认识地质黑箱的大量信息。一般情况下，观察地质黑箱的方法有两种，一种是自然的观察，另一种是人为的观察，即有目的地对地质黑箱的输入叠加某种测试输入，并对其进行观测。通常在地质观察中，两种方法是相互补充的。

4. 建立地质黑箱模型

通过对获取的大量的有关黑箱的输入、输出信息进行分析和解释，可以建立起地质黑箱模型，然后给予定性与定量的或动态与静态的评价分析，从而达到对地质黑箱的内部结构和运行机理作出猜测性解释，并对地质黑箱未来的演化趋势作出预测。

地质黑箱方法，在地质研究中已得到广泛应用，并逐渐形成了一套比较稳定的程序，如图3-2所示。

一般来说，我们所研究的工程地质问题，都可视为地质黑箱，都可采用地质黑箱方法进行研究，因为地质黑箱的概念是相对的。

地质黑箱方法，主要是其基本思想对处理地质问题是十分有效的，但又不是万能的。要能较完全、准确地反映地质客体的本质规律，还需要与其他力学方法紧密配合、相互验证。

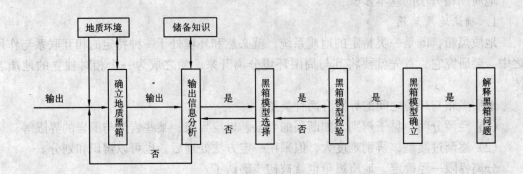

图 3-2　地质黑箱方法的程序框图

(二) 地质信息方法

1. 概念

所谓地质信息，是指地质体属性的表征和外观。地质体的许多属性，都是由地质信息来表征的，并通过外化的形式与环境联系起来。因此，地质信息，一方面揭示了地质体之间相互联系的特殊性质和一般性质；另一方面，说明了地质信息与地质体的结构构造、周围的地质情况等密切相关，是地质体系统状态的组织程度和有序程度的标记。

地质信息方法指运用地质信息观点，把对地质体的研究，抽象为地质信息的传递和转换过程，通过对地质信息的获取、传输、加工和处理等步骤，来揭示地质体的性质和运动规律的一种科学方法。它是在现代信息科学的基础上移植和发展起来的一种有效的新方法。

将地质信息作为分析和解决地质问题的基础，这是地质信息方法与其他地质研究方法的本质区别。

应用地质信息方法，要在一定程度上撇开地质客体的存在形式和运动状态，但要找到地质客体及其各种属性与信息之间的特定对应关系，并将其抽象为地质信息及其转化过程，通过对地质信息的分析和处理，达到对地质客体的认识。地质信息方法，将对地质体的研究转化为一个完整的地质信息的研究过程（见图 3-3）。它把通常使用的地质方法如收集地质资料、地质科学抽象、检验地质假说，亦即地质观察、地质实验、地质模型、地质抽象等统一起来，形成一种高层次的地质系统方法。

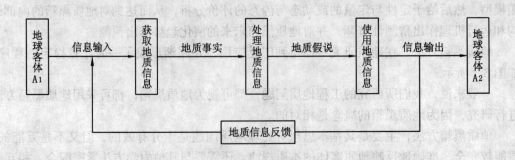

图 3-3　地质信息方法的研究过程

2．地质信息方法的实践意义

首先，它揭示了不同地质体之间的信息联系。地质体是地质信息的载体，不断进行着信息交换与联系。一切地质体之间，无不存在地质信息联系，这是人们使用各种地质仪器进行物探、化探和遥感等地质研究的基础。

其次，它为地质工作提供了有效的手段。所有地质工作的进行，都离不开人流、物流、地质信息流，任何一种流动过程受阻或中断，都可使地质工作系统发生混乱。其中，地质信息流调节着人流、物流的数量、流向、速度和目标的实现，使人和物有序地运动，因此，它起着十分重要的作用，作为地质实践活动是十分重要的基础。

五、工程地质环境系统分析实例

工程地质环境系统分析的目的是为工程建设服务的，使环境和建设相协调。工程地质环境是一个与工程建设有关的地质环境系统，它包括工程系统、岩土地质系统和社会、自然背景三个子系统。但重点在于工程建设与地质系统之间的相互作用与协调。

工程地质环境系统分析包括许多分析过程，下面以四川省渡口市建设的工程地质环境评价为例，作简要说明。

（一）确定系统目标

系统目标要为工程规划和建设服务。要考虑到工程场址的利用与社会效益、经济效益和环境效益的统一。

系统目标由总目标、子目标和目标项组成。根据渡口市的情况，提出如下目标结构：

（1）总目标：场址利用的合理性。

（2）子目标：

①安全：地基承载力适宜（目标1）；

　　　　无地质灾害侵袭（目标2）；

　　　　无不良的地质环境影响（目标3）。

②经济：地势平坦（目标4）；

　　　　供水方便（目标5）；

　　　　交通方便（目标6）；

　　　　地基、环境处理简易（目标7）。

在确定目标的时候，一定要在收集一些已建工程的经验和教训的基础上，地质、规划、设计三方人员共同研究，综合确定子目标。

（二）系统结构分析

系统性结构分析是指系统本身对环境适应性和协调性而言，如果系统结构有漏项，将会导致对系统评价出现错误结论，因此系统结构分析是一项基础性工作。

从渡口市自然环境、地质条件、城市规划的特点可知，工程地质环境系统包括工程子系统、岩土地质子系统、自然环境子系统。每一个子系统包括的因子分述如下：

（1）工程子系统。以城市建设规划为主要因子，其建筑物以5～6层框架、砖石混合结构为主，沿江呈枝状分布为宜。

（2）岩土地质子系统。主要包括：

①边界——高度、坡度、平坦度；

②结构——块状岩体、层状岩体、碎裂岩体及松散沉积物;

③成分——岩石如变质岩、火成岩、沉积岩(砂岩,灰岩等),土如粘性土、砂土、碎石土。

(3) 自然环境子系统。它包括大气系统、水系统(地表水或地下水)、植被系统等。在进行系统结构分析的同时,应做系统背景分析(或称系统环境)即系统外围分析,如社会环境因素、城市设施和人口分布状况。自然环境因素中的资源、气候、灾害等问题。

(三) 系统趋势分析

系统趋势分析就是对各子系统因子进行状态预测。对渡口市来说,在对岩土子系统边界、强度、稳定性趋势进行分析时,要考虑到城市建筑物的特点和作用。岩土边界用高度、坡度、平坦度表征。趋势分析说明,对低高程土地,当坡度小于20°时,有利于工程建设,且不易产生自然灾害,崎岖地形对建筑工程很难适应。岩土强度趋势分析说明一般符合建筑建设要求。岩土趋势分析用稳定系数表示,要考虑岩土类型、地形、岩土本身的结构和地下水等因素的影响。

此外,还要进行工程和环境系统趋势分析。对工程建设来说应对施工方法、深挖基础、平整土地、削坡等带来的影响作趋势分析。对环境系统随建设发生变化的情况也应作趋势分析。

(四) 系统可协调性分析

系统可协调性分析是对工程地质环境作综合评价。所说的工程地质环境是指高度、宽度、平坦度、强度、稳定性。所谓可协调性是指工程、岩土地质、环境三个子系统相互适应并保持工程系统建造具有经济和运行安全的能力。可协调性采用可协调度或工程地质环境质量来表征。系统的可协调性越强,工程地质环境系统总目标越容易实现。

渡口市的可协调度用下式评估

$$C_E = \sum p_i V_i \tag{3-1}$$

式中　C_E——可协调度;

i——场址的高度、坡度、平坦度、强度、稳定性等五项因素;

p_i——因素 i 的权重数,通过对各种环境工程地质因素分析得到;

V_i——因素 i 的归一化指标,通过相似聚类分析计算得到。

(五) 系统的管理与实施

系统的管理和实施是实现系统总目标的重要组成部分。把工程勘察、设计、施工以及运行管理工作作为一个整体加以评价分析。在系统管理上首先是系统间的协调。对协调性差的部分应调整计划和规划或采取必要的技术措施。渡口市为了加强系统协调采取如下三方面的措施:

(1) 岩土地基处理和地表水的治理;

(2) 对滑坡、泥石流和膨胀开裂进行治理;

(3) 改进施工方法、程序和手段。

从国际范围来看,城市系统管理的内容大体有以下几个方面:

(1) 行政上设立有关的管理机构,规定管理权限;

(2) 建立管理制度、条例和工程建设环境维护规定,设立法制保障,有法可依;

（3）进行大力宣传；

（4）设置监测系统和示范工程；

（5）设置信息系统。

复习思考题

3-1 如何理解工程地质环境问题的相关性、协调性？

3-2 什么是系统分析？在环境工程地质中如何运用系统分析？

3-3 什么是地质系统方法？

3-4 什么是地质系统方法的基本原则？

3-5 环境工程地质系统分析的步骤是什么？

3-6 以河南省郑州市为例，具体说明城市环境工程地质系统分析如何进行？

3-7 什么是地质黑箱方法？具体分析的步骤是什么？

3-8 什么是地质信息方法？具体有什么实际意义？

第四章 城市、乡镇环境工程地质

城市是由于生产力的发展、商品的交换、科技文化的进步和人口高度集中的综合结果而逐渐形成的。

城市不仅仅是抽象的名词，而是一个由复杂物质组成的三维实体。这个实体可视为众多的单体建筑、单项工程构成的集合体，例如码头、机场、车站、地铁、道桥、工厂和住宅，有时甚至包括矿山、水库、名胜古迹等。城市的产生、运动和发展，都是与地球组成物质及其运动密切相关的，也就是说城市与其地质环境条件是不断进行着相互作用的。这种相互作用的过程是城市形成演化过程的重要物质基础，又是对城市环境改造的过程。在这一过程中城市施加给地质环境的作用总和，可称之为城市地质作用，或城市工程地质作用。这种作用包括单体建筑、单项工程的作用，以及它们组成的集合体的综合作用（工程群体作用）；城市形成过程以及运行中对地质环境的作用。城市地质作用，必将产生特有的城市环境工程地质问题。

城市地质（Urban Geology）是国外学者把它称作环境地质的同义语，认为城市是人和地质环境作用最突出、最尖锐的地方。事实上，城市地质是环境地质的一个方面，而且是人类工程—经济活动影响最具有代表性的一个方面。城市地质学是人口密集区的应用地质学。

近20年来，世界各国的地质学家都对城市地质给予了极大的关注，出版或发表了一系列著作，如《城市与地质学》（R·F·莱格特，1973）；《城市地区的人为地质作用和地质现象》（B·科特洛夫，1977）；《城市环境地质学》（R·O·危特加德，1978）；《地质学与城市环境》（D·莱维森，1980）；《城市地质学》（R·F·莱格特，1982）；《都市地质学及其现状》（大木靖卫，1983）。1985年亚太经互会组织了"城市规划中的地质学"讨论会。这个时期是城市地质学的研究高潮期，虽然很多讨论偏于粗略乃至重复已有的工作，但毕竟为城市地质学的创立打下了扎实的基础。近几年来，城市地质研究向系统化、实用化发展。1993年8月，在我国北京举行了"国际城市发展中的地球科学学术讨论会"反映了最新发展动态。

随着世界人口的增加，城镇规模和数量在急剧增加，也就是出现了城市化的趋势。20世纪80年代以前，中国的城市化发展比较缓慢，十一届三中全会以来，随着国民经济发展战略的转变，城市发展迅速，城市个数由1980年的223个增加到1993年的570个，1980~1993年，城镇人口增长了77.36%，城镇人口比例从16.2%上升到24.0%。小城市与小城镇由1980年的2 870个猛增到1993年的13 000多个，增长了近4倍。城镇已成为人类活动对地壳表层施以强烈影响的地区。城市化趋势主要有以下特点：

（1）高层建筑数量增多，层数增加；

（2）地下工程数量、规模和深度增加、增大；

（3）城市功能走向多元化，集居住、工业、农业、商业、科技教育、旅游、交通运输等于一体，要求更合理的城市规划和土地利用；

（4）中心城市与卫星城市相结合。

第一节 城镇地质环境与城镇地质作用

城镇地质环境，在某种意义上与城市地质条件相同，但含义更广。地质环境通常可划分为原生地质环境和次生地质环境。地质环境因素包括两大类：地质作用因素和地质资源因素。城市地质环境是一个系统，可用城市地质体的概念来表达。但城市地质体并非简单地指某个城市所占地域范围内的地质体，而是随城镇地质环境系统的完整概念所确定的。

城镇地质环境系统是指城镇系统与地质环境系统共同有机组成的系统。城市系统包括城市经济开发、城市空间开发、城市环境保护和整治三个方面，地质环境系统是指地质资源、土地空间和地质灾害三个方面。城镇地质环境系统是受以上六大因素控制的开放型动态系统，其边界条件随各个城市的六大因素不同而变化。城市地质体的地域范围也随这六大因素的不同而变化。

城镇地质作用，随着城市规模、发展水平、性质、功能等的不同而不同（见图4-1）。

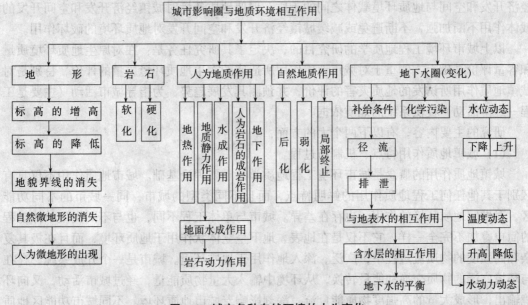

图 4-1　城市各种自然环境的人为变化

从地域看，就目前我国的情况而言，可划分出四个不同层次作用水平体系：沿海地区，城市发展水平最高，是特大和大城市的集中地，城市地质作用甚为突出，属以次生地质环境为主的发达区类型；中南中原区，除省会大城市外，城市地质作用较为突出，基本上是次生地质环境的较发达区类型；西北西南区，除省会等大城市以外，属于城市化欠发达地区，城市地质作用较弱，属原生向次生地质环境过渡的类型；边疆区，主要指内蒙古、新疆、青海、西藏等地区，城市地质作用不明显，基本属于原生地质环境的类型。

从发展历史看，当城市还处于初期发展阶段时，城镇地质作用尚不明显，对城镇地质环境的影响和破坏程度也较小；当城市发展到高级阶段，出现了现代化城市，城镇地质作用就成为一种强大的营力，其规模和速度甚至还超过了其他的自然营力，造成地质环境不断变化和恶化。

从城镇的类型和功能看，不同类型、不同功能的城市，其地质作用的侧重点和强度也是不一样的。例如山区城市，挖填方量大，诱发重力地质作用显著；平原城市，常因过量抽汲地下水而诱发地面沉降；老城市，环境工程地质问题较多，人工堆积物作用显著；新城市，当有较好规划时，环境工程地质问题较少；矿业城市，人为改变渗流场，形成采空区，改变应力场，恶化水质，"三废"污染严重，环境工程地质问题较多；风景旅游城市，城市用地往往紧张，地质环境承受城市地质作用的能力较弱；海港城市，间歇性动荷载较大，等等。

第二节　城镇环境工程地质研究的目的、任务和内容

城镇环境工程地质学，研究城镇环境工程地质问题，以求合理开发、利用城镇地质环境，合理规划和控制城市社会生活，特别是控制城镇地质作用的规模、范围及强度，保证城市与地质环境之间的相互作用和发展演化向良性循环方向发展，也就是协调和缓解城镇经济开发和空间与地质环境载体之间的矛盾，促使地质环境对城镇经济开发和空间开发的载体作用不断加强，不断避免或减缓城镇经济开发和空间开发对地质环境的破坏作用。

以上城市环境工程地质学的研究目的，决定了其研究任务是：在对原生地质环境质量和容量评价基础上，侧重于对城市地质作用所造成的次生地质环境质量的评价，特别是对城镇地质作用所诱发的地质灾害的评价，并预测其发展趋势，为指导城市活动（主要是工程—经济活动）提供系统的地质依据。

研究的主要内容，有以下两个大的方面：

（1）城镇地质作用特点、机制与过程。

城镇地质作用的概念是城市环境工程地质学的重要理论基础。城市地质作用不仅具有区别于其他任何工程地质作用的鲜明特点，而且不同类型的城市，同一城市的不同功能区，对城镇地质环境的作用，也存在差异。城市与单体工程不同，也与不同类型单体工程的简单叠加不完全一样。它不仅是在地表、地下呈立体状作用于地质环境，而且在极其复杂和高强度的物质流过程中，广泛、深入地作用于地质环境。城市是一个开放系统，存在与环境广泛的物质交换和能量转换，从环境中输入大量物质能量，经过城市活动，又向环境输出，形成大量的高强度物质能量流，深刻影响着城市地质环境。不同城市功能区地质作用的差异也是明显的，例如工业区，除考虑高、重静荷载外，还要考虑动荷载等；住宅区，则主要是生活垃圾的污染问题。因此要重点研究城市地质作用的特点及其机制与过程。这方面的研究，需结合城市类型、功能区划、用地要求甚至地质环境特性等来进行。

（2）城镇地质作用对原生地质环境的影响方式与程度。

对于影响方式，既要考虑物理机械作用力，也要考虑物理化学作用力。例如城市酸雨对地基土性状的影响等。把握影响程度是评价和预测次生地质环境变迁的尺度。如对抽水量与岩土压密变形关系的掌握，是控制因过量抽水而导致地面沉降的根本。另外，影响方式与程度的研究，又是次生地质环境动态预测的必要基础。

第三节 城镇环境工程地质问题研究的基本内容

城镇地质环境是城市社会的载体，其质量的优劣、容量的大小及其变化直接影响城市社会的发展，同时也受其本身规律的支配及城市社会生活的严重影响。城市与地质环境之间表现为这样一种关系：一是城市的形成、运转和发展，要求地质环境不断提供丰富而优质的固体矿产资源、能源、水资源、土地空间以及优美安全和充满生机的生活环境和生态环境，这就是地质环境对城市的载体作用；二是城市社会生活，主要是工程—经济活动，是一种强大的地质作用力，不断破坏地质环境的原有平衡，促使地质环境质量的变化或恶化，容量的减小，甚至造成对城镇社会生活的威胁和危害，形成城镇地质灾害，这就是城镇对地质环境的反作用。

当生产力发展到现代化水平时，一方面由于过量地对城镇地质环境的开发和利用，城市对地质环境的需求量超过地质环境的许可程度，出现了全球资源和能源危机；另一方面，城市社会生活对地质环境的破坏力，已经强大到造成地质环境质量和容量不断恶化的程度，以及出现城镇地质灾害。这两方面都使城镇的继续存在和发展受到严重威胁。这就是城镇环境工程地质问题。

在研究和解决城镇环境工程地质问题中，就逐步形成了城镇环境工程地质学。

城镇地质研究主要涉及两方面问题，一是城镇选址、规划布局和建筑所遇到的工程地质环境问题；二是城镇初步建成后即发展过程中因地质环境反作用出现的一些问题，它们又可以分成以下几方面：

1. 区域地壳稳定性评价

它是城镇地区工程地质环境质量的主要问题。它涉及活动断裂、地震活动、构造成因的地裂缝、火山活动及其他不良地质作用的强度等主要因素。目前，我国已形成了较成熟的区域地壳稳定性评价体系和一整套实践经验。

2. 地基稳定性问题

它始终是各规划阶段的主要问题。随着设计阶段的深入，该问题的论证不断加深，研究程度也随之加深，使用的研究方法和手段也愈来愈多。地基稳定性主要是指地基中岩土体的强度和变形。地基强度通常以地基容许承载力来表达，按其大小可把城市用地划分为各种用途的地段，为城市的功能分区提供可靠的依据。主要包括微地貌、岩土体结构及其物理力学性质、地下水资源及其动态等。

3. 深基坑开挖问题

现代建筑物高度随着社会的发展，越修越高，20世纪末，建筑物最高高度一般在400～500 m之间，而美国建筑家预言21世纪建筑物高度将向600 m进军，所以，随之而带来的深基坑问题也在城镇环境工程地质问题中成为很突出的问题。

深基坑的开挖将引起一系列的环境问题：①深基坑边坡稳定问题；②深基坑开挖对地下水的影响；③深基坑的开挖对周围建筑物的变形影响等。

4. 供水条件及水资源保护问题

城市供水量是城市中工业用水和生活用水量的总和，它在很大程度上决定于城市中工业的性质和数量，以及人口的多少。随着生产的发展和人口的增加，城市供水量不断地增加，因此，在一定条件下，它是制约城市发展的重要因素之一。

供水条件及水资源保护问题主要包括地下水源地的选择、评价，地下水的调节利用，水资源的合理开发、管理和保护。地下水人工回灌是水资源管理与保护的重要方法，尤其是在干旱、半干旱地区。如美国地下水过量开采区，强调用地下水库容来调节供水，地下贮水的费用比地表贮水要节省一半。在以色列，地下水人工补给量约占整个供水量的10%。

5. 建筑材料

主要是调查建筑材料的质量和产地。调查与评价城市及其附近建筑材料的埋藏、分布、储量、质量是十分重要的。也要论证其开采的布局及复原的可能性。

6. 城镇垃圾等废弃物

城镇生活垃圾及工业废物对城镇构成了直接和潜在的危害。这种危害可分成三个方面，即地表污染、地下岩土体中渗流运移污染和酿成泥石流（垃圾流）等灾害。

较经济的城镇垃圾处理办法是卫生填埋方法，即把固体垃圾在处置场内分层放置夯实，并用至少 0.15 m 厚的夯实土覆盖，垃圾厚度与覆盖土的厚度比一般为 4:1 或 8:1，最上一层盖土的厚度要超过 0.16 m，盖土以粉质粘土为宜。

7. 城镇地区的自然与人为地质灾害

自然灾害包括地震、火山、滑坡、海啸、泥石流等。人类工程—经济活动诱发的地质灾害有地面沉降、海水入侵、地面塌陷、滑坡、垃圾流（废物流）等。从事地质调查不仅要对城市地区的自然地质作用进行评价，而且要求预测城镇地区的人为活动影响下可能产生的新的地质作用的趋势和强度。

8. 城镇地区的人为物理化学场

在城镇地区，各种人类工程—经济活动将导致自然物理场的变化，它涉及重力场、热力场、水动力场、地球化学场、地电场、辐射场、声场、地磁场和地震效应场等多方面。这些场的变化将影响到大气圈、生物圈、水圈、地壳表层岩土体状态，也会影响改变某些地质现象，改变和转化城镇的自然工程地质环境质量、容量和生态平衡条件，甚至于人类和动物的行为与健康。因此，城镇地质研究需要多学科协同进行。例如，城镇地区人口密集、经济—工程活动规模大、强度高，热力场改变形成"热岛效应"。目前，上海市区比郊区平均温度高 3~4℃，高温时，对居民健康、情绪等多方面会产生不利影响。"热岛效应"会导致"灾岛效应"。一个城市的魅力不仅在于汽车工业、商业和文化设施的繁荣，生态环境的均衡协调将是更为重要的。

下面就城镇常出现的几种环境工程地质问题展开论述。

一、城镇工业废水污染防治

（一）城镇工业废水污染现状及其影响

由于工业废水和其他废、污水的排放，近年来我国各大江河、湖泊、水库、近海水域的污染均呈发展趋势。据 1999 年中国环境状况公报：141 个国控城市河段中，36.2% 的城市河段为Ⅰ至Ⅱ类水质，63.8% 的城市河段为Ⅳ至劣Ⅴ类水质。其中，47 个环保重点城市（直辖市及省会城市、经济特区、沿海开发城市和重点旅游城市）的典型水域中，19.2% 的水域为Ⅱ类水质，14.9% 为Ⅲ类水质，25.5% 为Ⅳ类水质，10.6% 为Ⅴ类水质，

29.8%为劣Ⅴ类水质。1999年，全国工业和城市生活废水排放总量为401亿t，其中工业废水排放量197亿t，生活污水排放量204亿t。废水中化学需氧量（COD）排放总量1 389万t，其中工业废水中COD排放量692万t。1999年，我国工业废水处理率（含县及县以上工业和重点乡镇工业污染源）为87.2%，工业废水排放达标率为66.7%。工业发达城市和乡镇工业集中地区附近水域污染尤为突出。据监测统计，每年有15亿 m^3 工业废水排入淮河流域（包括造纸、化肥、皮革、酿造等小企业排放工业废水），年排放COD负荷量达150万t，致使流域内的80%的干支河流变黑发臭，47.6%的河段不符合渔业用水标准。流域内污染事故时有发生，1994年7月的一次特大污染事故，使黄河中下游淡水养殖业遭受灭顶之灾，一些城市的电厂、自来水厂及工厂停工；数十万群众缺乏饮用水，事故直接损失2亿元。国家主管部门痛定思痛，毅然对一些污染特别严重的工厂实行限期治理和关停并转，于1996年6月底以前停止了999家生产能力在5 000 t/a纸浆以下的小造纸厂的生产。淮河流域的水污染是我国水环境污染特别突出的实例，其他如云南的滇池、安徽的巢湖、江浙的太湖以及海滦河流域及松花江流域，都是我国水污染严重地区，已被列入国家重点治理对象。

多年来，我国在防治工业废水污染方面采取了许多有效的对策和措施，对缓解工业废水对环境的污染起了重要的作用。但从整体上看，伴随着改革开放和经济高速发展，工业废水对水环境的污染仍未得到有效的控制。其主要原因在于工业生产长期以来高投入、低产出，高效益、低效率的状况没有得到根本改变，资源浪费十分严重，污染物产生量和排放量很高，导致水环境严重污染。

为了我国工业的可持续发展，为了控制城镇水污染，必须采取十分有效的对策和措施，防治和控制工业废水污染，包括乡镇企业造成的污染。

（二）城镇工业废水污染防治的进展

我国一直把工业污染防治作为环境保护工作的重点，经过20多年的不懈努力，在工业废水治理方面取得了不少经验和进展。

1. 实现工业污染防治的战略转变

我国早期采取的工业废水防治战略较强调工业废水的治理，即强调在工厂企业内建设废水处理设施，要求出水达到国家和地方的排放标准，但其结果并不理想。近来，人们认识到工业污染的防治应强调预防为主。预防的措施包括调整不合理的工业布局、产业结构和产品结构，结合技术改造推行清洁生产，并不断提高环保意识、提高人员素质、加强环境管理等，通过这些综合性预防性的对策和措施来控制和防治工业废水污染，其功效必将大为显著。

实施清洁生产（Cleaner Production）即指从产品设计、生产、运输、消费直到最后的废弃物处置，均应遵循对环境无害的原则，均应做到物料利用率最高，废弃物排放量最小。与终端处理的原则不同，这是一种从"摇篮"到"坟墓"的生命周期全过程控制的系统工程的思想。

2. 初步完善了政策、法规体系

在工业废水污染治理过程中，完善政策、法规体系是十分重要的。我国在20世纪70年代末期就制定了工业废水排放环境影响评价制和"三同时"制（即防治环境污染和破坏的设置应与生产主体工程同时设计、同时施工、同时投产使用），对控制新污染源有显著作用。还制定了三大环境保护政策，即预防为主、防治结合；谁污染，谁治理；强化环境管理和其他政策、法规，如：资源综合利用、结合技术改造防治工业污染、环保技术政策、发展环保产业政策等。

近年来，又结合污染物排放总量控制实行排污申报登记和发放排污许可证制，到1995年底，全国已有480座城市开展了排污申报登记工作，77 000家工厂企业进行了排污申报。有240座城市进行了发放排污许可证工作，14 000家工厂企业获得了排污许可证。并坚持对重点污染源进行严格控制。

（三）我国工业废水的预测和控制目标

我国第八届全国人民代表大会第四次会议通过的《国民经济和社会发展"九五"计划和2010年远景目标纲要》中提出："2000年，力争使环境污染和生态破坏加剧的趋势得到基本的控制，部分城市和地区的环境质量有所改善。""加强工业污染的控制，逐步从末端治理为主转到生产全过程控制，到2000年县及县以上工业废水处理率达到83%；加强城市环境整治。2000年城市污水集中处理率达到25%。"

国家环境保护局曾组织"中国2020年环境保护战略目标研究"，根据中国经济、社会发展战略，对工业废水等一些主要环境问题进行了预测研究（见图4-2所示）。2000～2020年工业废水排放量与COD负荷的预测如图4-2和表4-1所示。

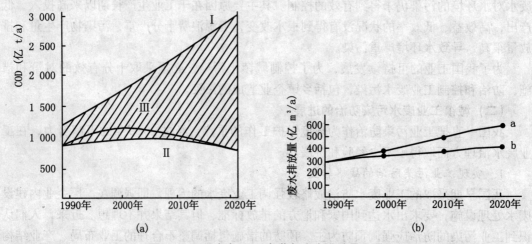

(a)   (b)

图 4-2 工业废水 COD 负荷与废水排放量预测

Ⅰ表示研究预测的 COD 负荷产生量；Ⅱ和Ⅲ分别表示该研究及张忠祥预测的削减后的 COD 排放量；
阴影部分表示 COD 负荷削减量；a、b 分别表示该研究及张忠祥预测的工业废水排放量

（四）工业废水污染防治对策与措施

综合国内外工业废水污染防治的经验教训，可以得出十分明确的结论：对工业废水污染防治必须采取综合性的对策措施，并可分为：宏观性控制、技术性控制以及管理性控制三大类，如图4-3所示。其中发展清洁生产及节水减污应该是控制工业废水污染最重要的对策与措施。

1. 宏观性控制措施：优化产业结构与工业结构，合理工业布局

城市中不应再发展那些能耗大、用水多、占地多、运输量大、污染扰民的工业，工业结构的调整应该按照"物耗少、能源少、占地少、污染少、运量少、技术密集程度高及附

加值高"的原则，以降低单位工业产品和产值的排水量及污染物排放负荷。有些工业城市可将人口、工业从市区向近郊区及远郊区转移，挖掘内涵，进行技术改造以促进发展。

表 4-1 我国 2000～2020 年工业废水防治战略目标的预测与建议

指　标	规　划　年				备　注
	1990	2000	2010	2020	
COD 产生量（万 t/a）	1 190.5	1 759.0	2 331.0	2 993.0	1. COD 负荷及工业废水量包括县以上工业及乡镇工业
COD 削减量（万 t/a）	256.4	622.0	1 289.0	2 162.0	
占百分数（%）	21.5	35.4	55.3	72.2	
COD 排放量（万 t/a）	854.1	1 137.0	1 042.0	831.0	2. COD 削减后排放量见图 4-1 中 Ⅱ
占百分数（%）	78.5	64.6	44.7	27.8	3. 工业废水排放量见图 4-2 中 a 线
工业废水排放量（亿 m³/a）	280.9	382.0	500.0	598.0	
COD 削减量（万 t/a）	256.4	791.5	1 352.0	2 162.0	1. 据张忠祥国内外防治水污染对策的发展而提出的建议值
占百分数（%）	21.5	45.0	58.0	72.2	
COD 排放量（万 t/a）	854.1	967.5	979.0	831.0	2. COD 削减后排放量见图 4-2 中 Ⅲ
占百分数（%）	78.5	55.0	42.0	27.8	3. 工业废水排放量见图 4-2 中 b 线
工业废水排放量（亿 m³/a）	280.9	336.2	386.7	425.4	
排放的工业废水 COD 平均浓度（mg/L）	304.0	288.0	253.2	195.3	

注：摘自张忠祥等著《城市可持续发展与水污染防治对策》。

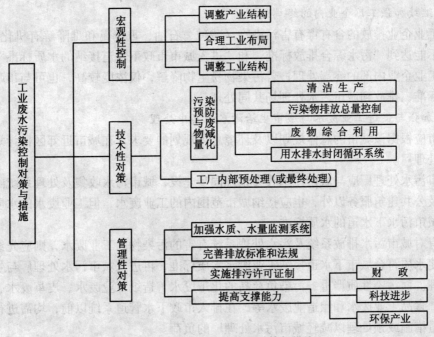

图 4-3 工业废水污染控制对策与措施

2．加强对工业企业技术改造，积极推广清洁生产

联合国环境规划署（United Nations Environment Programme 即 UNEP）于 1989 年制定了"清洁生产计划（Cleaner Production Program）"，以推动全球性的清洁生产。清洁生

产即为：为满足人们需要而合理使用自然资源和能源并保护环境的实用知识、方法和措施。清洁生产和无废少废生产（Low & Non Waste Program），实际上是一种物耗与能耗最少的人类生产活动规划、行动与管理，并将废物减少、消灭于生产过程之中。

3．加强环境管理，全面推行污染物排放总量控制与排污许可证制

污染物排放总量控制是对应于污染物排放浓度控制而言的。即按照污染物的危害程度分别规定它们在工业废水排放口的许可最高浓度。

目前，我国水污染防治法规定："直接或间接向水体排放污染物的企业事业单位，应当按照国务院环境保护部门的规定，向所在地的环境保护部门申报登记拥有的污染物排放设施、处理设备和在正常作业条件下排放污染物的种类、数量和浓度，并提供防治水污染方面的有关技术资料。"

4．历行节水减污，提高工业用水重复利用率

在未来的 10 年中，工业用水重复利用率的具体指标为：

钢铁行业≥90%（先进企业：97%～98%）；

石油冶炼与石油化工行业≥90%（先进企业：95%～97%）；

化工行业≥80%；

纺织行业≥60%～70%；

食品行业≥60%～80%；

制浆造纸行业≥50%～60%。

5．继续加强工厂企业内的终端处理

若工业企业排放的含有毒有害污染物（酸碱、石油、重金属和难降解有机化合物等）的废水不能达到"污水综合排放标准"和"进入城市市政下水道接纳的水质标准"时，仍应加强工业企业内部的终端处理；若污染物易生物降解，仅浓度较高，也可与市政部门协调放宽标准，排放到城市污水处理场共同处理。

6．加强与促进工业废水与城市生活污水的集中处理

城市应根据该城市的总体规划以及环境总体规划的要求，在城市近郊区按计划建设城市污水处理厂。

城市污水处理厂应与城市污水收集系统同步建设，城市污水收集及处理系统除了为城市居民及公共建筑服务以外，也应接纳城市范围内的工业废水，但工业废水的水质必须满足进入城市污水下水道的水质标准。

含有对城市污水排放系统及污水处理系统有害的污染物的工业废水，则应先经厂内预处理，使水质符合城市下水道接纳工业废水水质标准，再进入城市污水处理厂与生活污水合并处理。而污染性质严重、污染负荷高的化工废水、造纸工业废水、皮革废水、制药工业废水、食品工业废水和酿造业废水等，在排入市政下水管道系统以前，均需进行必要的废物减量措施或预处理以减轻城市污水处理厂的负荷。

7．进一步健全和严格法规与标准

我国对工业废水已制定了一系列标准，参见附录五、附录六和附录七。

8．依靠科技进步，发展环保产业

城市在产业和工业调整与结构优化过程中，应促进支持环保产业开发与发展。依靠科技进步，优先发展性能先进、高效可靠、社会经济效益高、品种数量齐全的环保技术和环

保设备，如工业废水处理设备、废物减量和综合利用设备、节水设备、废水处理药剂、有关生物工程利用的环保产业与设备，以及环保监测仪器仪表等。

9. 加强环境监测与事故预防

在不同层次，如车间、工厂总排出口及受纳水体处进行水质监测，是防止水污染十分重要的措施。因此应该健全环境监测网络，应用自动化、计算机网络系统及新型水质监测仪器等高新技术手段，不断完善和加强环境监测与事故发生的预测、预报等预防能力。

二、城镇大气污染问题与防治

所谓大气污染（Atmospheric Pollution）是指空气中的有害物质浓度、停留时间足以导致某种程度的不良影响。空气污染（Air Pollution）和大气污染常常通用，但有时有区别。有时空气污染是指小范围的气体污染，如室内、城区空气污染；大气污染则指大区域乃至全球性的空气污染，如气象、大气环境讨论涉及的大范围污染。

大气污染是由于人类生产、生活等活动，以及自然灾害，使某些物质如尘埃、气体等进入大气，当其浓度、停留时间超过允许限度时，大气质量恶化，对人体健康、生活环境、材料物品等造成损害。污染原因可分为人为的和天然的两类。人为污染来自燃烧、工业生产、交通运输等，如燃煤、汽车尾气是人为污染；自然过程造成的灾害，如火山爆发、森林火灾、土壤岩石风蚀、海啸、地震等，产生尘埃、硫、硫化氰、硫氧化物、氮氧化物等，则是天然污染。与人类活动相比，天然污染的灾害大多数是暂时性的，且能通过自然界的自净能力而消除。所以人类活动是大气污染主要原因。人类造成大气污染，反过来大气污染又危害人类自身。大气污染不仅影响人体正常的生理机能，导致疾病和死亡，而且破坏人类生存环境，危害与人类共存的其他动植物，损害资源、财产等。

大气污染范围从小到大划分为四种：①当地污染，如某一火电厂的排放污染；②地区污染，如某工业区或某一城市的大气污染；③广域污染，如比一个城市更大的区域的酸雨侵害；④全球污染，如大气 CO_2 浓度升高对气候的影响。

（一）我国大气污染概况

我国城市大气污染较为严重。如沈阳、西安、北京曾被世界卫生组织列入世界十大污染城市之中，不少城市比这三市污染更严重。大气污染物主要是尘埃和 SO_2，1994 年全国废气排放（不含乡镇工业）1.14×10^5 m^3。废气中烟尘排放量 1.414×10^7 t，SO_2 排放量 1.825×10^7 t。工业粉尘排放量 5.83×10^6 t，近年来主要大气污染排放情况如图 4-4 所示。

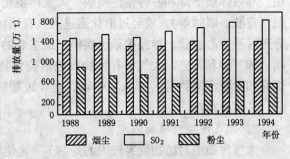

图 4-4　全国废气中污染物排放情况
（不含乡镇企业）

1985 年和 1994 年城市大气污染物比较如表 4-2 所示，其中 1985 年监测 SO_2 城市为 64 个，1994 年监测城市数为 88 个，NO_2 和 TSP 均为 85 个，超标城市指超过国家二级标准的城市。

1999 年，国家环保总局公布：统计的 338 个城市中，33.1% 的城市满足国家空气质量二级标准，66.9%的城市超过国家空气质量二级标准，其中超过三级标准的有137个城市，占统计城市的40.5%。

表 4-2　1985 年和 1994 年中国城市大气污染监测结果　　（单位：$\mu g/m^3$）

指标	1985 年				1994 年		
	北方城市		南方城市		北方城市	南方城市	
	年日平均浓度	超标城市	年日平均浓度	超标城市	年日平均浓度	年日平均浓度	超标城市
SO_2	13～225	26%	8～504	18%	89	83	55%
NO_2	22～94	0	13～84	0	55	39	3.5%
TSP	333～1 767	100%	224～821	80%	407	250	53%

中国酸雨分布区域广泛，成因复杂。酸雨出现的区域近年来基本稳定，主要分布在长江以南、青藏高原以东的广大地区及四川盆地。华中、华南、西南及华东地区存在酸雨污染严重区域，北方地区局部区域出现酸雨。酸雨区面积占国土面积的30%。我国南方已成为世界三大酸雨区之一，引起世界各国的关注。据1995年报道，重庆市大气污染造成直接经济损失高达每年20多亿元，几乎相当于该市全年的财政收入。

（二）大气污染的危害

大气污染物质达到一定浓度、停留足够长时间后，便会造成各种各样的不同程度的危害。大气污染不仅危害人体健康，而且破坏动植物的正常生长，腐蚀材料、物品，还会影响区域天气乃至全球气候。

1. 大气污染对人体健康的危害

当天气不利于大气扩散时，污染物浓度会迅速升高，从而出现了人群急性中毒现象，如伦敦烟雾等大气污染事件。长时间低浓度的大气污染环境，会对人体产生慢性毒害作用，导致体质下降和各种慢性疾病。大气污染物主要通过呼吸道进入人体，其次是直接接触（皮肤、眼睛等），或经过消化道进入（食用污染食品和水）。大气污染物进入人体，可导致呼吸、心血管、神经等系统疾病。最主要的危险是引起呼吸道疾病。如支气管炎、哮喘、肺气肿和肺癌。大气中有害物质包括硫化物、氮氧化物、CO、碳氢化合物、光化学烟雾和微粒污染物等。如 SO_2 中毒，会导致呼吸道抵抗力减弱，诱发气管炎、肺气肿疾病，甚至死亡。

2. 大气污染对植物的危害

大气污染中对植物危害较大的是 SO_2、光化学氧化剂、氟化物和乙烯。大气污染使植物细胞和组织器官发生生理和生物化学变化，使生理功能和生长发育受到阻碍，或产量下降，或品质变坏，乃至引起植物群落变化和物种消亡。高浓度大气污染对植物造成急性伤害，表现为叶片上出现死斑和落叶；长期、低浓度污染对植物慢性伤害，使之发育不良，出现失绿、早衰现象。

3. 大气污染对建筑材料的损害

对材料、物品的破坏作用严重的大气污染物主要是 SO_2，其次是 H_2S、O_3、氮氧化合物等。大气污染物的损害机理有玷污、磨损、化学作用、电化学作用等。损害形式多种多样，对金属进行腐蚀，对建筑物侵蚀，使橡胶制品脆裂、艺术品污损、有色材料褪色等。例如，伦敦的英王查理一世塑像变得丑陋不堪；巴黎的金属屋顶斑驳陆离；东京西洋美术馆罗丹的雕塑一片模糊；雅典古城堡大理石雕塑光辉尽失等。

4. 大气污染对大气的影响

大气污染不仅恶化大气质量，而且影响局部天气和全球气候；烟尘笼罩城市上空；SO_2 和氢氧化物在许多地区形成酸雨；CO_2 引起全球气候变暖；氯氟烃对臭氧层造成破坏等。

（三）大气污染的控制

改善大气环境质量，就要强调环境的整体性，协调环境保护与经济发展关系，加强环境管理，通过法规、经济和能源等政策的实施，实现大气污染防治的目的。大气污染控制大致有三个方面：一是采取综合防治措施；二是以制定标准的形式来控制污染物的排放；三是发展大气污染控制工程技术。

做好城市与工业区的环境规划，是控制大气污染的重要措施。由于大气污染的流动性，新建工业区要考虑地形、气象等因素。在许多国家，兴建工业企业都要先作环境影响评价，论证该地建厂的环境条件，提出相应的环境保护措施，并预报未来对环境可能造成的影响。

森林锐减、土地荒漠化对恶化大气环境、加剧温室效应、造成水土流失、减少生物多样性都有重大作用。绿化造林、增加植被，不仅是调节气候、减缓温室效应的重要措施，而且能防风固沙，涵养水源，保持水土，净化大气。城市绿化则可美化环境，调节市区空气温度、湿度，降低噪声。我国的"三北"防护林从东北、华北直到西北筑起一道绿色长城，这是环境工程中的一项卓越的成就。

1999 年，国家环保总局公布全国采取的措施主要有：①实现城市机动车使用汽油无铅化；②煤炭行业"关井压产"；③关停小火电；④清理整顿小水泥厂；⑤关停小炼油场点；⑥钢铁冶金工业结构调整、关停小高炉等。

大气污染标准为控制和改善大气质量，保护人体健康和生态环境，限制大气污染环境中的污染物含量而制定。它包括大气环境质量标准、大气污染物排放标准、大气污染控制技术标准、大气污染警报标准等。

1. 大气环境质量标准

大气环境质量标准是对大气环境中几种主要污染物的允许浓度的法定限制。这是控制大气污染、评价环境质量、制定地区大气污染排放标准的依据。它有相关的法律作保障，对违反标准者，要追究经济和法律责任。

制定标准首先要考虑保障人体健康，维护生态平衡，需要研究污染物对人体及环境的危害程度。其次要考虑实现标准的代价和社会经济效益之间的平衡。如果标准过高，则需要对污染物排放控制做更大的投入，以致经济水平难以达到。

我国的环境空气质量标准分为以下三级：

一级标准：为保护自然生态和人群健康，在长期接触情况下，不发生任何危害的空气质量要求。

二级标准：为保护人群健康和城市、乡村的动、植物，在长期和短期接触情况下，不发生伤害的空气质量要求。

三级标准：为保护人群不发生急、慢性中毒和城市一般动、植物（除敏感者外）正常生长的空气质量要求。

一些主要空气污染物的标准浓度限值见表4-3。

表 4-3　主要空气污染物三级标准浓度限值　　　　　　（单位：mg/Nm³）

污染物名称	取值时间	浓　度　限　值		
		一级标准	二级标准	三级标准
总悬浮颗粒物	年平均	0.08	0.20	0.30
	日平均	0.15	0.30	0.50
可吸入颗粒物	年平均	0.04	0.10	0.15
	日平均	0.05	0.15	0.25
二氧化硫	年平均	0.02	0.06	0.10
	日平均	0.05	0.15	0.25
	任何一次	0.15	0.50	0.70
氮氧化物	年平均	0.05	0.05	0.10
	日平均	0.05	0.10	0.15
	任何一次	0.10	0.15	0.30
一氧化碳	日平均	4.00	4.00	6.00
	任何一次	10.00	10.00	20.00
光化学氧化剂（O₃）	1 h平均	0.12	0.16	0.20

注：①本表摘自 GB3095—1996；
　　②单位中的"Nm³"指标准立方米；
　　③"任何一次"为任何一次采样测定不许超过的浓度限值。

我国根据各地区的地理、气候、生态、政治、经济和大气污染程度，将大气环境质量区划分为三类：

一类区：国家规定的自然保护区、风景名胜区和其他需要特殊保护的地区。

二类区：城市规划中确定的居民区、商业交通居民混合区、文化区、一般工业区和农村地区。

三类区：特定工业区。

上述一、二、三类大气环境质量区一般分别执行一、二、三级标准。

2．大气污染物排放标准

为实现大气环境质量标准的目标，必须对污染物的排放进行限制。以大气环境质量标准为依据，考虑技术的可行性、经济的合理性和地区的差异性，制定出多项污染物的排放标准。例如：

火电厂大气污染物排放标准　　　　　　　　　　GB13223—1996

锅炉大气污染物排放标准　　　　　　　　　　　GB13271—91

轻型汽车排气污染物排放标准	GB14761.1—93
工业炉窑烟尘排放标准	GB9078—1996
水泥厂大气污染物排放标准	GB4915—1996
保护农作物的大气污染物最高允许浓度	GB9137—88

三、城镇垃圾存放与处理

城镇垃圾主要来源于居民生活、市政建设与维护、商业活动、医院、娱乐场所、市区的园林及耕种生产等。它具有量大、成分复杂、地处分散、恶臭、肮脏等特性，对环境有严重影响。及时清除和妥善处理城市垃圾是建设优美、整洁、文明的现代化城市和治理城市环境污染不可缺少的条件，也是保障城市人民生活、工作条件和身体健康的必要措施。城市垃圾一般经过收集并及时转运到处理场进行处理。如果有的处理场地远离城市，需就近先进行垃圾的破碎、分选和压实等预处理后再运往处理场。

人工堆积物存放的不适宜，会引起地面环境工程地质问题，造成地表工程地质环境质量降低，从而引起环境发生恶化。所谓固体废物，通常是指被丢弃的固体或泥状物质，包括从废水、废气中分离出来的固体颗粒物。固体废物可分为工业固体废物、农业固体废物和城市垃圾等三大类。工业固体废物主要包括：冶金废渣、采矿废渣、燃料废渣、化工废渣及放射性废弃物等。农业废物属有机废物，主要包括农作物秸秆、杂草和家畜粪便等。城市垃圾主要是指城市居民的生活垃圾、商业垃圾、市政维护和管理中产生的垃圾。

随着人类社会的进化、工农业生产发展和资源的大规模开发利用，以及人口的增加和人民生活水平的提高等，固体废物产生的量在急剧增加，从而成为人们的一种负担和面临着严重危害。固体废物有着与废气、废水截然不同的显著特点，固体废物是各种污染物的终态，有的甚至是从控制污染设施排出的，浓集了许多污染成分。在自然条件的影响下，固体废物中的一些有害成分会转入大气、水体和土体，参与生态系统的物质循环，因而具有潜在的、长期的危害性。

（一）固体废物的危害

各种含有有害物质的固体废物，如果不适当处理和堆放，会对人类环境造成严重污染和危害，主要表现在以下几方面：

1. 占用土地和对土壤的污染

由于废渣和垃圾是伴随生产和生活过程产生的，所以它们的堆放必然会占用大量良田沃土。堆积量越大，占地越多。每堆积 1.0 万 t 废渣或垃圾，约需占地 700 m^2，只有及时地处置，才能减少对良田的占用。

在废物堆放中，由于大自然的风化作用，其中大量的有毒废渣到处流失，对土壤造成污染。工业废渣对土壤的危害，以矿业废渣最为严重，它含有多种有毒物质。这些有毒废渣长期堆放，经雨雪淋溶，有害物质随水进入土壤，可使土壤酸化、碱化或硬化，甚至会发生重金属污染；有毒物质还可以通过土壤进入水体，污染水源，有的也可能在土壤中积累而被作物吸收，毒害农作物；工业固体废物中的有毒物质还会破坏土壤内的生态平衡。土壤是许多细菌、真菌等微生物聚居的场所。这些微生物形成了一个生态系统，在大自然的物质循环中，担负着碳循环和氮循环的一部分重要任务。有毒物质在土壤内产生高温、毒质与其他物质反应，能杀灭土壤中的微生物，使土壤丧失腐解能力，最终导致草木不生。放射性固体腐物进入土壤后，也会在土壤中积累，并通过雨水而进入水体，造成污染或通过植物而进入人体，最终都会对人类生存造成危害。

2. 对水域的污染

固体废物能随雨水流入河流、湖泊或以较小的颗粒随风飘迁，落入河流、湖泊，污染地面水；随沥水渗透到土壤中，进入地下水，污染地下水；废渣直接排入河流、湖泊和海洋，造成水域污染。

在不同的水质条件下，固体废物填埋场中的废液与地下水相互作用方式是不同的，同时也受地下水位的控制。当地下水位高于填埋场底部时，垃圾中的有害物质被地下径流渗入溶解并带走；当地下径流进入排泄区，并储集于地下储水构造中时，该储积水被污染；当地下径流排泄补给地表水时，地表水被污染。

不同性质土体对地下水渗流运动的控制作用是不同的，也就控制了有害物质对环境的污染程度。如填埋场边界为封闭完好的页岩和粘土质岩石，由于其吸附性好，隔水或弱透水，地下水和大气降水渗透和径流非常缓慢，垃圾渗流液很少或扩散缓慢，则其污染范围小、程度低。如填埋场边界为渗透性强的砂土或砂质粉土，地下径流较强，大气降水渗入作用强，垃圾渗流液扩展较快，污染范围广、程度高，而且易污染深部循环的地下水。

沿着地下水的流向，垃圾渗流液呈放射状衰减（见图4-5和图4-6）。

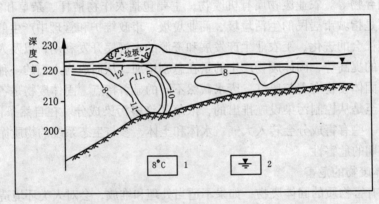

图4-5 垃圾场地温度分布剖面示意图

1—温度；2—地下水位

3. 对大气的污染

固体废物在堆放的过程中，在适宜的温度和湿度下，某些物质被微生物分解，释放出有害气体，污染空气；固体废物在焚烧中，排出的废气也会污染空气；一些腐烂的垃圾废物发出的腥臭味也同样会造成对空气的污染；还有一些微粒状的废渣和垃圾，随风飞扬，污染环境，影响人体健康；在固体废物的运输和处理过程中，也会产生有害气体和粉尘，污染大气。

（二）城市垃圾的成分

随着城市化的发展，城市生活垃圾剧增。目前，我国每年产生的生活垃圾已达14.6亿 t，而且以每年9％的速度增加，生活垃圾无害化处理率仅有2.3％，绝大多数是运往郊外露天堆放，累计堆存量已达60亿 t，使200多座城市陷于垃圾包围之中。城市垃圾的成分与居民的生活水平、生活习惯和社会发达程度有关。例如，我国大城市垃圾主要成分为：煤灰占 56%，蔬菜及易腐烂物质占 38%，可燃物占 5%；而中小城市垃圾的主要成分为：煤灰占 78%，蔬菜及易腐烂物质占 17%，可燃物质占 5%。美国城市垃圾的组成成分大致为：废纸 50%，废食品 12%，金属 9%，玻璃 9%，碎布 7%，其他废物 13%（包括塑料、木头、橡胶等）（据 Coatas，1981 年）。

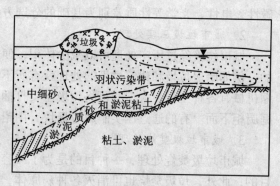

图 4-6　加拿大多伦多西北部布顿
垃圾场的水文地质剖面图

（三）垃圾填埋场的化学反应

对垃圾中的化学反应的研究是环境危害评价与处理对策制定的基础。在填埋场中，废物在微生物的作用下发生降解作用，它按时间可分为四个阶段：好氧阶段、厌氧阶段、厌氧甲烷不稳定阶段和厌氧甲烷稳定阶段（见图 4-7）。

化学反应的速度与填埋场内的垃圾的温度、pH 值、湿度、缺氧程度、垃圾成分和核废物有关。一般地说，好氧阶段中土壤和垃圾中的好氧菌参与废物的分解作用，将出现高温度值，可持续几星期。厌氧分解中产生大量的 CO_2，最适宜温度为 20～40 ℃，时间持续半年到一年左右，厌氧分解的最佳 pH 值

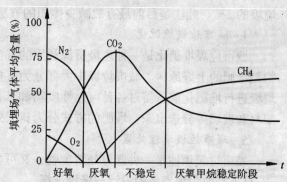

图 4-7　垃圾填埋场内生物降解作用生成的气体

为 6～7，最佳湿度为 60%。厌氧甲烷稳定阶段产生甲烷约 50%～60%，二氧化碳为 40%～50%。

（四）固体废物处理方法

固体废物处理是指通过物理、化学和生物等不同方法，使固体废物形式转换、资源化利用以及最终处置的一种过程。固体废物处理按其采用的方式可分为物理处理、化学处理和生物处理等。所谓物理处理包括压实、破碎、分选、沉淀和过滤等；化学处理包括焚烧、焙烧热解及溶出等；生物处理包括好氧分解和厌氧分解等处理方式。固体废物的处理，按其处理目的又可分为预处理、资源化利用处理和最终处置等。预处理为固体废物在进行资源化处理和最终处理前进行的预加工，主要包括压实、破碎和分选等方法；资源化处理如堆肥、焚烧热回收利用和热解燃料化等处理方法；最终处置是固体废物的最终处理，目的在于寻求固体废物的最终归宿，主要方法有陆地填埋处置和海洋处置等。

城市垃圾处理较为常用的有以下几种方法：

1．城市垃圾的分选破碎处理

城市垃圾破碎是用机械方法减小固体废物的颗粒尺寸，以便资源化利用或进行最终处置。固体废物经过破碎处理，可达到均质化，降低运费。

城市垃圾的分选技术以粒度、密度差及颗粒物理性质差别为基础的分选方法为主，以

磁性、电性、光学等性质差别为基础的分选方法为辅。

2．城市垃圾压实处理

城市垃圾经过压实处理可以减少体积，便于运输和填埋。各种垃圾压实处理是不相同的，例如厨房垃圾和建筑垃圾的处理就有所不同。垃圾的压实一般可采用压缩机进行。压缩机械有各种型号，大型的可将垃圾压实打捆成千吨垃圾块，小型的家用压缩机可装在家庭厨柜下面。有的通过压实制成垃圾块，用铅丝网打捆，然后涂以沥青以防碎裂和渗漏。

3．城市垃圾焚烧处理

城市垃圾焚烧处理，一种目的是为了减容，便于填埋处置；另一种则是以回收热能为目的；此外，垃圾焚烧也可消灭各种病原体，将有毒有害转化为无害。焚烧后残灰的体积比原来体积缩小50％～80％，最多时可达90％。为了减少焚烧时烟尘的扩散，在焚烧炉建造时采取有效的消烟除尘措施。近年来，发展了高温和中温热解技术。垃圾经热解可产生燃油和燃气，剩余物仅为原来垃圾体积的2％～3％，从除尘设备中收集的粉尘量为原垃圾的2％。此法是目前最有效减少体积的方法，但处理设备投资费用极大。

4．城市垃圾堆肥化

城市垃圾堆肥化是一种垃圾资源利用的有益方法，得到了广泛应用。垃圾和粪便混合物是堆肥的上好原料。城市垃圾中大部分为有机易堆腐物，其主要为厨房垃圾。在用城市垃圾进行堆肥化前，需对各种可燃性废物和其他非堆肥废物进行分选，如将金属、陶瓷、塑料和玻璃等分选出来。堆肥的方式分为露天式和机械化两种。

5．城市垃圾填埋处置

城市垃圾填埋是一种既可处置废物，又可覆土造地保护环境的理想处置方法。

（五）垃圾填埋场的设计与场地选择

1．垃圾填埋场的设计

根据我国的垃圾成分及经济实力，选择填埋法较为适宜。因为填埋法较为经济，它的成本是堆肥法的1/3，是焚烧法的1/10。

根据美国土木工程协会（ASCE）的定义（1959年），卫生填埋法是一种对公众健康和安全不产生妨碍和危害的垃圾处置方法。它采用的工程原理是将垃圾限制在尽可能小的区域内，压实到尽可能小的体积，分层处置，每层操作后用土料覆盖。每天运到填埋场的废物在一定范围内分层机械碾压填实，并用土料覆盖（此称日盖层），共同构成一个填筑单元，即日单元。高度相同、互相衔接一系列日单元，再用土料连续覆盖（称中间盖层），构成一个升层（图4-8）。为便于排放废气和抽取废液，尚可设置排气孔、排放层等。

据美国环境保护署（EPA）的要求（1984年），日盖层、中间盖层及最终盖层要由适宜的土料构成，压实后的最大厚度分别为6英寸（15.2 cm）、1英尺（0.3 m）和2英尺（0.61 m）。对日盖层土质要求较低，最终盖层则应满足：

（1）渗透性差，不透水层渗透系数K $< 1.0 \times 10^{-5}$ cm/s；

（2）密度高、强度低；

（3）耐久性好，可抵抗侵蚀、干裂、

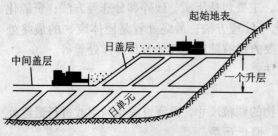

图4-8　垃圾填埋场的结构剖面图

冻融体积变化等。

为满足最终盖层的要求，常使用添加剂，如水泥、石灰、沥青、分散剂、抗冻减胀剂等。

另外，对底部垫层（障碍层）也要求较高，一般由滤砂层、砾石排水层、合成薄膜隔水层和粘土隔水层等多层组成。

2. 选址的地质要求

不论工程处置多么严密，实现完全隔绝是困难的。一旦造成污染，诸如地下水等的恢复通常需要很长时间（长达几十年）。因此，天然地质条件是第一位的，严格的岩土工程设计只是对天然地质条件的改良。

以下是美国在选址方面要求考虑的环境地质因素，可供我国进行垃圾选址工作时参考：

（1）尽可能靠近生产厂，避开风景区、文物古迹、野生动物保护区，宜选在人口密度低的城市外围地区。

（2）地表水流域面积小，在100 a一遇的洪水泛滥区以外。

（3）侵蚀、滑坡、崩塌、泥石流等地质灾害较少的地区。

（4）排除以下地区：活动性断层带，有关规章限定的洪水路线，海岸高灾害区，低洼的湿地，"专用水源含水层"补给区等。

（5）处置场底部在历史最高地下水位以上1.5~3.0m，即与地下水源隔离，以免引起二次污染。

（6）距任何地表水体距离在200英尺（61 m）以上。

（7）距任何水井的距离在1 000英尺（305 m）以上。

上述是一般规则，有的州（如北卡罗来纳州）规定，垃圾处置场应在500 a一遇的洪泛区之外，远离水源地至少500 m。

我国在这方面的工作刚刚开始，应特别注意场址天然地质条件的研究。在这方面是有反面先例的。如美国纽约州的胡克化学公司设在腊芙运河的有害废物处置场，因1978年洪水淹没，造成极为严重的地下水污染。我国锦州铁合金厂20世纪50年代开始露天堆放的铬渣，造成20多平方公里水体六价铬污染。因此，要完善监督，实施环境立法，开展我国垃圾污染现状的调查，处置场的地质论证和比选，并加强公众的环境保护意识。

（六）城市垃圾处理的新进展

目前，国外已开始利用垃圾发电，这是一种既有利可图，又对环境无害的有效途径。据研究，3 t城市固体垃圾含有的能量相当于1 t煤。例如，英国第一座垃圾发电厂已开始运行，在伦敦市中心，高达100 m的烟囱竟然不冒烟，且未留下烟灰微粒和被烟熏黑的痕迹。

垃圾在低温燃烧状态下会产生有毒气体，而高温充分燃烧是减少毒气的好办法。垃圾在焚烧炉里使用柴油点火，之后就依靠泵入热气维持垃圾燃烧，温度保持在1 000 ℃。使用垃圾发电是因为卫生填埋越来越困难，土地越来越紧张，处理费用越来越高。英国利用垃圾发电，不仅及时处理垃圾发了电，同时还可利用燃烧后的灰烬回收金属。1992年初伦敦建厂后，每年燃烧42万 t垃圾，发电能力为35 MW；同时还可向7 500个家庭提供热水。

四、城镇地面沉降问题

（一）地面沉降的概念

地面沉降的概念，有广义和狭义之分。广义系指地表在自然营力作用下，或人类工程—经济活动影响下，大面积以致区域性的连续舒缓的总体下降运动。其特点是以向下垂直运动为主体，只有少量水平位移。其速度和沉降量以及持续时间和范围，均因地质环境或具体诱发因素不同而异，它与因采矿等原因引起的地面局部下降塌陷是有区别的。狭义即工程含义系指国内外工程界所研究的地面沉降，主要是由大规模抽汲地下流体（以地下水为主，也包括石油和天然气）所引起的区域性地面沉降，我国《岩土工程勘测规范》规定为：较大面积内（100 km² 以上）由抽汲地下水引起地下水位下降，或承压水水压下降而造成的地面沉降。这是本节研究的主要内容。

人类工程—经济活动引起的地面沉降往往出现于人口密集的城市和工业区。它主要起因于人类大量抽取地下液态矿体（如地下水、石油、天然气等），从而构成城镇地区最主要的环境工程地质问题。

（二）地面沉降的现状与实例

自从意大利威尼斯城最早发现地面沉降以来，世界上许多国家，如日本、美国、墨西哥、中国、欧洲及东南亚一些国家，位于沿海和低平原上的工业发展速度较快、人口密度较高的城市或地区，均先后发现较严重的地面沉降问题。我国早在 1913 年，对上海的地面沉降就有所察觉，但在 1948 年以前却无可靠的观测资料。20 世纪 60 年代以后，我国对上海和天津地区的地面沉降进行了重点研究，对地面沉降的产生、分布、机制和预测与监测等方面的研究都达到了较高的水平。目前，我国有确切资料证实出现地面沉降的城市达 50 多座，大部分地处沿海和河口三角洲地区，内陆城市占少数。在日本，地面沉降被作为典型的七大公害之一予以防治。

因此，地面沉降目前已成为城镇环境工程地质研究的重要课题之一，也是沿海及部分内陆城镇主要地质灾害。对此国际上分别于 1964 年、1976 年及 1985 年在日本东京、美国加州和意大利威尼斯城召开了三届国际地面沉降会议。我国曾于 1964 年召开了上海地面沉降水文地质工程地质会议，1980 年（上海）、1988 年（天津）召开了全国地面沉降学术会议。会议普遍就地面沉降的研究方法、沉降机理以及相应的预测和控制问题等进行了专门探讨。在 1981 年（湖北孝感）、1989 年（西安）、1995 年（兰州）和 1999 年（哈尔滨）四届全国环境工程地质会议及 1989 年（南京）全国地质灾害及其防治等学术研讨会上，地面沉降都被列为我国地质灾害的主要类型和环境工程地质研究的重要课题，得到了广泛的重视，并进行了深入的探讨。

（三）地面沉降的危害及研究意义

上海地区是我国地面沉降发现最早和发展最严重的地区。国内相继出现地面沉降的还有天津、宁波、无锡、苏州、常州、沧州、邯郸、嘉兴、南通、阜阳等以及内陆冲积平原的北京、太原、西安、内蒙古等地。迄今为止，我国有确切资料显示地面沉降的城市已有50 余座，绝大部分集中在沿海地区及长江三角洲地区，内陆城市约有 7 座。这些城市和地区均不同程度地遭受地面沉降地质灾害的严重威胁和困扰。据统计，西安市区地面下沉面积为 162 km²，年最大不均匀地面下沉量为 191 mm，最大累积下沉量达 1 827 mm。区内累积下沉量大于 1 000 mm 的面积达 30 km²，大于 500 mm 的面积达 55 km²。市区内的明代钟楼，1988 年下降 60 mm，累积下沉量达 394 mm。著名的唐代大雁塔于 1987 年累积下沉量已达 1 198 mm。大雁塔位于沉降槽南部边缘，已明显向西北方向倾斜，70 年代倾斜逐渐加剧，现塔尖向西倾斜 886 mm，向北倾斜 170 mm，近年平均倾斜速率为 5.48 mm/a。随着地下水位下降，地面下沉加速了地裂缝自西南向东北的发展。

全球一些大城市和油、气田，因大量开采地下水或油、气而引起的地面沉降情况，列于表4-4。其中，最严重的有：美国加州长滩市威明顿油田，地面沉降率达 71 cm/a，总沉降量达 9 m；墨西哥城，沉降面积达 7 560 km²，最大沉降速率为 42 cm/a，总沉降量达 9 m，美国加州圣华金流域，沉降面积 9 000 km²，最大沉降速率为 46 cm/a，总沉降量达 9 m。我国上海，最大沉降率也达 10.1 cm/a，最大沉降量为 2.63m。

表 4-4 世界部分城市地面沉降统计表

国名	地区		沉积环境和年代	压密层深度范围（m）	沉降面积（km²）	最大沉降速率（cm/a）	最大沉降量（m）	发生沉降的主要时间	备注
	州或省市	具体地点							
中国	上海市	市区及郊区	冲积，湖相与滨海相，第四纪	3~300	121	10.1	2.63	1921~1965	
	天津		滨海相，第四纪		135	9	2.16	1967~1972	
	台湾	台北盆地	冲积与浅海沉积	10~240	235		1.90	1963~1974	
	山西	太原	冲积，第四纪		254		1.23		
	江苏	常州	冲积，第四纪		200		0.22		
	广东	湛江	冲积，第四纪	30~200	140		0.11		
墨西哥	墨西哥城		冲积，湖相第四纪和第三纪	0~50	7 560	42	9.00		抽汲地下水
日本	东京	江东及城北工业区	冲积和浅海相，晚新生代	0~400	2 420		4.60	1892~1975	
	大阪		冲积和湖相，第四纪	0~400	630	16.3	2.88	1925~1970	
	新泻	佐贺县白石平原	浅海和海相，晚新生代	0~1 000	430	57	2.65	1898~1965	
	九州				88	20		1954~1965	
	尼崎		冲积和湖相，第四纪	0~200	100		3.10		
	兵库						2.84		
美国	加州	圣华金流域 洛斯贝洛斯—开脱尔曼市地区	冲积和湖相，晚新生代	60~900	6 200		9.00	~1977	
		图莱里—华兹科地区	冲积，湖相，浅海相，晚新生代	60~700	3 680		4.30	1926~1954	
		阿尔文—马里科地区	冲积和湖相，晚新生代	60~500	1 800		2.80		
		圣塔克拉流域	冲积和浅海相，晚新生代	50~330	650		4.10	1915~1975	
		长滩市威明顿油田			320	71	9.00	1920~1968	开采石油
	内华达州	拉斯维加斯			500		1.00	1935~1963	
	亚利桑那州	中部					2.30	1952~1967	抽汲地下水
	得克萨斯州	休斯顿—加尔维新顿			1 200		2.75	1943~1978	
	路易斯安那州	巴吞普日			500		0.38	1934~1976	
意大利	波河三角洲		冲积，泻湖和浅海相，第四纪	100~600	2 600		3.20	1953~1960	开采石油

地面沉降主要是由于人类工程—经济活动，大量抽取地下水，导致土层压密加固结、体积缩减所致。但是，在国外由于开采地下油、气资源，产生地面沉降的也不乏其例。如美国长滩市威明顿油田、美国德克萨斯的雌鹅湖油田、委内瑞拉的马拉开波湖油田以及日

本的新泻气田等,其中地面沉降最强烈的是美国长滩市威明顿油田。由于这些人类工程—经济活动引起的地面沉降,不仅严重影响了地下水、气、油资源的开采,同时严重破坏了当地的工程地质环境,造成了损失巨大的地面沉降地质灾害。

地面沉降是一个全球性的地质灾害,其危害往往是多方面的,损失也是严重的。地面沉降往往造成地面建筑物开裂破坏、深井井管倾斜、港口码头及国家测量标志失效、桥墩下沉、桥梁净空减小、地下水排泄不畅、洼地积水、海平面上升、海水入侵、洪峰警戒水位不准、地下水原生环境破坏等严重后果。对城市建设、国民经济发展及人民生活带来严重危害,具体有以下几个方面:

(1) 地面沉降引起区域性海水内侵。

地面沉降使地面标高低于水平潮位,因此常受大海潮的侵袭。如日本的东京、新泻,美国的长滩市,我国的上海市等,许多地方因地面下沉处于平均潮位以下,经常受到海潮袭击,使许多工厂由于积水而一度停产,给人民生活带来诸多不便。上海自 1965 年在黄浦江、苏州河沿岸开始修建防洪墙,至 1970 年,已先后加高 5 次,其投资超过 4 亿元。

(2) 造成港口、码头、堤岸失效或作用能力下降。

如美国的朗比奇港,因地面下沉而失效;上海市外轮停靠码头,原标高 5.2 m,1964 年降至 3 m,高潮时江水上岸,使装卸无法进行。

(3) 桥墩下沉,桥梁净空减小,影响水上和陆上交通。

如上海苏州河,原每天可通行 2 000 条船,吞吐量达 100 万~120 万 t,后因桥梁净空减小,大船已无法通行,中小船的通行时间也受到了限制,使通航能力大大减小。

(4) 伴生水平位移的危害。

一些地面下沉强烈的地区,伴随着地面垂直沉降而发生较大的水平位移,往往会使地面和地下建筑物造成损坏。例如,美国长滩市,在垂直沉降的同时,相伴而生的水平位移,最大达 3 m 左右,在土层中产生巨大剪应力,使该地区的地面、铁轨、桥墩、大型建筑物的墙、支柱和桁架以及油井和其他管道等,遭到了严重的破坏。

(5) 破坏市政工程,并影响新的城市规划。

地面下沉,深井管相对上升,使原来深井泵座因高出地面而失去取水功能。如美国圣塔克拉拉流域,深井管上升 0.91 m,不得不进行割管;上海市由于地下水位下降,使许多水泵发生吊泵而不得不更换设备,还发生过高楼脱空和建筑物倾斜现象等。

地面沉降对环境的危害,还表现出以下主要特点:一般发生比较缓慢,难以明显察觉;一旦发生了沉降,即使消除了产生沉降的原因,沉降了的地面也是不可能完全复原的。

例如我国江苏省的苏州、无锡和常州三市区,长期以来由于过量开采 Ⅱ 层地下水,造成这些地区地下水位不断下降,已超过地下水警戒水位,形成以苏州、无锡和常州三市区为中心的区域性地下水位降落漏斗。其下降速度达 1~2 m/a,最低水位已降至 -69.62 m,影响范围近 5 000 km²,导致了苏州、无锡和常州地区严重的大面积地面沉降,其累计沉降量分别达 1 100 mm、1 048 mm 和 870 mm。而且迄今仍分别以每年 67.3 mm、31.4 mm 和 52.2 mm 的速度继续发展。仅苏州市 1980 年调查发现,有 50 多眼深井井管倾斜、错断;30 多眼井上升 100~300 mm;河水水面普遍上升,水质急剧恶化,水准点失效,洪水淹没面积逐年扩大。进入 80 年代后,地面沉降呈逐年加剧的趋势,仅 1983~

1989 年 7 a 间，由于地面沉降造成的抗洪筑堤、新建建筑物基础垫高、河道疏浚、市政设施修复等方面直接经济损失达 2.6 亿元，况且苏州为一古老的文化名城，市区园林、文物遍布，由于地面沉降造成的直接经济损失更是无法估计的。

由于地面沉降一般主要发育在人口密集、工业发达的城市和工业区，往往造成严重后果。因此，关于地面沉降的环境工程地质研究不仅有其重要的理论价值，而且对城市建设、工农业生产、国民经济发展及人民生活和当前防灾减灾都具有重要的实际意义。

（四）地面沉降的影响因素及变形机制研究

1．地面沉降的影响因素分析

地面沉降环境工程地质问题，与其他所有环境地质问题一样，是一个多因素综合作用的结果。这些因素大致可分为两类：一类是自然动力地质因素，它包括内应力（如新构造作用、地震、火山活动）及某些外应力（如溶解、冻融和蒸发等）；另一类是人类工程—经济活动的作用，它包括工程建筑物的静、动荷载，开采地下油、气、水等液态矿藏。大量地面沉降实例表明：前者是地面沉降产生的基本因素，这些因素往往构成地面沉降区的基本地质环境。而后者是地面沉降产生的诱发因素，能够促使或诱发地面沉降灾害的发生和发展。而且开采地下流体这一诱发因素往往能够转变为地面沉降发生、发展的控制性因素。

例如我国上海地区的地面沉降，主要是由于存在厚度较大的第四纪松散堆积层（达300 m 以上，见图 4-9），特殊的工程地质水文地质特征构成了地面沉降的基本地质环境，加之人为过量开采地下水而形成的。

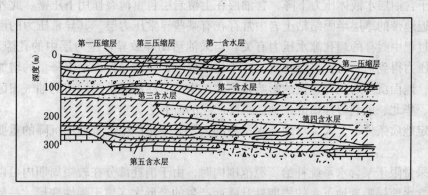

图 4-9 上海水文地质工程地质剖面示意图

1）自然动力地质因素

（1）地壳近期的断陷下降运动。

运动速率较低，但具有长时期的持续性。在某些新构造运动活跃的地质构造单元中，如断陷盆地或沉降带内，其沉降速率可达到数 mm/a，这种下降速率对一些跨越不同地质构造单元的大型线性工程的稳定性可能产生不良影响。它主要是控制沉积环境，其构造下沉的影响是大区域的。它构成断陷盆地模式，为人类诱发地面下沉准备了条件。

（2）地震、火山活动以及滑坡。

日本东京几次大地震后均引起地面沉降速率的增加。美国长滩市油田区在地震后的两年中也使原有沉降速率加大。但是，地震和火山活动一般只引起暂时性的地面垂直或水平位移，而不会导致长时期持续下降，其影响远不如人类抽汲地下液体影响大。

（3）地球气候转暖，冰盖溶化或雪线上升而引起海水量增加，引起海平面上升。

海平面上升相对呈现出地面降低。这种海洋性基准面的变化给陆地水准测量成果也带来了系统误差。

（4）湿陷性黄土的湿陷。

与水的作用有关，地面常呈现局部凹地和碟形盆地。

（5）欠压密土的固结。

与地层沉积后的地质历史有关，一般沉降速率和沉降量都不会很大。

（6）溶解、冻融、蒸发等作用也有一定影响，可干扰正常观测，但作用不大。

2）人类工程—经济活动因素

包括工程建筑物的静、动荷载，开采地下油、气、水资源等因素。但静、动荷载作用造成土层的沉降是有限的，其破坏性也是局部的，尽管有时较严重。它主要起因于建筑物对土层的压缩以及车辆运行所产生的振动。

大量开采地下水溶性气体、石油或地下水等活动被公认为是人类工程活动中造成大幅度、急剧地面下沉的最主要因素。

开采水溶性天然气过程，事实上是伴随着抽取含气的地下水而进行的。日本新泻抽取水溶性甲烷引起地面大幅度沉降。地面沉降量与水溶性天然气的开采量和地下水位的下降呈正相关关系。据观测资料，地面沉降主要由各开采层自身的压密所引起。

由于开采石油或天然气引起的油田区域的地面沉降，可以美国长滩威明顿油田为典型例证。由于含油层水液体压力下降，含油层在上覆岩层自重荷载作用下压密。此外，在油层或其邻近地带的厚层半固结粘土岩中常存在有某些异常压力层，其异常压力的形成与该岩层固结过程中封存的超孔隙水压力有关。当采油活动导致异常压力层中的孔隙水排出，超孔隙水压力得到消散时，该层将再次产生压密变形，从而导致地面沉降量的增加。在这类油气区，地面沉降对工程建设的影响是不容忽视的。在靠近沿海城市的油气田区，如我国的大港、华北、胜利等油田区，地面沉降问题的研究更为重要。

在一定地质条件下，人类对地下水资源的大量开采是产生严重地面沉降的重要诱发因素。

当开采量限于某含水系统补给资源范围内时，由于消耗部分在较短周期内可以得到自然补充，含水地层随着地下水的周期性升降而产生的变形大多属于弹性变形，一般可以自行恢复。

当开采量超过某含水系统的补给资源而长期动用其储存资源时，区域地下水位将不断下降，并产生等效附加应力效应。此时，含水层本身除产生弹性变形外，尚可能出现程度不同的塑性变形或永久变形。前者可随地下水储量的可能恢复而复原，后者则不能恢复。同时，含水系统中及其顶底板的低渗透性及饱和粘土层中的孔隙水和结合水产生的排水和释水效应，使土颗粒间产生相对位移而重新排列。由此产生的土体变形在宏观上表现为地面下降，并具有不可逆性。由于粘性土的排水固结过程具有时间滞后性，因而所导致的地面沉降也具有滞后效应。这是在一些沉降地区，当抽水活动停止或受到一定限制后，地面沉降仍在继续的主要原因。

总之，地面沉降的发生，具备沉降特性的地质环境模式是必备的内在因素，人为抽汲地下液态矿体是重要的外在条件，但地面沉降发生的客观过程尚需具体分析。

2. 地面沉降变形机制的研究

对由于人类工程—经济活动引起的地面沉降的机制，国内外学者已经做了大量的探索和研究。当前比较普遍的认识是：由于过量开采地下流体，特别是地下水资源，造成地下水承压水头大幅度下降，导致上覆土层浮托力锐减，以及水头差形成较强的渗透压力，这两种作用叠加，促使饱和粘土层中孔隙水压力下降，有效压力增加，土层排水固结造成地面沉降。也有人主张用地下水运动的渗流理论探索粘性土中越流和释水的地面沉降机理。不过总的说来，抽水固结导致的地面沉降，其机理仍然可以用一维固结理论去概括。

值得一提的是，曾有人认为从工程地质学角度研究地面沉降，多着重于研究地壳表面以下一定深度内各沉降层的变形机理及其过程，而地面沉降机制与产生沉降的岩土体的地质成因及其固结历史、固结状态、岩土体中孔隙水的赋存形式及释水机理以及不同诱发因素所引起的等效力学效应有着密切的关系。因此，地面沉降的研究应注意从岩土体的成因和天然固结历史分析、粘性土的前期固结压力及粘性土的固结状态分析等方面入手。

首先，不同成因的土其构造明显不同，所经过的固结历史也不同。现今发现的地面沉降，大多发育在松散地层中，而在一定条件下，一些半固结的地层中也可能产生较大的地面沉降变形，这是因为上述地层在其自身的沉积历史中，尚未完全固结成岩。其次，粘性土的前期固结压力值影响着土层的可压缩性和沉降量。一定的前期固结压力值有其对应的孔隙比，粘性土的前期固结压力较小，则土层压密固结的程度较差，相应的压缩性较大，且受到卸荷作用时将产生回弹。另外，还应该注意粘性土固结状态的分析。因为有些固结状态反映了其成因和固结历史。不同固结状态的土，其压缩性不同。正常固结土在自重压力作用下已完全固结，其上覆土重 P_0 与前期固结压力 P_c 相等，其压缩性可用压缩曲线表示。超固结土则具有 $P_0 < P_c$ 的特点，其压缩性应当用再压缩曲线来表示，而新近沉积或新填的欠固结土，其特点是土层在自重下未完全固结，亦即上覆土重尚未完全转化为有效应力（$P_0 > P_c$）。因此，对欠固结土，不仅要考虑到各种诱发因素作用下可能产生的压缩沉降，还应考虑到由于自重压力尚未完全固结的那一部分压缩变形。

综上所述，目前比较普遍的认识是采用有效应力原理来解释地面沉降机理，认为沉降发生可归结为抽水后含水层浮托力减小、渗透作用及有效应力增大三个方面。但应当指出，关于地面沉降机理，仍是一个尚需要进一步深入研究的问题。因为根据以上解释，采用渗透固结或流变理论进行沉降计算时，用实验数据计算结果与实际相差甚远，这一现象一方面说明地面沉降的复杂性，另一方面也说明人们对地面沉降机理的认识还不够深入。因此，在地面沉降机理的研究过程中，除考虑上述粘土层的成因、固结历史及前期固结压力外，如何考虑粘性土的物质成分、流变特征、微观结构及三维流状态等，是需要进一步研究的方向。

（五）地面沉降的地质环境模式

国内外大量地面沉降实例的研究表明：地面沉降地质灾害的发生和发展，除人为诱发因素作用以外，对自然地质因素具有一定的选择性。也就是说地面沉降往往发育在特定的地质环境中。地面沉降一般多产生于松散和半固结状态的具有多层粗细粒交错沉积结构模式的地质环境中，这种产生地面环境沉降的地质环境模型可归纳为：冲积平原模式、三角洲平原模式、断陷盆地模式以及冰川模式和复合模式。

1. 冲积平原模式（张忠胤）

冲积平原模式主要由一些高弯度河流和网状河流沉积模式构成。该地段由于河床迁移频率较高，因而冲积平原模式常由河床冲积层（以下粗上细的粗粒土为主）与泛原沉积土（细粒土为主）多层交错沉积组成。土层厚度一般与河床的最大深度及各沉积旋回的韵律有关。此类河流常具有地上悬河的特点（见图4-10）。在近海地带，冲积平原模式常与三角洲模式相连接或与海侵相沉积物交错沉积。我国的黄淮平原、长江下游、松花江中下游等均属此类。

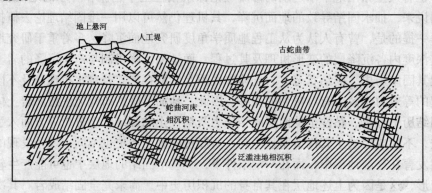

图 4-10　高弯度河流冲积平原

2. 三角洲平原模式（H·布拉特）

三角洲位于河口入海地带，常介于河流下游泛滥平原与海洋大陆架过渡地带，是陆源沉积物的主要沉积场所，其沉积相为海陆交互相。三角洲根据沉积物的供给速度和被潮汐波浪破坏作用的强度分为建设性三角洲和破坏性三角洲。前者具有不断向海方推移发展的特点，平面上常具有耳状或鸟足状形态。后者则以受潮汐和波浪作用的破坏逐渐后退，前缘支离破碎为特点。三角洲陆地部分的地面即三角洲平原（见图4-11）。

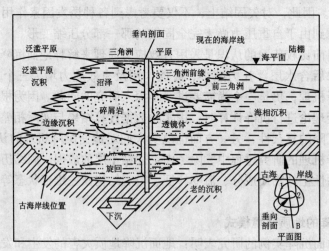

图 4-11　建设性三角洲多旋回沉积剖面示意图

三角洲地区常是地下水、气、油良好的储集地，常形成厚度较大的重叠型的沉积旋回，因而三角洲地区具备产生地面沉降的地质环境。如我国长江三角洲及主体部分为建设性三角洲，面积约 5.18 万 km^2。其主体部分目前仍然继续向外扩展，并形成以南汇为代表的耳状建设性三角洲。而长江三角洲南侧因波浪不断冲蚀而后退，形成现今凹入大陆的杭州湾。受这种对地质环境模型的控制，位于三角洲平原上的上海、苏州、无锡、常州等城市不仅由于人类工程—经济活动引起地面沉降，可以预言，该地区一些新建城市及大型工业区亦将发生类似灾害。

3. 断陷盆地模式（王智济，1986年）

断陷盆地模式一般位于三面环山、中部以断块式下降的近代活动地区。由于盆地在挽近期持续下降，接受了来自周围剥蚀区的碎屑物质，堆积了一套多种成因（冲积、洪积、湖积甚至海相）沉积物所组成的粗细交错的沉积土层。其沉积物厚度及粒度受断陷速率及沉积韵律等因素的控制。断陷盆地按其所处的地理位置可分为近海式断陷盆地和内陆式断陷盆地两种类型。

1）近海式断陷盆地模式

位于海滨地区，历史上或现代均受海侵的影响，其沉积物结构往往由陆相和海相交错组成。我国台北及宁波盆地均属此类模式（见图4-12）。

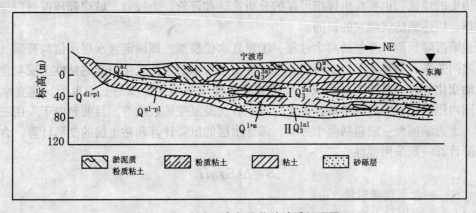

图4-12　宁波近海断陷盆地地质剖面图

2）内陆断陷盆地模式

内陆断陷盆地模式一般位于内陆高原地区的近代活动性地带，盆地和周围山区之间存在着以活动断裂为边界的差异升降运动，盆地内接受来自山区的母岩剥蚀物质而形成的陆相冲洪积、湖积及风积等成因的沉积地层。由于升降运动的不均一性，造成沉积物粒度上的变化和不同的旋回韵律。例如我国山西大同盆地，其新生界厚度为2 000～3 000 m，上部由第四纪冲、洪积砂砾层及湖相粘土层交错沉积组成，厚度在150 m以上（见图4-13）。大同为我国煤炭及动力工业的重点开发区，近年来由于工业用水猛增，地下水位以1 m/a的速率下降，据已有地面水准资料可知，地面沉降以2 mm/a左右的速率在发展。

（六）地面沉降的预测及防治措施

地面沉降的环境工程地质研究的关键是查明产生地面沉降的地质环境及其影响和主要诱发因素。明确其产生机理，采取正确可靠的方法进行预测预报，以达到防治和减少地面沉降地质灾害的目的。

1. 地面沉降的预测

地面沉降的预测是环境工程地质学研究的一个重要课题。随着国民经济的迅速发展，城市建设规模将不断扩大，人类的工程作用也不断增强。有可能导致地面沉降地质灾害的

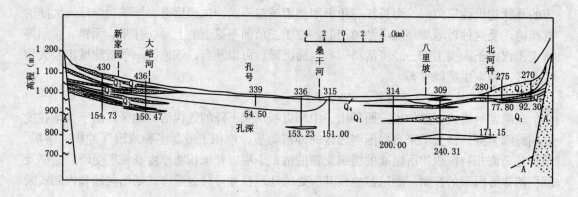

图 4-13 山西大同盆地新生界地层剖面图 （单位：m）

发育更加普遍，其危害更加严重。因此，严峻的环境现实不仅要求人们对已有的地面沉降及其发展趋势作出比较实际的预测预报，而且对新建城市和大型新建工业区及一些无地面沉降历史的地区，也要作出详细可靠的分析论证和评价，为规划、城建和环保部门提供决策依据，以达到防灾减灾的目的。

地面沉降预测计算包括两个过程：①建立水位模型，即确定含水层水位与开采（或回灌）之间关系；②建立土力学模型。即计算由于含水层水位变化引起的粘性土层与含水层本身的变化规律。这两个过程或两种模式叠加即成为地面沉降的数学模型。建立水位模型，国内用的比较多的有相关计算法、源函数法及复变函数法等。目前趋向于采用三维流模型。土力学模型一般包括两个方面，即含水层的沉降计算和粘土层的变形计算。含水层的沉降计算一般采用弹性公式

$$S = \Delta h E \gamma_w H \tag{4-1}$$

式中 S——含水层变形量，m；

Δh——含水层水位变幅，m；

E——含水层压缩（或回弹）模量（常采用反算值），$(kPa)^{-1}$；

γ_w——水的重度，kN/m^3；

H——含水层厚度，m。

关于含水层上下相邻粘土层变形计算方法较多，常用的有：最终沉降计算法、太沙基固结理论、流变固结理论、比奥固结理论、弹塑性模型计算、灰色理论、多元统计理论、最优化计算及实测参数法等。这些关于粘性土层沉降计算方法基本上可归纳为两类：一类是采用经典的固结理论，从土的力学性质入手概化地质模型和调整其参数，使地面沉降的内部规律与计算值相拟合，参数初值通常由实验获得；另一类是采用数理分析的方法从地面沉降、地下水位的外部表现形式找出它们的内在规律。下面主要介绍粘性土沉降变形的计算方法。

1）最终沉降量计算法

粘土层的固结是一个缓慢的地质过程，土层的最终沉降量是指土层完全固结情况下的沉降量。土力学中常用分层总和法（e—$\log P$ 曲线法），该方法是计算地面沉降中最基本的方法，由于其简单、明了、应用方便，因此目前被广泛采用，其计算公式为：

$$S = \sum S_i \tag{4-2}$$

式中　S——土层总沉降量，mm；

　　　S_i——第 i 层土层的沉降量，mm。

对粘性土：
$$S_i = \frac{H_i}{1 + e_{0i}} C_{ci} \log \left(\frac{P_{0i} + \Delta p_i}{P_{ci}} \right) \tag{4-3}$$

对砂性土：
$$S_i = \frac{1}{E_{si}} \Delta p_i H_i \tag{4-4}$$

式中　H_i——第 i 层土层的厚度，m；

　　　C_{ci}——第 i 层土层的压缩指数；

　　　e_{0i}——第 i 层土层的初始孔隙比；

　　　P_{0i}——第 i 层土层中点的自重应力，kPa；

　　　Δp_i——第 i 层土层所受的附加应力，kPa；

　　　p_{ci}——第 i 层土层的先期固结压力，kPa；

　　　E_{si}——第 i 层土层的变形模量，$(kPa)^{-1}$。

　　为了便于计算土层沉降随时间的变化，即预测地面沉降的寿命和预测某一时段的地面沉降，引入了能够反映土层平均固结程度的指标固结度（U），其定义式为：

$$U = \frac{S_t}{S} \tag{4-5}$$

式中　S_t、S——土层在某一时刻和最终沉降量。

　　固结度的计算公式为：

$$U_t = 1 - \frac{8}{\pi^2} e^{-\frac{\pi^2}{4} T_v} \tag{4-6}$$

式中　U_t——某一时刻土层的固结度；

　　　T_v——时间因素，当土层一面排水时，$T_v = \frac{C_v}{H_i^2} t_i$；当土层两面排水时，

$$T_v = \frac{C_v}{(\frac{1}{2} H_i)^2} t_i;$$

　　　C_v——土层的固结系数；

　　　t_i——时间，a。

　　1981 年应用分层总和法对常州地面沉降预测结果为：1981 年因水位降低而形成的沉降量（多年效应）为 150.43 mm，根据各土层的固结度，同时认为砂土层的压密是瞬时完成的。因而 1981 年内完成的沉降量为 85.92 mm，1981 年前水位下降形成的延续沉降量为 14.21 mm，二者叠加即得 1981 年地面沉降量为 100.13 mm，与当年地面沉降的水准测量值 90.08 mm 较为接近。

　　2）太沙基固结理论预测计算

　　该方法由于其物理意义明确，能够反映土层的压缩过程，可以确定不同的最终沉降量，且便于计算，精度较高，因而被广泛应用。其基本微分方程为

$$\left. \begin{aligned} \frac{\partial u}{\partial t} &= \frac{\partial^2 u}{\partial z^2} C_v \\ \frac{\partial \varepsilon}{\partial t} &= -\frac{K}{\gamma_w} \frac{\partial^2 u}{\partial t^2} \end{aligned} \right\} \tag{4-7}$$

式中　　u——孔隙水压力，kPa；

　　　　C_v——固结系数，cm^2/s；

　　　　K——渗透系数，cm/s；

　　　　γ_w——水的密度，g/cm^3；

　　　　ε——土的应变；

　　　　t——时间，a。

对上述微分方程采用叠加原理求得不同时刻土层的沉降量即可。

3）最优化计算方法预测地面沉降

最优化计算方法是在前述各种预测模型的基础上，采用大量实测资料，利用上述各种计算模型进行最优模拟，找出模拟效果最好的模型作为沉降预测计算公式。各种参数均采用优化反算值。该方法不仅可以用来建立模型，还可以用来进行最佳开采量以及开采比等方面的研究。这是一种颇具前途的预测方法。在我国上海、宁波等地地面沉降预测中均得到应用，取得了较理想的效果。

4）灰色理论预测计算地面沉降

灰色理论自20世纪80年代初问世以来，广泛地应用于预测、决策和控制等领域。在环境工程地质中也得到了广泛的应用。在地面沉降预测预报中，不仅用到一维模型GM（1，1），而且用到综合模型GM（1，N）。灰色理论认为：一切随机变量均可视为一定范围内变化的灰色量。对灰色量进行数据的累加处理（AGO）后，则相应的生成数据可淡化随机因素对原始监测数据的影响，体现出事物发展较强的动态规律，灰色模型实际上是原始数列作生成处理后的生成数列模型。

综上所述，各种沉降预测方法都有其可靠的科学理论依据及实用价值。然而，地面沉降是一个十分复杂的地质与人类因素相互作用过程，难以得到一种精确而完善的预测模型。应该多种方法综合比较和相互验证，从中找出能较实际地反映地下水位、地面沉降随时间变化的预测模型。

值得注意的是，在采用渗透固结理论或流变理论进行地面沉降计算时，土层的有关参数指标应采用反算值。

地面沉降是一个发育较普遍的地质灾害，鉴于国内外目前已经做了大量的研究工作，积累了一定的经验，建议应该尽快建立有关包括地层结构、土性指标、水位观测值、开采量统计及沉降观测值等能够反映地面沉降控制因素的工程地质数据库，在此基础上，即可对一些新建城市或新建工业区地面沉降影响因素作出比较准确的分析，进而应用模糊相似选择及工程地质类比原理，从大量地面沉降实例中定量地选择出与研究地区条件相似程度最高的沉降区的实际资料，预测所研究地区的地面沉降的可能性及其发展趋势，不失为一种简捷高效的研究方法。若能辅以人工智能和决策系统，将成为一个较理想的地面沉降专家系统。国际上目前关于地面沉降研究的最新成果是模型的建立正逐步走向沉降管理预测的实用程序的开发。具有代表性的是美国D.C.Helm及S.A.leek等人开发了一种应用于沉降数据管理的软件（COMPAC）。该程序包括了沉降预测模型、水位模型、优化调整模型、反馈计算模型。可以根据十几种抽水模式进行沉降预测，并应用最新沉降资料对旧的模型参数及预测结果进行修正。

2. 地面沉降的控制与防治措施

大量实际资料和研究结果表明,若限制地下水开采或人工向含水层注水,则可以控制或减缓地面沉降,表明地面沉降具有可控制性。因此,国内外目前普遍采用限制开采地下水的办法进行地面沉降的控制与防治。根据上海、江苏等地的经验,具体由以下控制和防治措施。

1) 不断提高全民的防灾减灾意识和严格依法管理地下水资源

地面沉降与其他环境工程地质问题一样,均与人类的工程—经济活动有着密切的关系。因此,首先要不断加强环境保护宣传,唤起全民的防灾减灾意识,使防灾减灾和环境保护成为全民的共识,是防治和减少各种人为地质灾害的根本措施。其次要建立健全保护地下水资源的管理机构和管理制度,严格依法管理,做到保护和合理利用地下水资源,防止地面沉降。

2) 限制地下水的开采量

国内外大量地面沉降实例表明,地面沉降与地下水开采量在时间、地区、层位及开采强度等方面都有明显的一致性。因此为了合理地利用地下水资源,必须严格地限制和压缩地下水的开采量。具体措施是:

(1) 以地表水代替地下水源。即对水温无特殊要求的用水单位,采取用地表水代替地下水资源的办法,控制地面沉降。目前西安市、北京市等均采用这一办法以减少地下水的开采量,防止地面沉降。

(2) 以人工制冷设备代替地下水冷源。不少地面沉降实例表明,地下水的过量开采主要是由于大量工业冷却用水集中开采所致。因此,对于在夏季用水高峰时期充分增加和利用人工制冷设备,作为工业空调辅助冷源,以减少夏季对地下水的集中过量开采。

(3) 实行一水多用,充分综合利用地下水。增设有关设备,实现地下水的重复综合利用,使有限的地下水发挥更有效的作用。

3) 开采地表水人工回灌补给地下水

对地下水过量开采的地区,为了促使地下水位回升和达到控制地面沉降的目的,进行地表水人工回灌补给地下水,不失为一种有效办法。但应该明确,地面沉降是一个复杂的地质过程,由于抽水引起的土体固结有主固结和次固结之分,其中主固结是土体弹性特征引起的变形,具有可恢复性,因而采用人工回灌措施可以部分恢复主固结变形引起的地面沉降。而次固结是土体固结在荷载作用下的一种非弹性连续变形,是一种流变现象。因此,土体的次固结变形是无法恢复的。可见,由抽水引起的地面沉降是一个非弹性变形,其压缩固结是一个不可逆过程,故回灌使土层变形的回弹值也是有限的。

上海市自1966年采用了"冬灌夏用"为主、"夏灌冬用"为辅的人工回灌措施后,由于地下水获得了大量的人工补给,地下水位大幅度回升,使地面沉降由原来的常年连续沉降转为"冬升夏沉",地面沉降得到了初步控制。

4) 调整地下水开采层次

造成地面沉降的主要原因是地下水的集中开采(开采时间集中、地区集中、层次集中),因此,适当调整地下水的开采层次和合理支配开采时间,可以有效地控制地面沉降。上海市自1968年开始在深部第四、五层地下含水层和岩溶裂隙含水层"冬灌夏用"储冷试验取得成效的基础上,在市区内有利地段增凿第四、五含水层和岩溶裂隙含水层深井,以代替部分第二、三含水层抽水井，不仅有效地改善了用水紧张状态，而且有利于控制地面沉降。

五、地下水开采利用中的水质恶化问题

（一）地下水水质恶化的主要表现

地下水水质恶化现象是世界上许多国家地下水开发利用中共同面临的又一个严重问题，它是全球性日趋严重的环境污染问题的一个组成部分。

地下水水质恶化问题主要是指地下水在开发过程中，因环境污染、水动力、水化学条件改变，而使水中的某些化学、微生物成分含量不断增加、以致超出规定使用标准的水质变化的过程。

地下水水质恶化现象，主要表现在以下几个方面：

（1）许多地下水天然化学成分中不存在的有机化合物（如各种合成染料、去污剂、洗涤剂、溶剂、油类以及有机农药等）出现在地下水中。

（2）在天然地下水中含量甚微的毒性金属元素（如汞、铬、镉、砷、铅以及某些放射性元素等）大量进入地下水中。

（3）各种细菌、病毒在地下水中大量繁殖，远远超过饮用水水质标准（生物污染标志是水中的氨、亚硝酸盐、硝酸盐、硫化氢、磷酸盐及生物需氧量和化学需氧量剧增）。

（4）地下水的硬度、矿化度、酸度和某些单项的常规离子含量不断上升，以致超过使用标准。

（二）地下水水质恶化的危害

根据1999年有关部门统计，我国年废水的排放量已达310亿 t，其中工业废水为240亿 t，绝大部分（约83%）未经处理便排放，这是当前造成水源污染的主要污染源。

地下水水质恶化不仅破坏了地下水化学成分的天然平衡，而且严重损坏了地下水资源的使用价值，给人类社会带来了严重后果：

（1）损害人体健康，以致造成残疾或死亡。

（2）损害工业产品质量，使农作物减产和土地盐渍化。

（3）减少地下水可采资源的数量，以致使整个水源地废弃。

（4）需要处理地下水水质，增加了水资源开发的单位成本。

由于生产的迅速发展和生活水平的提高，世界上许多地区的水资源本来就难以满足日益增长的需水要求，地下水源污染面积的不断扩大、可采资源的不断缩减就更加剧了水源短缺的困难局面。

我国地下水质的污染问题也很严峻。主要城市中有1/2以地下水作为供水水源，全国有1/3的人口饮用地下水。根据国家环保局发布的中国环境状况公报，1981年对全国50个城市的调查中，地下水遭受污染的有45个，其中北京、沈阳、太原、西安、包头、南昌等10个城市的地下水污染尤为严重。如沈阳市全市水井有87%不符合饮用水标准；南昌市地下水重度污染和严重污染的面积约占市区面积的35%；北方许多城市地下水因硬度过高，每年花在水质软化处理上的费用高达10亿元以上。我国海滨地区由于过量开采地下淡水，使许多沿海城市的水源地遭受海水入侵，地下水矿化度过高而不得不暂时废弃。目前已出现海水入侵的城市和地区有大连、秦皇岛、烟台、青岛、福州、漳州、广州

以及辽东湾、莱州湾，其中以莱州湾海水入侵面积最大。

（三）地下水水质恶化的原因

1．引起地下水水质恶化的污染物来源

引起地下水水质恶化的污染物来源，既可存在于地上，也可存在于地下，从成因看来，可分为天然的和人为的两大类。

1）天然污染源

指自然界中天然存在的海水、地下高矿化水或其他劣质水体。此外，含水层或包气带中所含的某些矿物（特别是各种易溶盐类），也可构成地下水的污染源。

2）人为污染源

这是指因人类活动所形成的污染源。如工业废水、生活污水、工业和生活垃圾、农业化肥、农药等所形成的地下水污染源。人为污染源对地下水的污染过程有直接污染和间接污染两种情况。

（1）直接污染（Immedidcy Pollution），指工业废水、生活污水及土壤中的化肥、农药残液，直接通过包气带进到含水层中，直接污染对地下水的污染危害最大。

（2）间接污染（Indirect Pollution），指污染物首先进入大气和地表水体，而后进入含水层中。如工业城市附近因含硫较高的煤炭的大量燃烧，而使大气中二氧化硫含量（或氮氧化物）剧增，雨滴吸收了这些气体而转化为硫酸和硝酸，形成"酸雨"。酸雨的入渗一方面直接使地下水酸化，另一方面酸化的水又可增强对岩石中金属和金属矿物的溶解能力，使地下水中金属元素含量大大增加。据报道：瑞典西南部酸化地下水中铝、铜、锌、镉的含量为当地中性地下水中同类金属元素含量的 $10\sim100$ 倍。此外工业排放的氟废气、汞蒸气等均随大气降雨入渗地下而严重污染地下水。如上海吴淞区是地下水的高氟污染区，而该地区大气中氟的平均浓度也很高，达 $0.19\sim0.33$ mg/m³。

工业废水和生活污水不经过处理而排入地表水体，而后造成地下水污染的例子更是比比皆是。特别是那些以河水入渗补给为主要来源的傍河水源地、季节性河流的河谷、山前冲洪积扇和地下暗河水源地，因河水污染而导致地下水源污染的情况更为严重。如沈阳市浑河两侧 800 m 范围内潜水曾受到油（芳烃类）、COD、酚的污染并且含量超标，其中油含量 0.48 mg/L，超标 47 倍。又如鞍山一水源地，枯水期主要依靠太子河渗透补给，后来由于上游化工厂排出的含硝基化合物废水，通过河水进入含水层中，曾使水源地中 40 余眼水井受到不同程度的污染，污染面积达 183 km²。

2．污染物进入含水层的方式

地下水水质恶化，除必须具备有污染源外，还必须具有污染物进入含水层的通道。污染物通常以下列三种方式进入含水层：

（1）在含水层开采的降落漏斗范围内，污染物通过含水层上部的透水岩层，直接渗入含水层。在这种方式下，由于污染物进入含水层的途径很短，故常常使地下水体迅速而重度污染。在相同污染源的情况下，地下水体遭受污染的程度，主要取决于地表到含水层之间岩层的渗透性能、岩土颗粒对污染物的吸附和净化能力，也决定于含水层的埋藏深度。因此，一般说来，承压水比潜水有较好的防污染能力，潜水含水层的包气带内如有粘性土层分布，也会起到一定的防污作用。

（2）污染物从含水层的其他地段进入开采地段。例如，各种天然的劣质水体（如海

水、大陆高矿化水）、已污染的地表水体或污水体通过它们与含水层的接触带（特别是补给区）渗入含水层，然后转移到开采地段。当其污染源位于水源地的上游时，对水源地的污染威胁最大，有时甚至两者相距甚远，但地下水体也很难免不被污染；当其污染源位于地下水源下游时，一般只有当开采水位降落漏斗扩展到劣质水体时，水源地才会遭受污染。

（3）污染物借助天然或人为的某些集中通道进入含水层。天然造成的集中通道，主要是指与污染源相沟通的各种导水断层（包括地震和地面沉降产生的地裂缝）和喀斯特通道（包括石灰岩含水层及其部分隔水顶板缺失所形成的天窗）。在天然条件下，这些通道大多数是裂隙水和喀斯特水的排水途径，但在开采条件下，当裂隙和石灰岩含水层水头压力低于外围污水体的水头压力时，则成为污染物进入含水层的通道。这种通道一般多呈点状和线状分布，但是它可使埋深很大的承压水体也遭受污染。

人为作用造成的集中污染通道包括以下几种情况：

①因开挖地下工程，破坏了含水层顶板岩层的防污作用，地下工程成为劣质水体进入含水层的通道。如美国佛罗里达州的某沿海地区，在开挖船坞和运河工程时，由于挖穿了淡水含水层上覆的粘土保护层，导致了海水入侵。同样我国某城市也曾出现过由于地下人防工程汇集地下，地面污水下渗而污染含水层的情况。

②因水井设计、施工上的缺陷（如施工止水不符合要求），造成上部污水体沿井管和孔壁间隙流入开采含水层；有时则是废井未加处理或回填不实，成为地表污水下渗通道。

③某些多年失修的水井，由于井管腐蚀损坏或地震使井管破裂，也可造成上部污水入侵开采含水层。此外，在某些情况下，井管和输水金属管的腐蚀、混凝土水管的溶蚀，也可污染地下水质，此时管道本身即为污染源。例如由于金属井管或滤网和缠丝的腐蚀，可使水中的铁、铜、铅和锌离子含量大大增加，特别是当水中溶解氧和二氧化碳共存时，情况就更为严重。

3. 地下水水质恶化的水动力和水化学条件

如果说污染源和污染通道的存在是地下水水质可能恶化的必备条件，那么开采条件下所出现的水动力、水化学作用则常常是导致地下水水质恶化的直接原因。

1）水动力作用

凡污染水体入侵开采含水层，均要求有一定的水动力条件。其一是开采含水层和污水体之间必须存在某种直接或间接的水力联系；其二是在开采地下水时，形成了有利于污水体向开采层运移的水动力条件。所谓有利于污水体向开采层运移的水动力条件，一般是指由于抽水（或污水灌注）在开采含水层中形成相对于污水体的负压区，或者开采层中的水位降落漏斗直接扩展到了污水体，从而使污水直接或间接地渗入，并污染开采含水层。

近海水源地，因水动力条件改变而引起海水向大陆含水层入侵便是这方面的典型例子。在天然条件下，大陆含水层中淡水是排入海洋的，咸、淡水体之间存在的平衡条件是依靠含水层淡水体保持比海面更高的水头压力来维持的，其咸、淡水界面的具体位置是由含水层排入海水的淡水流量来确定（一般是淡水排泄量越大，界面距海岸线越近）。在开采条件下，如果水源地的开采量不超过含水层的淡水补给量，则咸、淡水界面便可在某一新的位置上固定下来，只要此界面不接近抽水地段，水源地仍然可以安全地开采淡水。但是如果开采量超过补给量，这必然引起含水层中的淡水体井水位持续大幅度下降，开采水位降落漏斗终将扩展至海岸，结果导致海水全面入侵，使地下水咸化。还须指出，在某些情况下，开采量虽不超过淡水的天然补给量，但是由于取水量较大，含水层中淡水体的水头压力已减少到不足以维持其咸、淡水之间的天然平衡条件时，咸、淡水界面也会向大陆推移，如果该界面推进到抽水井的影响范围内，同样也会导致咸水补给开采井，从而使水质恶化。

2）水化学作用

大量地开采地下水，不仅引起含水层水动力条件变化，同时也会改变含水层的水文地球化学条件和某些新的水文地球化学作用的出现，也是导致某些地区地下水水质恶化的重要原因。

例如，国内外许多地下水源地在开采过程中所出现的矿化度、硬度及铁、锰离子含量增高和 pH 值降低的现象，主要是由于因含水层疏干、氧化作用加强而造成的。在地下水开采过程中，随着地下水面的下降，氧气将进入被疏干的含水层地段，促使岩层中硫、铁、锰以及氮的化合物的氧化作用大大加强，特别是硫氧化细菌的出现更加剧了金属硫化物的氧化进程。

地下水的硬度（以及某些水源地的矿化度）在开采过程中不断增高的现象，是我国许多地下水源地，特别是北方地区的水源地面临的共性问题。例如北京水源七厂，1964 年建厂时，地下水硬度为 17～18 德国度，1978 年则升高到 33.1 德国度，平均每年以 0.9 德国度的增幅递增。这除了水化学机理外，还与城市附近污灌水质和我国北方表层土壤及其下层沉积物中富含钙、镁易溶盐有关。

此外，近年来我国北方半干旱地区水库（或渠道）浸没区所发现的潜水氟离子含量剧增的现象，也是由于水文地球化学环境的改变而导致的结果。

（四）地下水水质恶化的防治

地下水作为地球水圈以及整个环境不可分割的一个重要组成部分，其水质恶化的防治也必须采取综合的措施。同时地下水水质的恶化又常因其隐蔽和缓变而不易被人们所重视。但是由于地下水交替循环缓慢和处于相对封闭缺氧的环境，因此水质一旦受到污染，治理就相当困难。不仅措施复杂，费用高，而且水质的改善和恢复到天然状态下常常需要很长的时间，有时甚至需要十几年、几十年。因此，对地下水水质的治理必须坚持做好"防治结合、以防为主"的方针。

综合国内外防治地下水污染的经验，主要措施有两条，即：一靠管理，二靠技术。所谓管理措施，就是为了达到预定的地下水环境质量目标而制定的规划、组织、协调和监督。所谓技术措施就是根据国家的经济技术条件和水质污染的原因提出控制地下水污染和治理已污染水质的有效办法。实践证明，只有单纯的技术治理措施，而无有效的管理办法是不可能根治地下水污染的，甚至可能造成边治理边污染的局面。因此必须"管理"和"技术"措施并用，并且逐渐做到以"管"为主，这样才能使地下水环境质量不断向着良性循环发展，不断提高水质的可用性。

1. 防治地下水水质恶化的管理措施

防治地下水水质恶化的管理措施，实际上是整个地下水资源管理问题的一个部分。其主要内容是：

（1）建立和健全有关水质保护和防止水质污染的法律、法令和条例并严格实施；

（2）按环境容量对工矿企业的污水排放实行"总量控制"和"有害物质排放标准"的控制；

（3）建立和健全统一的水资源管理和水质监测机构，并赋予它们法律上的权力；

（4）实行地下水源地卫生防护带制度，卫生防护带范围的确定主要取决于水源地的水文地质条件和环境条件。

2. 防治地下水水质恶化的技术措施

防治地下水水质恶化的技术措施，必须建立在对当地水文地质条件、地下水污染的环境条件、污染物的种类以及对污染途径、长度、范围有深入了解的基础上。防治地下水水质恶化的技术措施，按其功能可分为"预防"和"治理"两大类。

1) 预防性的技术措施

预防性的技术措施是指那些有助于防止地下水水质恶化现象产生的各种技术措施。其中最重要的就是对城市的发展和水源地的建设作出全面的规划和合理的布局。即在制定城市发展规划，特别是制定工业布局时，必须要有减少城市环境污染和保护地下水水质不受污染的考虑。对于那些容易造成地下水水质污染的工厂（如石油、化工、焦化、合金、电镀等工厂）尽可能布置在水源地下游较远的地方，或者采用管道排污；同样，新建水源地时，也必须考虑地下水污染的环境条件（如把水源地选择在城市上游或地下水的补给区，或从地层岩性结构上看防污染条件较好的地方）。总之，为保护地下水源，必须在城市建设的总体规划中考虑环境保护的要求，必须要有防治污染和维持生态的指标，要把环保工作与经济发展同步规划、同步实施，做到经济、社会和环境三效益统一协调发展。

在取水层位上、下或附近有劣质水层或水体分布时（特别是海滨水源地），严格控制水源的开采量和开采降深，对于防止劣质水体入侵含水层也是必要的措施。

在城市建筑工程的地下开挖工作中，注意不要破坏开采含水层上、下和周边的隔水保护层，使地下水免受污染。

2) 对已污染水源的治理措施

对已污染水源应该针对引起地下水水质污染的主要原因和污染途径，及时采取有效的治理措施。

（1）治理污染源。

根据污染源的分布特征可以分为点源和面源两种类型。点源是指工业"三废"和城市生活污水、垃圾等所形成的污染源，他们是目前集中水源地水质污染的主要来源，其中以工业废水的危害最大。因此，控制和治理地下水污染的重点应该是抓好工业废水的综合治理（详见第四章第一节）。

面源主要是指农业施肥、污灌、农药以及城市暴雨径流等所引起的污染。对面状污染源的治理，主要应该做好以下工作：

①积极慎重地开展污水灌溉。其中最重要的是严格掌握污灌的水质标准、控制灌水定额，并根据环境水文地质条件合理规划污水灌区的位置，一般在表土层薄或渗透性大的潜水地段、地下水的补区和水源地附近不易进行污灌。

②控制化肥的投放量和农药的使用。世界上许多国家和地区由于大量使用化肥，已导致潜水的矿化度以及氨、磷酸离子和对身体健康有害的硝酸盐浓度显著上升。甚至某些深层的自流水也受到硝酸盐的严重污染。然而现代化农业生产又离不开化肥和农药的使用，

因此为了减少化肥、农药对地下水污染，除研制易于被植物吸收、土壤分解的化肥和对人体毒性小的农药外，目前惟一的办法就是要严格掌握化肥、农药的使用量，尽可能地减少它们在土壤层中的残余浓度。

③对可能引起的地下水水质恶化的雨水和溶雪水（如酸雨、城市降雨形成的劣质径流和溶雪水等）进行预处理。

（2）兴建配套环境工程，大力开展污水的处理和利用，变污水、废水为可利用的水资源。

（3）防治劣质水（或污水）入侵开采含水层的水力措施。当海水和其他劣质水体从侧向侵入开采含水层时，可采用所谓的"水力"措施来阻止劣质水体的入侵。具体做法如下：

①"补给水丘"和"淡水屏障"法。即在海岸和内陆的开采地段之间布置注水井，通过注水使之形成高于天然地下水位的"补给水丘"（见图4-14a），以控制咸水面向内陆移动。美国和以色列都曾采用这种方法，成功地阻止了咸水的入侵。美国加利福尼亚州，在沿海岸线 16 km 长度内布置了一系列的注水井，为形成补给水丘，每日的注水量为 25 万 m^3。而注入水包括了下水道污水，但污水在注入前先用三级处理办法（快速砂滤器、压力砂滤器、硅藻土滤器）过滤。

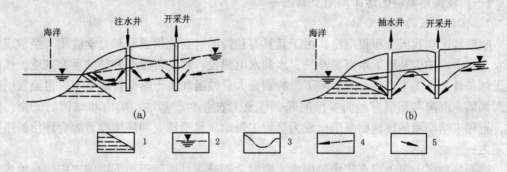

图 4-14 补给水丘及抽水槽示意图

1—咸水体；2—开采前的天然地下水位；3—采取注水或抽水后的地下水位；
4—天然状态下地下水流向；5—采取注水或抽水后的地下水流向

②"抽水槽方法"。在海岸和内陆开采地段之间布置一条抽水线，通过抽水使之形成阻止咸水向内陆运移的"抽水槽谷"，而抽出的咸淡混合水，如不能使用则排入海中。这种方法较前一种方法的优越之处是不需要补给水源。这种防止海水入侵的办法，在荷兰沿海的淡水砂丘带得到了广泛的应用（见图4-14b）。

③"注水和抽水相结合"的方法。该方法一般是将抽水槽布置在靠近海岸的地方，而注水井布置在靠近开采水源地的一侧。

④修建"地下挡水墙"。这种方法主要用于咸水沿着狭窄透水通道入侵的地段。例如日本的长崎县西比杵郡的桦岛，曾在沟道的入海口附近含粘土的砂砾石层中建造了阻止海水入侵的灌浆帷幕，同时在其上游侧形成了人工的地下水库，使地下水的开采量由原来的不到 200 t/d 增加到 288 t/d 以上（限制抽水量）。美国已成功地用咸水冷凝器生产出一种冷冻剂，将这种冷冻剂注入含水层可以形成很薄的一垛阻止海水入侵的"冷冻挡水墙"。

⑤其他方法。英国的英格兰南部沿海地带采用了所谓"调整抽水布局法"来防止海水入侵。即在地下水的补给季节（冬季），在南部沿海的水井中抽水（内陆水井停采）以拦截流向海洋的地下淡水，增加内陆地下水贮存量；而在非主要补给期（夏季），则大量抽取内陆贮存的地下水，减少沿海抽水量，以防止海水入侵。

此外，为防止滨海地带单口井的水质恶化，英国的某些地区还采用了在水井中安装所谓"清除泵"的办法。即在井中安装上、下两台抽水泵，高处泵抽取供使用的地下淡水，低处泵抽出咸水，以防治或减少咸水的锥形体上升。

（4）对环境进行综合治理，提高环境质量。

地下水是整个环境的一个组成部分，因此环境组成的每一个部分——地表水、大气成分、植被和城市绿化程度等都对地下水质有一定影响。例如森林具有调节气候、净化大气、涵养水分、洁净水质的作用；又如大量能源消耗导致大气中的 SO_2 和氮氧化物的剧增而引起的酸雨等，都必将严重恶化地下水质。因此，为防止地下水质恶化，提高地下水的可用性，就必须对大气、地表水、地表植被、城市环境卫生等进行综合治理，以提高整个环境的质量。

六、喀斯特地区地面塌陷问题

（一）我国喀斯特区地面塌陷及其危害

1. 喀斯特区的地面变形

喀斯特区在我国分布很广泛，由于其具有独特的岩石化学成分和力学性质，经常成为工农业生产、矿山及地下水资源开采、水利水电建设、旅游资源开发等的重要基地。然而在天然条件和人类生产活动的影响下，特别是大量抽汲和疏干喀斯特地下水，也经常引起地面塌陷、沉降和开裂等地面变形问题，危及工农业生产基地、矿山和城镇的安全，因此，近年来喀斯特地区地面沉陷已成为环境工程地质科学研究和环境质量综合评价的主要问题之一。

喀斯特地区上覆土层在较小范围内，瞬时急剧破坏且塌落于地下空洞之中，在地表上显出不同形态塌坑的现象称为地面塌陷（Surface Sink）。在地面塌陷发生之前，往往首先出现较大范围内的缓慢和连续的地面下沉现象，称为地面沉降（Surface Subsidence）。当地表沿着一个或几个方向产生宽大裂缝的现象称为地表开裂（Surface Crack）。塌陷、沉降和开裂是塌陷区地面变形的三种基本形式，以塌陷危害最大，它们一般相继发生，相伴出现，具有密切的内在联系。通常塌陷和开裂发生在沉降区内，开裂是塌陷和沉降的伴生产物，围绕沉降中心或塌陷呈弧形展布，塌陷是沉降的中心。

2. 喀斯特地面塌陷的危害

塌陷是喀斯特地区极为常见的一种灾害地质现象。据统计，我国北起黑龙江省，南至海南省，西达青海省察尔汗盐湖，21个省区都有塌陷分布，共有塌陷区220个以上，塌坑达数万之多，而且类型复杂，涉及冶金、煤炭、化工、矿山、城市工业建设、工矿供水、交通运输、农田水利建设等各个部门，经济财产损失巨大，危害严重，影响十分广泛，主要表现在以下三个方面：

1）引发地质灾害

（1）毁坏塌陷区内城镇村庄各种建筑设施，危害人民生命财产安全。

（2）破坏矿山生产设施，引起地表水灌入矿坑，发生突水甚至淹井。

（3）影响交通枢纽、道路、桥梁的安全运行。据不完全统计，我国铁路全线已发生塌陷60段以上，造成列车颠覆两次，断道累积2 000 h以上。

（4）引起水库渗漏，影响水库正常运行和大坝安全。水利工程蓄放水，使地下水位急剧变化或水库渗漏，都会引起库坝区地面塌陷，严重影响工程效益和水库运行，甚至危及大坝和人民生命财产的安全。

2）恶化环境

地面塌陷对地表环境的破坏和导致水文地质条件的恶化是显而易见的，主要表现在：

（1）破坏了城乡居民的生产、生活的环境，增加了人们对生命财产安全的担忧，使人们不能安居乐业。

（2）破坏了地面地形条件，一些塌陷坑虽然经过人工处理，但仍然会复活，成为难以耕作利用和重建家园的劣地。

（3）塌陷破坏了地表径流条件，沟通了大气降水、地表水、潜水和石灰岩地下水的水力联系，使地表水和大气降水大量渗入地下，不仅改变了地面水的分布情况，而且增加了矿坑和地下工程的涌水量，甚至使地表泥沙大量涌入，影响矿坑、地下工程施工和安全运行，或者增加地下水的污染途径，破坏地下水资源。

3）影响自然资源的开发利用

煤炭和各种金属、非金属矿产以及喀斯特地区地下水和地表水资源的开发常常引发地面塌陷，反过来塌陷又限制了这些自然资源的有效开发利用。塌陷威胁矿山安全，同时对塌陷的治理和赔偿也大大地增加了各种矿产资源开采的成本。

（二）喀斯特地面塌陷形成的基本条件及其影响因素

1. 喀斯特地面塌陷形成的基本条件

1）喀斯特洞隙的存在是塌陷产生的基础

喀斯特洞隙的存在为地面塌陷提供必要的空间条件。洞隙的发育和分布受喀斯特发育条件的制约，一般主要沿构造断裂破碎带、褶皱轴部张裂隙发育带、纯质厚层的可溶岩分布地段，或者与非可溶岩接触地带分布。这些地方多形成负地形，如洼地、谷地、槽谷、喀斯特平原和河流低阶地等，地下水活动频繁、交替强烈，浅部喀斯特洞穴发育，不仅为塌陷物质提供了必要的储集空间和运移场所，还直接控制着塌陷的分布。喀斯特发育的程度和不均一性，影响着地面塌陷产生的规模和强度，而使塌陷具有带状、零星状和面状等分布特点。

2）松散破碎的盖层是塌陷体的主要组成部分

地面塌陷体的物质成分可以是各类可溶岩或非可溶岩，也可以是第四纪松散堆积物。由于基岩构成塌陷体主要是受构造和风化溶蚀作用，岩体变得软弱破碎，块体大小（直径）相对于溶洞开口较小时而引起的，多是直接由溶洞、管道顶板在重力作用下陷落而成，这种塌陷称为基岩塌陷。北方的喀斯特陷落柱，大多属于这种类型。第四纪松散堆积物，是已知塌陷体的主要组成部分，形成的塌陷成为土层塌陷。据南方10省区的统计，土层塌陷占塌陷总数的96.7%。

松散堆积物多由砂砾、碎石和粘土组成。它们可以组成均一结构、双层结构、多层结构和混合结构等不同类型的土体。由于粘土地在饱水情况下呈软塑至流塑状态，容易在地下水活动下流失，因此，在覆盖型喀斯特区的粘性土中，常常发育土洞。土洞主要沿两个部位分布，一是岩土接触界面附近，二是地下水位季节变动带（见图 4-15），当土层较薄，地下水位埋深较浅时，两部位合为一起，使土洞更易发育，直至形成地面塌陷。一般来说，土层塌陷都经历溶洞→土洞→塌陷的过程。

构成塌陷体的土层按厚度可分为薄层（厚度<10 m）、中厚层（厚度为 10~30 m）和厚层（厚度>30 m）。塌陷大部分发生于土层厚度较薄的地区，特别是小于 5 m 的地区塌陷最易产生（见图 4-16），塌坑数量多，但个体形态小，直径多小于 2~3 m。

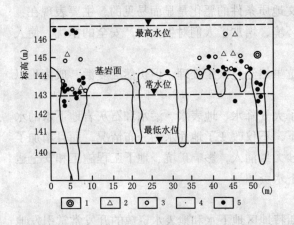

图 4-15　桂林地区大型试坑所揭露的土洞
与地下水位的关系剖面图

1—直径>2 m 土洞；2—直径 2~1.5 m 土洞；3—直径
1.5~1 m 土洞；4—直径 1~0.5 m 土洞；5—直径<0.5 m 土洞

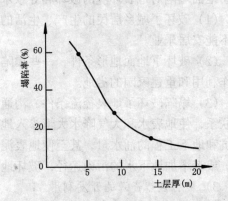

图 4-16　某地区塌陷与土层厚度关系曲线

土层岩性结构对塌陷形成有明显影响，在相同条件下，均一砂性土容易发生塌陷，夹砂砾土的非均质土次之，均一粘性土塌陷产生相对要缓慢一些，粘性土中新粘土（Q_4）较老粘土（$Q_{2~3}$）容易塌陷，底部有粘性土分布的双层或多层状土地区，塌陷要少得多。

3）地下水活动是塌陷产生的主要动力

地下水是地面塌陷形成过程中最积极、最活跃的因素。土层中含水量的增减改变着土体的重度和状态；渗透水流产生的渗透压力，引起潜蚀作用而使土粒和土体迁移，出现管涌和流土现象；地下水位上升，可使地下水位以下的土体所受的浮托力产生变化或使封闭较好的洞穴空腔中的气体出现向上的冲压（正压力）或形成负压腔，出现冲爆或吸蚀，引起岩土体的破坏。地下水除具有溶蚀作用外，本身还具有侵蚀、搬运能力，改变着洞穴空间的大小和形状，并可使溶洞中的充填物由一地迁移到另一地，使充填的溶洞重新开启，或使溶洞被充填物堵塞，从而改变地下水的流动状态。

地下水的这些作用，将使岩土体产生失托增荷效应、渗透潜蚀效应、负压吸蚀效应、水气冲爆效应、触变液化效应、溶蚀效应等多种力学效应，从而引起岩土体破坏，形成土洞或溶洞，或直接导致塌陷的产生。

2. 影响地面塌陷产生的因素

喀斯特地面塌陷的产生，除上述三个基本条件外，一些自然和人为的因素，都可影响和诱发塌陷的产生。这些因素包括地形条件、降雨和蓄水、干旱与抽排水、地震与振动、荷载与重力、酸碱溶液的溶蚀等。

1）地形条件

一定的地形地貌特征是一定岩性构造条件的综合反映。喀斯特地区内的洼地、谷地、盆地、河谷等，往往是构造裂隙发育和喀斯特发育的部位，且多形成汇水中心或是地下水的主径流带和排泄带，极易产生地面塌陷。

2）降雨和蓄水

降雨和蓄水（包括地表水渗透）是地下水获得补给的主要来源，是引起地下水活动的重要原因。它通过湿润和饱和岩土，增加岩土体重度和降低其强度；形成渗透水流，促使渗透潜蚀作用产生和发展；引起水位上升，造成岩溶空腔的正压力；增加水库库盆静水压力和荷载等几个方面的作用，促进塌陷的产生。其中降雨对塌陷的影响十分重要。

3）干旱与人工抽、排水

气候干旱、人工抽水和矿坑排水，是引起地下水位下降的主要因素。由于地下水位的下降，使岩土体失去浮托力，增大地下水的渗透压力，产生潜蚀作用和水击作用，在一些封闭较好的地段，出现真空负压，产生负压吸蚀作用，并可在覆盖土层中或使溶洞充填物产生触变液化，从而破坏岩土体结构，引起塌陷的产生。湖南水口山矿、广西泗顶矿、广东凡口矿等众多矿山，都因矿坑排水、突水造成大面积塌陷的发生。

4）地震和振动

地震和人为振动，都因产生振动波而引起岩土体产生破坏效应，如产生地震裂缝破裂效应、斜坡变形破坏效应、土体压密下沉效应、振动液化效应、流塑变形效应等，使岩土体破坏，在有溶洞分布的地区，常引起地面塌陷。地震作用远远比人为的爆破、车辆机械振动造成的破坏大得多。

5）重力和荷载

重力是岩土体本身具有的一种内力，荷载是岩土体外附加的一种力，二者都是以一种"静"力作用于溶洞或土洞顶板，引起其破坏并导致塌陷。

6）污水下渗、溶蚀

在一些厂矿建筑区，由于场地排水不良造成地表污水下渗溶滤，特别是一些废酸液体的排放，对岩溶地区岩土体具有强烈的溶蚀破坏作用，可大量溶解并带走可溶物质，改变岩土体结构，降低强度，形成土洞，导致塌陷。如桂林二纸厂制水车间酸性废液漏失，在车间外造成大小塌陷洞数个，1983年8月因塌陷使水罐倾倒，生产停顿。

（三）地面塌陷的成因类型和形成机理

1. 地面塌陷的成因类型

塌陷类型的划分是地面塌陷研究的基本内容。由于采取的分类原则、方法不同，提出的分类方案可异。主要有：

（1）按引起塌陷的作用因素可以划分为抽水引起的塌陷、排水引起的塌陷、挖泉爆破引起的塌陷和大气降雨引起的塌陷等。

（2）按塌陷产生时的受力状态可以划分为承压渗流潜蚀塌陷、重力渗流潜蚀塌陷、压缩气团冲爆塌陷、气体减压重力塌陷、根蚀腐烂潜蚀塌陷等。

为了更客观地反映各类塌陷的差异及其成因上的特点，采取按塌陷产生的主导因素进行分类，按主要受力状态进行划型的原则，进行多级分类（康彦仁，1984年），把岩溶地面塌陷分为两大类、七个亚类、八种基本类型（见表 4-5）。

表 4-5 岩溶地面塌陷分类表

类	亚 类	基本类型							
		潜蚀塌陷	重力塌陷	吸蚀塌陷	冲爆塌陷	荷载塌陷	振动塌陷	根蚀塌陷	溶蚀塌陷
自然塌陷	古塌陷	△	△	△					△
	现代塌陷	△	△	△	△			△	△
人为引起的塌陷	矿坑排水疏干	△	△						
	抽水供水	△	△				△		
	水利工程蓄水放水	ˋ△		△	△	△		△	
	爆破振动及荷载增加					△	△		
	积水或排水不当	△	△						△

2. 几种主要地面塌陷的形成机理

1）潜蚀塌陷

潜蚀塌陷是由于地下水的潜蚀作用造成的塌陷。由于地下水位的下降，水力坡度增加，产生较大的动水压力，地下水的渗透压力也随之逐渐增大，当水力坡度值增加到可以使洞穴充填物或土层中细小颗粒迁移时，便产生了潜蚀作用。首先在土层中形成一些细小空洞，然后逐渐形成一些土洞，随着土洞由下向上逐渐扩大，最后造成地面塌陷。初始产生迁移土粒时的水力坡度值，称为临界水力坡度，产生的塌陷成为潜蚀塌陷。

潜蚀塌陷的产生，一是要有足够大的水力坡度；二是要有水流的不断作用。一般情况下，潜蚀塌陷是经过多次水位变化产生多次潜蚀作用，最后造成地面塌陷的。

2）重力塌陷

在浅覆盖的喀斯特区，处于暂时相对稳定状态的土洞，当土层又一次饱水时，则使土体力学强度降低，土洞形成减压拱，不能抵抗上覆土层的自重时土洞将扩大，土体将沿土洞产生自下而上的间断性剥落和瞬间陷落而造成地面塌陷。这种由于岩土体自重陷落而形成的塌陷成为重力塌陷。

3）吸蚀塌陷

封闭较好的洞穴空间，在负压状态下岩土体爆裂及"吸蚀作用"垮塌而造成的地面塌陷。负压是指低于一个标准大气压。洞穴空间的负压状态可以在以下几种情况下产生：①当地下水位由第四系土层降至基岩面以下时，原来充水的洞穴空间失水而造成；②地下河中的高速水流，对与其连通的洞穴空间产生一种吸气作用造成；③地下水流流速变化（断面改变）而造成等。

4）冲爆塌陷

在自然和人为因素的作用下，地下水位迅速升高可使封闭较好的洞穴空间产生高压气团及较大的静水压力，当这种高压气团和静水压力超过洞穴顶板的允许强度时，会冲破顶部岩土体产生爆裂，接着在岩土自重及水流作用下引起的地面塌陷，称为冲爆塌陷

（Punch Explode Subside）。

5）振动塌陷

喀斯特区饱水砂土，当受到爆破、机械振动等作用时，其粒间有效应力因砂粒悬浮于水中而降低为零，砂体的抗剪强度也降低为零，并产生一定的剩余孔隙水压力，出现砂土液化现象。如果液化砂土下部有土洞和溶洞时，可使土洞扩展和诱发潜蚀作用产生，进而造成地面塌陷。振动作用也可使岩土体结构遭受破坏，力学强度降低，使岩土体沿下部洞穴陷落，造成塌陷。

6）荷载塌陷

喀斯特区隐伏的溶洞和土洞，当其顶部附加荷载强度超过其允许强度时，将造成洞顶塌陷，这种塌陷称为荷载塌陷（Load Subside）。

综上所述，地面塌陷的形成机理是复杂的，影响和触发因素也是多种多样，必须具体问题具体分析，才能认识和把握塌陷产生的主导和影响因素，正确地进行预测、评价和合理地选择治理措施。

（四）地面塌陷的预测、预防和治理

1. 地面塌陷的预测

1）地质、水文地质条件研究

为预测塌陷的产生，必须首先进行细致的地质、水文地质工作，主要包括以下几方面内容：

（1）查明工作区内构造特征、地层的分布、岩性和厚度，特别是可溶岩的分布和岩性。

（2）查明工作区内第四系松散堆积物的形成时代、成因类型、分布、岩性、厚度和水理性质。

（3）查明工作区内喀斯特发育的特征。

（4）查明工作区的水文地质条件，着重于研究：①地下河的来龙去脉和地下水集中径流带和富水地段的分布、流量和彼此之间的联系，要查明地下水的补给、径流和排泄条件；②各地段地下水位的深浅，包括枯水位、平水位和洪水位；③对于已发生的塌陷地区，要了解抽排水特征、降落漏斗展布情况、发展趋势及其他外加因素，如降雨、重力荷载、爆破等对塌陷的影响。

（5）溶蚀洼地的分布、形态和消水、积水情况。

2）地面塌陷的预测

（1）编制地面塌陷预测图，划分塌陷区和稳定区。采排地下水或矿坑突水时，在水位降落漏斗内，一般下列地段容易产生塌陷：①浅部喀斯特发育强烈，可溶岩顶面起伏较大，并有洞口或裂口，洞穴空间无充填物或充填物少，且充填物为砂、碎石和粉质粘土的地段；②采排地下水点附近和地下水位降落漏斗范围中心地段；③构造断裂带，向、背斜轴部，可溶岩和非可溶岩的接触部位；④溶蚀洼地、积水低地和池塘、冲沟地段；⑤第四纪土层为砂、粉质粘土，且厚度小于 10 m 的地段；⑥河床及其两侧附近。

（2）先兆预报。根据采排水过程中某些地面塌陷的前兆现象来预报，如①采排水的流量突然减小；②采排水位降深突然增大，或水位跳动剧烈；③地下水变混浊，含沙量增大；④地面冒气泡，特别是用空气压缩机抽水时更是如此；⑤地面变形加剧，沉降速率增大，地表出现开裂。

2. 地面塌陷的预防

"预防为主"是减少地面塌陷的发生及其危害的有效措施，在工农业生产和生活供水以及矿山疏干排水工作中更应坚持。要避免或减少地面塌陷的产生，根本办法是要减小浅层地下水的变化，减少溶洞充填物和第四纪松散土层被地下水侵蚀和搬运。为此，可采取以下预防措施：

(1) 采排水孔（井）要设置合理的过滤器装置，避免或减少土粒进入井内被水带走。

(2) 采排水时，水位降深要逐渐由小到大，缓慢下降，避免一开始就采用大降深，降低地下水的侵蚀搬运能力，也可以使过滤器周围形成一个良好的反滤层，减少泥沙流失。

(3) 开采地下水时，合理控制水位降深值，将降深值控制在"临界值"以内。

(4) 在浅部喀斯特发育，并有洞口或裂隙与覆盖层相连通的地区开采地下水时，应用深井开采深层地下水，将浅部水封住，这样可以避免地面塌陷的产生。

(5) 在矿山疏干排水时，在预测可能出现塌陷的地段，对地下洞隙通道进行局部注浆或帷幕灌浆处理，使注浆外围地段的地下水位不至于大幅度下降，避免塌陷的产生，也可减小矿坑涌水量。

(6) 开采地下水时，要注意进行动态观测，用来指导合理开采地下水，避免产生地面塌陷。

3. 地面塌陷的治理

(1) 填：回填塌坑。当坑底未见基岩出露时，采用粘土回填、夯实，并使其高出地面0.2～0.5 m。如当坑底已见基岩出露时，先用块石封闭洞口，后用粘土回填夯实，并在回填中预置铁管等作为透气孔。

(2) 改：改河道。为防止河水直接灌入矿坑，对河床地段的塌坑，除进行清基封闭洞口外，还要考虑局部改造的办法，使河道最好选择在稳定区通过，否则还有遭受塌陷破坏的可能。

(3) 拦：对于河床边的塌陷，在河床与塌坑之间修筑拦水坝，将河水与塌坑隔开。

(4) 灌：用灌浆堵洞的办法，制止因矿坑突水引起的地面塌陷。

(5) 固：建筑地基发生塌陷时，做加固处理。加固方法有木桩和钢筋混凝土桩两种。

在预测可能产生塌陷的地区修建建筑物时，也可采用加固地基的方法，如采用钢筋混凝土桩基、大跨梁板、水玻璃灌浆、钻孔灌注桩和挖孔灌注桩等方案，对防止地面塌陷造成建筑的破坏都是有效的。

七、地裂缝的环境工程地质问题

(一) 地裂缝的危害及研究意义

地裂缝是近年来发育比较普遍的一种环境工程地质问题，即地壳表层所呈现的线状开裂现象，是城镇的主要地质灾害之一。地裂缝的活动通常与人类的工程活动有着密切联系。一般大都发育在人类工程活动较为强烈的地区或都市区。我国目前至少有 13 个省市的部分地区遭受地裂缝地质灾害的危害和影响，而且以河北、陕西、山西和河南等省受灾面积较大（见图 4-17），为我国地裂缝地质灾害的重灾区。据不完全统计，目前在山西、河北、山东、陕西、江苏、安徽和河南 7 省的 208 个县市已发现地裂缝 757 处，累计经济损失达数亿元。地裂缝的产生、发展及不断活动严重影响着这些地区的市政建设、工农业生产及人民生活，甚至威胁着人民的财产及其生命安全。如我国闻名中外的西安地裂缝（见图 4-18），目前已发现 10 条地裂缝北东向延展分布在整个西安市及其近郊，累计长度超过 55.2 km，其最长的达 12.82 km，短的为 2.1 km，展布范围大于 150 km²。据不完全统计，西安地裂缝共损坏楼房近 2 000 幢，平房近 500 间，车间及礼堂等 39 座，自来水管和煤气管等地下管道数十处，致使道路变形破坏达数十处，直接经济损失达数千万元。且目前每年仅新发生的建筑物损坏，价值在 100 万元以上。给城市建设及人民生活造成严重危害。为此，有关部门还专门编制了西安地裂缝带的建筑规程，直接服务于目前西安城市建设。

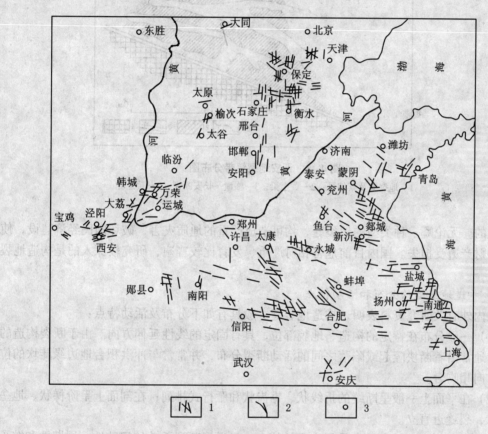

图 4-17　华北地区地裂缝分布图（据王景明，1992 年）

1—地裂缝；2—河流；3—城市

　　地裂缝地质灾害研究的目的和意义在于使人们进一步认识地裂缝地质灾害的产生和发展规律，为有效地预测预防和防治地裂缝地质灾害提供科学的依据和对策。

（二）地裂缝的成因类型及分布活动特点

　　地裂缝按其成因可分为构造地裂缝和非构造地裂缝两类。构造地裂缝主要是在一定地质背景条件下，由于断裂构造的运动等地质作用形成的。人类工程—经济活动的作用只是促成和加剧地裂缝的活动。而非构造地裂缝则主要是人类工程—经济活动和自然重力作用

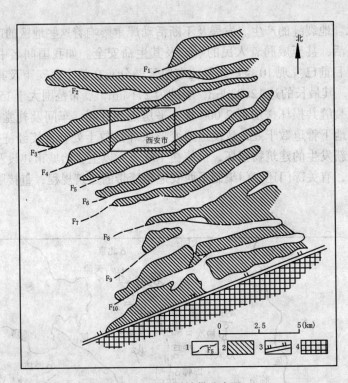

图 4-18　西安地裂缝带分布图

1—地裂缝及其编号；2—黄土梁；3—临潼—长安断裂；4—黄土塬

下形成的。无论哪一种类型的地裂缝，均可造成严重的地质灾害，破坏国民经济建设，使人民的财产遭受损失。国内目前危害相对严重、发育比较普遍、研究较深入的是构造地裂缝。

1．构造地裂缝的分布和活动特点

国内外有关研究资料表明，构造地裂缝一般具有如下分布及活动特点：

（1）一般分布在特定的构造、地貌部位，具有固定的线性延伸方向。由于断裂构造的控制，通常沿着断块隆起或陷落之间的活动断裂分布，并常常与冲洪积台地边缘陡坎的位置、方向相吻合。

（2）在平面上一般呈断续的折线状、锯齿状和雁行式排列；在剖面上呈阶梯状、地垒地堑状，裂缝近直立。

（3）在时间和空间上具有重复出现的特点，显示了断裂活动的间歇性、周期性和继承性的特点。

（4）由地表向地下深处，裂缝往往由分散到逐渐集中，直至集中到某一断裂上，平原地区这种特点尤其更加明显。

2．非构造地裂缝

非构造地裂缝，常分布于洼地、河渠的岸边、滑坡边缘、古河道旁等。多无明显的方向性，或大体平行于局部地貌边缘出现；或以弧形、环形、分枝状、不规则状，成群成组地在洼地和滑坡的后缘出现。它们均发生在狭小局部地区，常延伸不远即尖灭，而后又出现，发生、发展无规律。长仅几米至几十米，最长不超过数百米，裂口上宽下窄，呈楔形，延伸至地面下 3~5 m 即行消失，裂面粗糙而无擦痕，呈张性。

这类裂缝又可分为以下几种：

（1）湿陷地裂缝。湿陷地裂缝为环形、向心状或线形，围绕湿陷区或平行湿陷带发生，多出现于流水不畅的坑洼、沟渠、路堑旁。

（2）塌陷地裂缝。沿各种成因的地面塌陷、陷落坑产生，常见于矿山采空区、崖下采矿带、充水岩溶疏干地带、大型地下遂道、洞室区的地面。

（3）滑塌地裂缝。分布于滑塌体后缘和前缘，呈弧形和扇形状。这种裂缝有时也有相当规模。例如陕西泾阳南塬准滑坡后缘，已出现 17 条总长 2 225 m 的弧形张裂缝，一般宽 5~30 cm，最宽可达 5 m。又如长江三峡链子崖危岩体，发育有 30 余条大裂缝，构成的危岩体体积共计 340 万 m^3。裂缝在地表宽度多在 1 m 以上，最宽达 4.7 m，长一般为 50~100 m，最长达 170 m，深度在 30~60 m 之间，最深达 100 m 以上。

（4）膨胀地裂缝。规模较小，长度小于几十米，深不足 3 m，裂口呈 V 形，多平行房屋方向排列。

在华北地区，占主导地位的是构造地裂缝，非构造地裂缝的比重较小，特别是规模较大、危害较重的为数有限。在山地，特别是山地矿区则另当别论。

非构造地裂缝整体上的危害，虽然不如构造地裂缝严重，但在局部地区却不能掉以轻心，特别是对中小工程，有时可造成严重危害。同时，所有的非构造地裂缝，均可叠加在构造地裂缝系统之中，使问题复杂化。

人类的工程活动对于非构造地裂缝的产生和发展可以施加较大的影响，成为诱发地裂缝的重要因素之一。

（三）地裂缝地质灾害的防治和减灾对策

地裂缝（尤其是区域性发育的构造地裂缝）其危害严重，损失巨大。因此必须及时地研究并提出相应的防灾减灾对策。

（1）拟建工程选址时对地裂缝必须采取相应的避让原则。构造地裂缝是现今正在活动的表层断层，且地裂缝长期蠕动具有单向位移累积的特征，这种位移累积足以使建筑物地基失效，导致建筑物在其使用期间内被破坏。

（2）对已建跨地裂缝的建筑物应采取拆除局部、保留整体的原则。以避免局部损失危及整体建筑的安全，并注意保留部分及主要裂缝附近建筑物的安全加固。

（3）确定合理的安全距离。为了既保证地裂缝两侧建筑物的使用安全，又不浪费宝贵的城镇土地资源，确定合理的安全距离是防治和减轻地裂缝地质灾害的主要措施之一。如西安地裂缝的破裂带宽度一般为 8~10 m（见图 4-19），则这条 10 m 宽的带称为避让带，其外侧 10~15 m 为设防带，在设防带内不宜修建高层或永久性建筑物。在设防带以外，可考虑地裂缝破裂效应对各类建筑物的影响。

（4）对无法避让地裂缝的线性工程（铁路、公路及供水、排水、供电、供气等各类管道），应在确定其穿越地裂缝的具体位置的基础上，采取一些有针对性的措施来降低地裂缝的危害程度。

（5）对与人类工程活动有关的地裂缝应适当控制人类工程活动作用的强度，控制和尽量减轻地裂缝灾害的发展。如西安市目前已开始修建秦岭山前的黑河水库，以地表水代替地下水来限制对深层承压水的开采，达到控制地面沉降和地裂缝活动的影响。

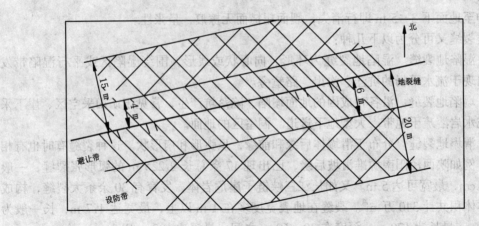

图 4-19 地裂缝安全距离示意图

第四节 城镇环境工程地质的研究思路

城镇环境工程地质学，是重要的部门环境工程地质学之一，其研究思路服从环境工程地质一般研究思路。对本部门环境工程地质来说，就是必须同时紧密顾及城镇地质作用和城镇地质环境，注意从地质环境演变动态、城市类型与功能两个方面进行研究。

一、城镇地质环境演变动态研究

环境演变动态，可分为原生地质环境动态与次生地质环境变迁两方面。

原生地质环境的演变史和对其未来变化的预测，是研究城市环境工程地质的基础。这些变化常以地壳稳定性状为代表，包括地应力场、水热物理场、岩土水理及物理力学性质场等在地质历史中发生的变化。次生地质环境的变迁，如地貌形态、表层岩土介质与特性、地下水分布运移场等的变化。这种变迁常以各种工程地质现象的发生发展为代表，受控于城镇活动，在很大程度上是可控的，成为城市环境工程地质研究的重点和主要内容。

认识和划分两类动态的意义在于，既可服务于城市布局，以减少目前尚无法抵御的地质灾害可能造成的损失，又可服务于具体的城市，使研究工作直接服务于实践。

两类动态的划分，还可以明确城市环境工程地质学研究的主攻方向，以第一类动态研究作为基础，以第二类动态研究作为重点。若以自然年为时间单元，还可视第一类动态研究为相对静止，突出对次生地质环境演化的研究。

二、城镇地质作用的研究

对城镇地质作用的研究，要把握城镇的类型和功能。城镇的类型、功能不同，城镇的地质作用和产生的环境工程地质问题也就不同，所以把握了它，就把握了城镇地质作用的主体，使对一个具体城镇所具有的环境工程地质问题的产生机制及根源，可以有更清楚的认识。

综合上述认识，可构成城镇环境工程地质学的研究思路（图 4-20）。

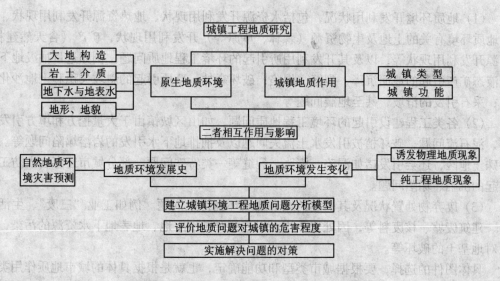

图 4-20　城镇环境工程地质学研究的思路总框图

第五节　城镇环境工程地质研究的方法步骤与编图

一、基础研究

首先要进行基础性研究，相应编制城镇环境工程地质条件图系。

这方面研究与编图的具体内容，一般包括地质、地形、地貌、水文、气象、植被等基础自然条件；矿产、地下水、热矿水、土地等资源的分布；地下水化学类型、岩土体工程地质类型、特殊土分布特征、活动性构造与地震等内容。同时要研究它们的动态特征，研究动力地质作用及自然地质灾害，对地质环境的质量进行评价。主要考虑的是与可能出现城镇环境工程地质问题有关因素。对于不同类型、不同功能的城市（区），由于可能产生的环境工程地质问题不一样，相对于产生这些问题的地质条件也不一样，还应有选择地突出这些因素。

以上内容，实际上包含了自然（基本的）地质环境条件（包括地质资源）以及天然地质环境条件对城市活动与发展的影响等基本内容，是产生环境工程地质问题的重要物质基础。具体编图时，可根据编图对象的繁简程度决定。当内容较简单时，可编综合图；内容复杂时，应考虑分区图、各种单图子图等。

二、评价研究

评价研究的任务是，进行城镇环境工程地质评价，编制相应的城镇环境工程地质评价图系。这种研究是在研究原生地质环境，特别是自然地质灾害的基础上，对其质量和容量进行综合评价之后进行的。它侧重于研究城市地质作用及其诱发的地质灾害，并对其造成的次生地质环境质量进行综合评价。

研究和编图的内容，一般可包括：

（1）地质环境开发利用状况，包括水资源开发利用现状、地热资源开发利用现状、城镇地质环境有关的土地及生物资源（森林、草原等）开发利用现状，矿产（含天然建材）资源开发利用现状等，以及其开发利用所引起的环境工程地质问题。例如过量抽汲地下水或液态矿产引起的地面沉降、裂缝、塌陷；破坏森林、草原引起的斜坡失稳和土地沙化问题；采石引发的滑坡，甚至地震问题等。

（2）各类工程建设引起的环境工程地质问题，如山区城镇由于大量挖方和填方引发滑坡、泥石流问题，破坏植被引发水土流失问题以及抽排地下水引发的岩溶塌陷问题等。在特殊土地区，还会引发诸如湿陷、膨胀、裂缝等一类特殊问题。部分城市还存在人防工程引起的沉陷、塌陷问题。

（3）废弃物处置状况及其引起的城市地质环境污染问题。例如工业"三废"、生活垃圾、建筑废墟、核废料等，因处置不当而引起的对城市土地、地表地下水资源的污染，以及对地基土的破坏等。

具体图件的选择，要根据城市类型和功能确定，也就是根据具体的城市地质作用类型来选择，既突出主要的城镇环境工程地质问题，又要对潜在的问题有足够的注意，同时还要考虑到为下阶段的预测研究和编图打下基础。

城镇环境工程地质评价，要在环境分析基础上进行。环境分析可从以下环境因素分析入手：

（1）充分收集各项环境因素资料，建立环境因素信息库予以储存；

（2）编制单项环境因素图（多数情况可以收集并略加改造而成）；

（3）分析各项环境因素的特点；

（4）勾绘环境因素体系轮廓（环境灾害区划轮廓），待修正；

（5）收集分析地质灾害资料；

（6）分析研究区域地质环境中的主导因素、从属因素和激发因素（只在激发灾害时才显示出其作用），以及它们相互作用的规律。

城镇环境工程地质的评价，属于针对性评价。相对来说，为局部地区或单项工程的环境工程地质评价以及单项诱发地质灾害的地质环境评价，常不以自然地质环境因素体系的地域性为边界条件。

（一）局部地区（或称小区域）环境工程地质评价

环境的特点是：主导环境因素作用明显和具体，从属因素作用较弱，而激发因素十分突出（如山区城镇人工边坡引起滑坡、工矿城镇采空塌陷等）。环境质量局部差异性明显，孕灾作用往往以个别灾害种类为主。评价应包括：

（1）环境质量区划。根据环境因素良性平衡程度，将环境划分为良好、中等、有害和灾害四个等级。

（2）对有害、灾害区进行孕灾条件的评价，指出孕灾的主导因素和激发因素，以及可能出现的灾情程度。

（二）单项工程的环境工程地质评价

在城镇环境工程地质评价中时有出现，如某些城镇或城市的某城区为大型工矿企业所在地，它可能涉及同一环境因素体系内的若干种灾害类型。评价主要包括：

（1）工程地基承载力条件及岩体稳定性的动态评价。应论证当与地基承载力或岩体稳定有关的环境因素发生变化时，它们是否会发生危害工程的变化。

（2）分析与该项工程有关的各种地质灾害的孕育机制，论证可能出现何种灾害以及灾害程度、复发频率等。

（3）进行环境质量区段划分。

（三）单项灾害的环境工程地质评价

这是环境工程地质评价中最基本的内容，也是较简单的一种。其主要内容是：

（1）进行孕灾环境因素分析，提出并区分主导因素、从属因素及其孕灾机制；

（2）确定灾害的激发因素，进行激发机制分析；

（3）对灾害程度进行评价。

三、预测防治研究

预测研究的任务是对城镇地质作用及其引起的地质环境变化的趋势作出预测，并提出相应的预测图件。

城镇地质作用的预测尚未真正展开，但城市正高速发展，土地日益紧张。为了有效地利用土地，现代化城市建设正向高、大、深方向发展。

"高"，指高层建筑，几十层的大厦在国内发展很快，趋势是上百层的建筑以至过百层建筑也会增加。这些高层建筑对地基的承载性能和抗震性能要求极高。

"大"，建筑物的规模日益宏大，如高速公路、机场、港口、桥梁等的规模，其发展都十分迅速。

"深"，许多建筑物向地下发展，如地下铁道、地下仓库、商场、过江过海隧道等。

这样，现代建筑不仅对地质环境提出了更高的要求，也大大提高了塑造次生地质环境的强度，从而引起环境工程地质问题日趋严重化。另外，从城市布局看，表现出以下趋势性特色，即城市布局不严格受地质环境制约。以我国城市布局为例，即受三大因素制约：

（1）受国民经济发展战略的制约。实行改革开放形成了沿海、沿江、沿边开发带（区），形成了一大批新兴城市。如深圳、防城港区、海口和日渐扩大的上海浦东区、宁波市等。

（2）受国家建设需要的制约。如战略要地西昌市，三线建设的十堰市、攀枝花市，能源开发的宜昌市及边陲开发需要的石河子市等。

（3）受区域政治、经济发展需要的制约。如各省会城市的发展。

从以上制约城市布局的因素看，城市的选址定位，必然会涉及众多的恶劣地质环境，如区域地壳不稳定、不良工程地质性质的岩土介质分布等。这样，又会使环境工程地质问题复杂化。由于城市地质作用及作用对象的变化，必将引起环境工程地质出现一些新的情况，这些都是预测应考虑的内容。

关于治理，基本原理是通过改变某些环境因素的作用强度和频度，以达到减轻灾害或消除灾害的目的。因为地质环境是由各种环境因素组成的，一切地质现象都受环境因素综合作用的控制，任何地质灾害的孕育和激发过程，都是环境因素相互作用的过程，环境因素又分为主导因素、从属因素和激发因素，其中一部分具有不可调性，是现在还不能为人类所控制的，而大部分则在不同程度上能被人类调控，具有可调性。所以，人类可以通过调节包括自身活动内在的各种环境因素，来控制地质灾害的发生或者减轻灾情。具体的预测防治方法和内容如下：

（一）城镇或城区环境工程地质问题的预测和防治

（1）城镇地质作用发展趋势预测，结合城镇发展规划和现代技术发展趋势进行。包括单位城市地质环境载入量增加，城镇占地日趋增大，城镇地质灾害的后果趋于严重等。

（2）地质环境演化趋势预测。自然地质环境因素演化的速度是相对缓慢的，因此重点考虑的是人类的城镇地质作用，在对城镇地质作用预测基础上，进行城镇地质环境演化趋势的预测，强调演化中出现灾害的强度和频度。由于小区域环境信息带有局部性和随机性，往往难以进行长期预测，但可以从环境因素演化趋势来进行环境趋势的短期和中期预测。

（3）环境治理方案建议。在预测的基础上，提出环境治理方案建议，从治理和改善某些环境因素入手，提出分阶段、多方位的整治措施。主要内容包括治理步骤、主攻方向、调控环境因素指标（如强度、频度）以及防治灾害的总体目标。对于不可调控的恶劣地质环境，应提出防止灾害外延的措施。

（二）单项工程环境工程地质问题的预测与防治

（1）预测在人类的工程地质作用下，地质环境的演化趋势及可能出现的环境工程地质问题、地质灾害的程度和频率。

（2）提出治理措施，包括工程稳定措施和环境安全措施。

（三）单项灾害环境工程地质问题的预测与防治

（1）对灾害发展趋势进行预测，主要是灾害的强度与频度的预测。

（2）提出灾害地质环境整治措施的建议。

复习思考题

4-1　什么是城市化？城市化有什么特点？

4-2　城镇地质作用包括哪几方面？

4-3　城镇工业废水对城镇环境有什么影响？

4-4　我国在城镇工业废水污染防治方面取得了哪些成就？

4-5　我国工业废水的预测和控制目标是什么？

4-6　我国工业废水污染防治对策与措施是什么？

4-7　什么是大气污染？大气污染将产生哪些危害？

4-8　如何对大气污染进行控制？

4-9　我国的环境空气质量标准可分为哪几级？

4-10　固体废物将对环境产生哪些危害？

4-11　固体废物有哪些处理方法？

4-12　垃圾填埋场在选址方面应考虑哪些环境地质因素？

4-13　地面沉降是如何防治的？

4-14　城镇环境工程地质研究的目的、任务和内容是什么？

4-15　城镇环境工程地质研究的思路是什么？

4-16　城镇环境工程地质研究的方法是什么？

4-17 地下水开采利用中存在哪些环境工程地质问题？

4-18 地面沉降的危害是什么？它受哪些因素的影响？

4-19 如何预测地面沉降？具体的防治措施有哪些？

4-20 喀斯特地区地面塌陷的危害主要表现在哪些方面？

4-21 喀斯特地区地面塌陷产生的基本条件是什么？受哪些因素的影响？

4-22 地面塌陷的形成机理是什么？

4-23 如何进行地面塌陷的预测、预防及治理？

4-24 以西安为例说明地裂缝对环境产生哪些危害？

4-25 地裂缝分为几种类型？各类地裂缝有什么特点？

4-26 如何防治或减轻地裂缝对工程环境的影响？

4-27 地下水水质恶化有哪些表现？将对环境产生哪些危害？

4-28 地下水水质为什么会恶化？如何防治？

4-29 如何防治海水入侵？

第五章 矿山环境工程地质

第一节 概 述

一、定义

在矿山建设与运营过程中，对矿山地质环境施加矿山地质作用，这种作用就成为矿山地质环境一个新的因素，引起地质环境不断调整其演化进程。当这种作用超过地质环境所能承受的能力，演化将向不利于矿山活动的方向发展，有害于矿山地质环境，甚至形成地质灾害。矿山环境工程地质学就是研究这些有害或灾害地质现象的形成机制、规律和内容，对其发展趋势、危害程度进行预测评价，提出对策，以达到科学合理地利用和保护矿山地质环境的目的。

二、矿山地质作用

矿山地质作用是指在矿山建设和运营过程中，人类施加给其地质环境的直接和间接作用的总称。其主要内容是：地下和露天开采作用；为疏干而进行的抽、排地下水作用；矿液、有害尘埃和气体的污染作用；专用交通线路（包括桥、隧洞）以及其他辅助工程的地质作用，等等。这些作用不仅引起应力场、渗透场的变化，也会引起岩土体工程地质性质、水质、大气等的不断恶化。

三、矿山环境工程地质问题

矿山环境工程地质问题是指由于矿山地质作用而引起或诱发的地质问题，是矿山地质作用超过了地质环境容量而出现的有害人类的地质现象。这些问题的出现，仍然是各地质环境因素综合作用的结果，但矿山地质作用往往是主导因素和激发因素，也是可调控性最高的因素。

第二节 地下采矿引起的地面沉陷与山体开裂

我国的矿藏资源丰富，伴随着地下采矿引起的环境工程地质问题主要有：地面沉陷、塌陷和山地开裂等。

一、地面沉陷

（一）地面沉陷的类型

1. 连续或盆地式（槽式）下沉

下沉将形成一个没有阶梯状变化的光滑的表面下沉剖面（见图5-1）。与下沉区域的大小或开采深度相比，地表侧点位移或许只具有弹性位移量级的大小。这种类型的地表下沉通常出现在较软弱的非脆性岩层覆盖下的水平或倾斜薄矿体的开采区，如长壁法采煤或许多其他沉积矿床（如硫铁矿和蒸发盐矿床）的开采。

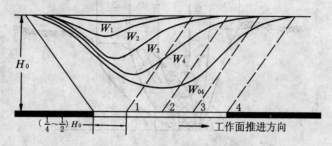

图 5-1　地表移动盆地的形成

自移动盆地中心向边缘，变形特征可分为三个区：①均匀下沉区（中间区），即盆地中心的平底部分，地表下沉均匀，一般无明显裂缝；②移动区（内边缘区或危险变形区），变形不均，移动和开裂对建筑物破坏作用较大，出现裂缝时也称裂缝区；③轻微变形区（外边缘区），地表变形小，一般无破坏作用。它与移动区的分界线一般以建筑物允许变形值来确定。移动盆地的最外围边界，一般以地表下沉值 10 mm 为划定标准。

2. 不连续下沉——下陷

不连续下沉的特点是在一个有限的地表面积上产生很大的地表位移，并在下沉剖面上产生阶梯状变化或不连续断面。这种类型的地表下沉可由多种采矿方法引起，也可能突然发生，且产生的范围变化很大。它可以形成塌陷坑、筒状陷落、柱塞状下沉、溶洞、矿块崩落、上盘渐进崩落等多种破坏形式。

塌陷坑一般是由于废弃的浅埋旧巷硐顶板的突然垮落造成的。在埋深较浅的旧巷硐中发生的矿柱破坏，也可以导致类似于塌陷坑的不连续下沉的地貌。筒状、管状和漏斗状陷落涉及的是无支护开采巷硐的垮落逐渐向上推移，穿过上覆岩层直至地表的下沉类型。地表下沉区域的平面形状可能与最初的开采巷硐的平面形状类似。筒状塌陷可能在较软弱的上覆岩层中形成（如赞比亚的铜带），也可在已崩落岩石中或在逐渐松散解体的有规律发育节理裂隙的岩体中发生。目前，已知的筒状陷落可穿过几百米高度向上传播而达地表。突然发生筒状塌落有时也称为柱塞状下沉。

下沉的进一步发展即出现陷落，形成塌陷盆地（如图 5-2）。这种现象在我国南方岩溶矿区分布非常普遍，尤其是南方的湖南、湖北、广西、广东和江西等省（区）以及北方的辽宁、河北和山东等地。

（二）沉陷造成的危害

（1）破坏地表环境，损失标高。标高的损失使地面建筑减小使用空间，地表田地成为洼地。

（2）损坏建筑物。下沉本身使楼房地基产生不均匀沉陷，导致建筑物开裂，甚至倾倒。下沉伴生的裂缝也可直接破坏建筑物。

（3）破坏地下市政工程设施。下沉或裂缝将损坏或切断地下管线，如电缆、下水道、水管和煤气管道，尤其在工矿城市表现突出。

（4）造成矿井的报废或灾难。沉陷的加剧，会导致塌方和突水，从而造成矿井报废，甚至出现人身灾难。

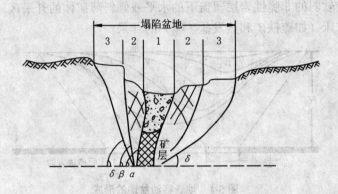

图 5-2 采空冒落形成的塌陷盆地

1—冒落（崩落）带；2—裂缝带；3—移动带；α—断裂角；β—移动角；δ—移动边坡角

二、山体开裂

在陡峭临空的地形条件下，因山崖（坡）下采矿的管理不善和设计不当，甚至滥采，长期采掘会造成上覆山体开裂变形，最终产生倾倒滑崩等地质灾害，轻则影响安全生产，中断交通，重则酿成巨大灾难。这是一类典型的且具有普遍性的人为诱发地质灾害。

（一）由煤矿开采造成山体开裂实例

1．刘坪煤矿

刘坪煤矿位于长阳县鸭子口乡。清江支流东流溪从矿区流过，河谷深切，二叠系栖霞组灰岩形成悬崖峭壁，在采场上方形成三面临空地形。在栖霞灰岩中夹有两层较薄炭质灰岩，厚度为 0.2 m（见图 5-3）。下面马鞍段煤系地层在矿区内发育较厚，煤层一般 2～3 m，最厚可达 7.1 m。煤矿地处都镇湾断裂带内，构造节理极为发育，岩层产状变化幅度较大，开裂山体岩层产状为 N40°E，倾向南东，倾角 39°。1968 年正式投入采煤，到 1981 年采空区纵深发展到陡崖下面，面积已达 4 万 m² 以上，纵向采空跨度可达 250 m。

井下地压活动强烈，有的巷道已无法通行。随之，在采空区上陡崖顶部地表出现规模不等的四条裂缝，裂缝总体走向 N60°W 转 SN。其中，尤以一号缝规模最大，向下延深 70 m 以上，最大张开度可达 4 m。裂缝追踪北西及北东东两组构造节理发育，将山体切割弧立。从 1982 年 10 月起，局部崩落现象时有发生，最大一次规模可达 300 m³ 以上。随着变形的发展，整体破坏是不可避免的，对生产和人民生命财产安全造成极大威胁。

2．红岩坪煤矿

位于远安县花林寺乡。二叠系栖霞组灰岩构成三面临空的河谷陡崖，崖高 120 m。崖下为马鞍山段煤系地层，煤层厚 1.5 m。向下由石灰岩地层构成河谷斜坡。该矿位于黄陵背斜东翼，主要有三组构造节理发育，即 N25°W/NE∠80°，N20°W/NE∠85°，EW/S∠85°。岩层产状平缓。矿区已有 50 a 开采历史，1975 年后由乡组织开采。1980 年 6 月，采空区面积扩大到 1 万 m² 以上，井下地压活动日趋严重。同年 8 月，在采空区陡崖上出现两条地表裂缝（图 5-4），切穿两侧临空陡壁，裂缝向下一直延续到煤系地层。

3．乌江鸡冠岭山崩

1994 年 4 月 30 日上午 11 时 45 分，四川省涪陵地区武隆县鸡冠岭发生巨大山崩。山

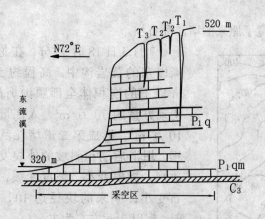
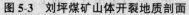
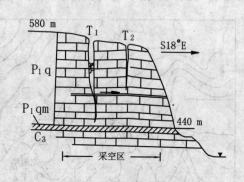

图 5-3 刘坪煤矿山体开裂地质剖面　　　图 5-4　红岩坪煤矿山体开裂剖面

崩区位于武隆县兴顺乡乌江左岩的核桃和大沱两村之间，崩塌的地段是鸡冠岭北段至江边的龙冠嘴，地理坐标为东经 107°49′，北纬 29°29′。山崩区距上游的武隆县白马镇 9 km，距下游的白涛镇 6 km，距涪陵市（乌江入长江口）35.7 km。乌江是川东南和黔东北的水上运输动脉，鸡冠岭山崩使乌江的客货运输完全中断。

1）山崩灾害

（1）首次崩滑堵江：鸡冠岭山崩主要发生在鸡冠岭岸坡上段的石灰岩中（见图 5-5）。崩塌体后壁底部标高 650 m，顶部标高为 850 m，壁高 200 m。据计算，崩塌岩体总体积为 397 万 m³。崩塌堆积物分布总面积为 17.85 万 m²。其中，黄岩沟口堆积面积为 1.68 万 m²，体积为 43 万 m³；龙冠嘴下方至乌江岸边堆积面积为 2.22 万 m²，体积为 52 万 m³；黄岩沟上段面积为 2.5 万 m²，体积为 99 万 m³；崩塌后壁下部斜坡地带面积为 10.5 万 m²。据江水急流势态分析，岩块在江床中堆积分布长度为 150～200 m。4 月 30 日崩塌岩体入江时形成涌浪高达 30 余 m，当即形成一拦河坝，致使乌江断流达半小时，随后才冲开缺口。据山崩发生后 48 h 观测，堆积物上、下水位落差达 10 m。

山崩之日，崩塌块石和巨浪摧毁了刚投产的兴隆煤矿（年产 6 万 t）一座，将功率 176 kW 拖轮、载货量 160 t 驳轮各一只和小渔船二只击沉，载货量 230 t 驳船一只被落石砸坏，并推向右岸。

据当地政府不完全统计，崩塌造成死亡 4 人，12 人下落不明，直接经济损失 1 089 万元，间接经济损失无法统计。

目前，崩塌后壁上部山体仍在变形，在临近崖边 50～70 m 宽的地带内发育了 12 条拉开裂缝。其中，有两条缝延伸较远，最长可达 750 m，宽 1～60 cm，外侧下沉 5～35.8 cm，小规模的崩塌仍时有发生。上述现象表明，崩塌后壁以上的山体仍不稳定，有再次发生大规模山崩的可能。据现场调查，后壁北西侧危岩体约 70 万 m³，它可分为上下两段。下段（变压房至乌江边）约 35 万 m³，稳定性较差；上段（变压房至鸡冠岭）约 35 万 m³，稳定性极差，近期小型崩塌多发生在这一部位，是最危险的一部分。

（2）二次坍滑堵江：7 月 2 日晚 22 时至 3 日晨 4 时，乌江鸡冠岭地区下了一次暴雨，实测雨量 70 mm，黄岩沟洪水流量 4.83 m³/s，诱发乌江鸡冠岭崩塌堆积体大规模坍滑，部分块石入江。

降雨后的 7 月 3 日 14 时 50 分，龙冠嘴以西高程约 650 m 以下的崩积体坍滑，方量约

180 万~200 万 m³，部分入江，加高、加宽了原来的堵江乱石坝。

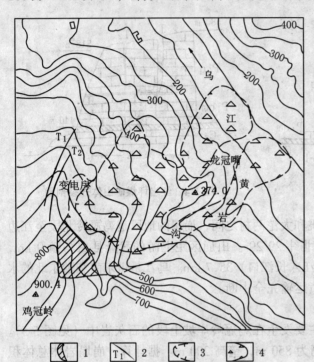

图 5-5　乌江鸡冠岭山崩区平面图（7 月 3 日以后）
1—崩塌壁与后缘线；2—大裂缝及编号；3—崩积体坍
滑后缘线；4—崩塌堆积体的范围（虚线为水下）

7 月 3 日 18 时 35 分，在龙冠嘴以东的黄岩沟中，高程约 500 m 以下的崩积体全部顺沟坍滑，滑动方量约 70 万 m³，入江量约 10 万 m³，形成第二道堵江乱石坝。坍滑后崩积斜坡的外貌发生改观，规模变小，坡度变缓，块石变小，原来的块径达 10～20 m，现以 2 m 左右为主。

这次坍滑入江涌浪高度 10～15 m，造成上游 150 m 处清航驳船缆绳崩断，致使 1 人失踪，1 人重伤，15 人轻伤。

这次大规模坍滑主要是降雨作用诱发。降雨后，在黄岩沟口崩积块石缝隙中有水向上冒出，说明降雨径流已大于块石空隙的泄洪能力。

2）地质环境

崩塌发生在由二叠系石灰岩夹煤层（栖霞组，煤层厚 1～2 m）组成的轴向 NE 的鸡冠岭背斜核部，紧靠北西翼。该处地层产状 N35°E∠70～80°。背斜顶部翼缘岩层走向基本不变，但倾角变缓，分别为 25°和 45～50°左右。

岩体中两组结构面极发育，一组沿层面发育（基本垂直乌江），另一组产状为 NW310°∠70～80°SW（基本平行乌江）。岩体中发育多组微节理，走向分别为 NW305°、NW330～340°和 NW295～300°，前者近直立，后两者为缓倾角。

3）山崩的原因

据初步分析，山崩的原因有以下五个方面：

（1）地形地貌：此地山高坡陡，高程一般在 700～1 000 m 以上，坡角在 50～80°，属典型的峡谷地貌，它为山崩提供了临空条件。

（2）地质结构条件：鸡冠岭山体由石灰岩组成，走向北东，倾向北西，倾角 50～75°，加上岩体中构造破裂面发育，因此，山体具备向东北倾倒、开裂以致崩塌的地质结构条件。

（3）气象条件：该地处于川东暴雨中心，虽然崩塌当天没有降雨，但长期降雨对岩体起到风化和软化作用，从而破坏了山体的稳定性。1994 年 7 月 3 日发生第二次坍塌堵江即是证明。

（4）人类采矿影响：据调查，山崩地段在解放前就有开采煤矿的历史，近年来又新建了兴隆煤矿,主井深 1 100 m,风井深达 1 300 m。1994 年 2 月,发现兴隆煤矿的水池开裂漏水,3 月又发现风井内拱圈开裂严重,时有掉石塌方现象发生,说明采煤破坏了山体下部的稳定。

(5) 修路爆破:在山崩体下方开挖坡脚,修筑白涛至白马的公路,开山放炮的震动也对山体上部的稳定起了不利作用。

总之,乌江鸡冠岭山崩具有岩块式和弯曲式复合倾倒崩塌的机制,它既是天灾,又有人为活动的诱发影响,因此,地质环境的合理开发利用应该引起普遍重视。

(二) 造成山体开裂的因素

(1) 陡峭的地形地貌;

(2) 地质构造条件;

(3) 人类的采矿活动;

(4) 气象条件(如降雨);

(5) 地下水的影响。

(三) 山体开裂的研究要点

采矿诱发的山体开裂变形研究,应考虑山体的介质、结构特征,采矿引起的山体应力、变形特征、边界条件,水的作用特征,整体剪切滑动及破坏特征,以及变形的时间效应。

1. 工程地质岩组

不同单元岩性组合总体上呈上硬下软分布,在长期自然动力作用下,软弱岩层易于产生剪切流变,上部岩体则出现大量卸荷裂隙(见图 5-6a)。

2. 岩体结构

层状、块状结构和节理较发育的岩体易于开裂崩滑(见图 5-6b)。

3. 采矿造成的附加应力分布

在大面积采空影响下,山体上部应力状态发生变化,岩体结构呈现悬板式约束。在剖面上,山体后缘出现拉应力集中,山体前部产生压应力集中,井下地压呈现不对称分布(见图 5-6c)。

4. 上下变形的对应性和滑动破坏特征

在采空作用下,上部变形与下部变形往往具有协调性,在山体的前缘出现下沉,而后缘出现开裂。沿作用力方向出现层间滑动,最终导致重心偏移而发生倾倒,这可以从监测曲线上得到反映(见图 5-6d 和图 5-7a)。

5. 水的作用

由于软弱岩层具有相对隔水性能,地下水沿采空区和软岩形成渗透压力。水压力及软化作用有利于岩体的滑动(见图 5-7b)。

6. 变形监测

变形监测要考虑两方面:一是位移量与时间关系,二是位移速度与时间的关系。位移—时间关系曲线反映岩体的开裂变形特征,位移速度—时间曲线则对滑坡的预测、预报具有重要的意义(见图 5-7a)。

通过研究发现,山体开裂变形一般滞后于采空时间,对滞后性研究直接关系到山体变形的发展终局及可能产生破坏作用大小,从而为危岩体的整治决策和工程量的确定提供依

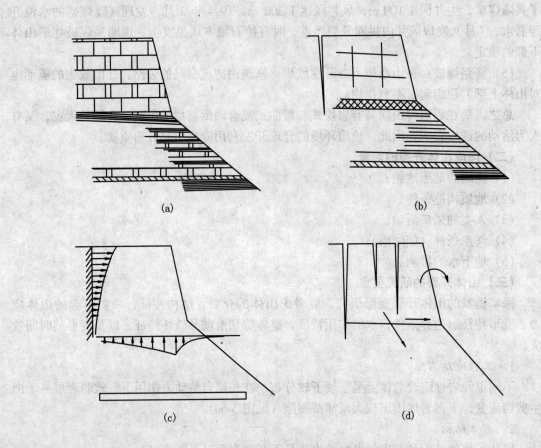

图 5-6 采矿引起山体开裂变形的地质力学模式

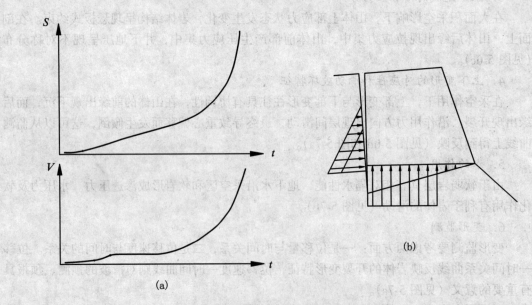

图 5-7 山体中的水压力作用与滑动变形特征曲线

据。

山体开裂滞后于采掘时间，受采矿方法、顶板管理方法、采矿强度、采深、采高、采空区面积等多因素控制；同时，还受上覆岩体的岩石组合、力学性质、地质结构及所处的环境的控制。一般开裂出现于采矿的滞后期约 10~20 a，个别可达 30 a。

第三节　采矿引起的边坡失稳问题

我国露天矿山非常多，露天采矿的铁矿石占 90%，有色金属矿石约占 50%。露天矿规模大，设计最终边坡高度一般为 300~500 m，有的达 700 m。

露天采矿塑造了边坡，随着开采深度的加大，边坡规模增大，既严重破坏了地应力的自然平衡，又导致了人工边坡的变形、破坏和滑移。

露天开采在我国金属矿山中有相当重要的地位。在露天矿设计中，首要的问题就是确定合理的边坡角。露天矿边坡角与剥采比有很大的关系，即边坡角愈小，剥采比愈大。当边坡角过小时，虽然边坡稳定，但剥离量大，所以在经济上不合理。边坡角（见图 5-8）是在垂直边坡走向的剖面上从最上一个台阶的坡顶线到最下一个台阶的坡底线的连线与水平线的夹角。

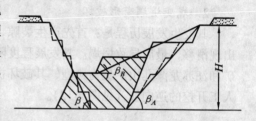

图 5-8　露天矿边坡角

一、露天矿边坡的破坏形式

露天矿边坡的破坏主要有两种形式：具有明显滑动面的边坡失稳破坏和蠕变坍塌变形破坏。

1. 具有明显滑动面的边坡失稳破坏

如我国抚顺西露天小背斜滑坡，滑坡由厚层状软弱凝灰岩构成。其可能的滑动面是：上部沿煤页岩滑动，下部沿软质凝灰岩中剪出。这种情况多属快裂式顺向坡。

边坡的局部岩体沿一平面或曲面整体向下滑动，开始时速度缓慢，持续的时间较长，后期则发展成为急速的滑动。这种破坏形式称为滑坡，如图 5-9 所示。

滑坡是露天矿边坡破坏的主要形式，破坏的范围广，危害大，是研究的重点。

一个发育完全的滑坡，一般具有下列滑坡要素（图 5-10 和图 5-11）：

（1）滑坡体：滑坡的整个滑动部分；

（2）滑坡周界：滑坡体与周围不动体在空间的分界线；

（3）滑坡壁：滑坡体后缘和不动体脱开暴露在外面的分界面；

（4）滑坡台阶：由于各段岩体滑动速度的差异，在滑坡体上面形成台阶状的错台；

（5）滑坡面：滑坡体沿不动岩体下滑的分界面；

（6）滑坡床：滑坡体滑动时，所依附的下伏不动岩体；

（7）滑动轴：即主滑线，是滑坡体滑动速度最快的纵向线，它代表整个滑动方向，一般位于推力最大、滑坡床凹槽最深的纵断面上，在平面上可为直线或曲线；

（8）滑动裂缝：按受力状态可分为张裂缝、剪裂缝等。

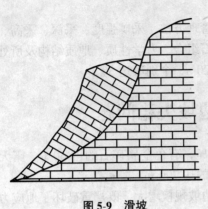

图 5-9　滑坡

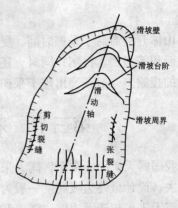

图 5-10　滑坡要素平面图

2．蠕变坍塌变形破坏

其发生发展历程是：首先产生裂隙，继而构造边坡的岩体产生倾倒破坏、膨胀，局部出现滑移，最后导致坍塌。其发展程度随开挖加深而加剧。这种破坏形式在我国甘肃金川矿和江苏龙潭孔山矿最为典型，其破坏机制是蠕变—倾倒—坍塌式，该种破坏形式多见于人工开挖的逆向坡（见图 5-12）。

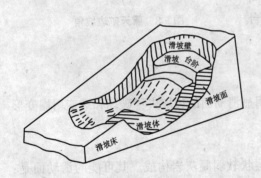

图 5-11　滑坡要素立体图

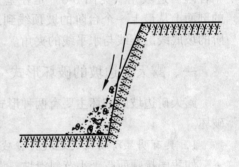

图 5-12　坍塌

3．上述两种类型的复合形式

从工程建设活动角度出发，可将矿山工程滑坡大致划分为四类：

（1）斜坡脚人工开挖引起的滑坡。多系顺层斜坡，处于相对稳定的极限平衡或稍安全的状态，软弱面一般抗剪强度较低，接近残余值，开挖揭露了坡体软弱层面，使前缘临空，导致斜坡失稳。

（2）不合理剥采引起的滑坡。剥采比的高低，决定着露天矿边坡的大小，一般来说，剥采比越低，边坡角度就越高，而边坡角过高，往往会使边坡产生蠕滑变形，从而产生破坏。

（3）边坡加载引起的滑坡。由各种原因引起的边坡外部荷载，是对边坡岩体稳定性不利的因素，当这些外部荷载超过可能滑动的岩体重量的 5% 时，边坡就处于下滑力为主的威胁之中。由边坡加载引起的滑坡在矿区极为普遍。

（4）工业废水排泄引起的滑坡。

二、露天矿边坡失稳的影响因素

（一）岩石性质

整体性好的坚硬致密岩体一般不会产生滑坡，只有当坡度过高时才会产生坍塌。通常见到的滑坡是在砂岩、泥岩、灰岩以及片理化岩层中产生的。

边坡滑坡主要是指剪切破坏，因此，岩体的抗剪强度是衡量边坡岩体稳定的必要条件。由岩体力学性质可知，坚硬致密岩体抗剪强度较高，不易发生滑坡，松散和破碎的岩体抗剪强度较低，极易产生滑坡。

岩体的泊松比（μ）可以改变 σ_x 和 τ_{xy} 的大小。

（二）地质构造

地质构造是边坡稳定的控制因素，其中，结构面的分布对岩体中的应力分布影响更大。因为：

（1）岩体的结构面都是软弱面，比较破碎，易风化。结构面之间的孔隙往往被易风化的次生矿物所充填，因此，其抗剪强度较低。

（2）孔隙、裂隙、节理等结构面发育的岩体，它为地表水的渗入和地下水的活动提供了良好的通道。水活动的结果，使岩石抗剪强度进一步降低。

另外，边坡岩体处在地应力场中。地应力除自重应力（Gravity Tional Stress）外，还包括地质构造的残余应力（Residual Tectonic Stress）、水应力、震动应力、温差应力等。

（三）水文地质条件

降雨往往是边坡破坏最直接的诱发因素，它软化了边坡内的软弱面，降低了其抗剪强度。在边坡内地下水不及时排出的情况下，会造成超孔隙水压力，从而使边坡内有效应力降低。

地表水的渗入和地下水活动，都是导致滑坡的重要因素，许多滑坡现象就是在雨后发生的。

（四）风化条件及边坡形状影响

它随边坡岩体的抗风化能力而显示不同的作用效果，对于风化速度较快的软岩或软硬相间的岩土体，风化作用是不容忽视的因素。

边坡的外形是影响边坡稳定性的重要因素，一般情况，深露天矿采用上缓下陡坡凸边形比凹形边坡更合理。

坡角的大小，明显改变了应力分布情况，坡角区、坡底的切向应力最大值约相当于原始水平应力的三倍。同时，边坡角度的大小是影响露天采矿安全和经济效益的重要因素。一个大型露天矿的总边坡角每加陡1°，可减少剥岩量几千万吨，节约剥岩费数千万乃至亿元。然而，边坡角过陡，则会造成重大滑坡事故，严重影响生产。

（五）天然地震及爆破振动

在地震区和构造活动区，地震影响是明显的。它的作用可分为两方面：一是增加沿滑动面的下滑力，二是减小垂直滑动面的正压力。两种作用都促进了斜坡的失稳。因此，在地震区常形成滑坡群和滑动带。据统计，Ⅶ度以上的地震烈度区常伴生大规模的崩滑活动。

确定露天矿边坡坡脚，必须考虑爆破振动力对边坡稳定性的作用。研究证明，爆破振动对岩体造成的损害，取决于岩体振动波速度的大小。长沙矿冶研究所通过试验提出边坡临界震动速度（V_C）：

边坡稍有稳定的地段　　　　　　$V_C = 22$ cm/s

边坡中等稳定的地段　　　　　　$V_C = 28$ cm/s

边坡稳定性良好的地段　　　　　$V_C = 35$ cm/s

露天矿爆破作业对边坡稳定性主要影响：一是爆破振动力增加了边坡的滑动力；二是爆破作用破坏了边坡岩体，降低了岩体的强度，使雨水、地下水易于沿爆破裂隙渗透，加速岩体风化，从而使边坡稳定性降低。

露天矿边坡滑动有时明显是受爆破作业促发的。例如攀枝花钢铁公司石灰石矿滑坡体，体积近 500 万 m³，是 1981 年 6 月 10 日在该滑坡区前缘采用硐室爆破后引发的。共起爆了 19 个药室，装药量 120 t，秒差电雷管起爆，最大段用药量 90 t。在药室起爆后约 5 h，发生大滑坡。经专家分析认为：爆破切断了软弱岩，爆破动荷载降低了滑动面软弱层岩石强度，使裂隙不断扩大所致。1973 年 1 月 6 日发生在大冶露天矿狮子山北帮西口 3.6 万 m³ 的滑坡，也是因为爆破装药量过大、振动剧烈而引起的。1977 年 3 月 2 日发生在平庄西露天煤矿非工作帮第 11 次 6.3 万 m³ 的滑坡，是因硐室爆破震动而引起的，该滑坡随炮声同时发生。1981 年 2 月 27 日抚顺西露天煤矿西北帮 13 段站 3 万 m³ 的滑坡，是在附近 20 多个爆破孔爆破后随之发生的。

露天矿边坡所受的振动力主要来自爆破作业，此外还有机械设备的振动力。在强震地区，还要考虑地震力。

露天矿台阶上的机车、汽车的运行和挖掘机作业的振动对露天矿整体边坡的稳定性影响不大，但有时也会触发局部台阶的滑动。例如，1984 年 3 月 21 日抚顺西露天煤矿西北帮 6.4 万 m³ 的滑坡，是由一列车通过时诱发的，该滑坡破坏了四个台阶。

爆破、地震、机械设备的振动作用还可能使边坡内的饱水砂土液化，使之流动，并沿边坡上的张裂隙挤出，使台阶下沉、变形或失稳。

（六）人为因素

由于有时对影响边坡稳定性的因素影响认识不足，在生产中，往往人为促使边坡破坏。如挖空被动岩体，破坏坡脚；在主动岩体上堆积废石和设备、建筑房屋等，从而增大了主动岩体的重量，降低了边坡的稳定性。

三、边坡失稳的防治

治理滑坡的原则应是：早期发现，预防为主；查明情况，对症下药；治早治好，防止恶化；进行综合整治，才能达到预期效果。

滑坡防治的工程措施大致可分为三大类：①排水；②力系平衡；③改善滑坡岩体的性质。本节着重是从开采工艺和加固方面叙述边坡的维护。

（一）地表排水

排除边坡范围内外的地表水，对防治各类滑坡是必要的。如某铁矿象鼻山的一次滑坡，产生原因就是上部截水沟长期未加修整。

排除地下水不仅可提高岩石的抗剪强度，还可以减少炮孔灌水，节约爆破费用，同时，还可以改善采装运输生产工艺条件。

露天矿排水经验表明，应以排为主，以挡为辅，排挡结合，事半功倍。至于排水疏干方法则取决于整个边坡的规模、含水层特性、岩石的渗透性能以及经济上和操作等多种因素。下面提出几点原则：

（1）对于含水量较大的大型露天矿边坡，通常采用地下井巷排水疏干的方法。也可采用抽水井式钻孔排水方法，它能截断流向采场的地下水，使抽水井和边坡之间的地下水位下降。抽水井深度和间距应达到解除潜在破坏带内的水压时为止，钻深应大于边坡高度，抽水井深度与边坡高度的比例为 $1:1\sim1:2$ 之间。如果抽水井一次不能达到边坡高度，则应分段布置，如图 5-13 所示。其间距取决于岩体的构造特点。

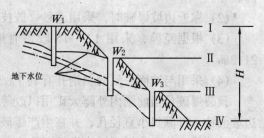

图 5-13　抽水井分段布置图

Ⅰ—原地表，布置抽水井 W_1；Ⅱ—第一阶段完成，布置井 W_2；Ⅲ—第二阶段完成，布置井 W_3；Ⅳ—第三阶段（最终）露天采场

（2）边坡岩体以外地表水，以拦截和旁引为原则，设置一条或多条截水沟，拦截旁引地表水，不使水流入边坡范围以内。

（3）在边坡岩体以内，应充分利用自然沟谷，布置呈树枝状的排水系统。在泉水出露处，修建渗沟及明沟等引水工程，以减小对地下水的补给。

（二）防治和及时修整边坡

在生产过程中，根据揭露的边帮岩体情况和积累的经验对边坡及时平整和刷帮，改善边坡轮廓形状，是提高边坡稳定性必不可少的工作。目前国内外成功地使用套索铲来清整坡面，如图 5-14 所示。

如果在大区段范围内有破碎岩层存在时，应及时刷帮，重新调整边坡角或者进行加固。

（三）抗滑挡土墙是根治中小型滑坡的有效措施

对大型滑坡来说，因其滑动力巨大，抗滑挡土墙应与减截、排水等措施配合使用。

设计挡土墙时，首先应给出墙的各部分尺寸，然后进行稳定性和强度方面的验算，保证挡土墙具有足够的稳定性和强度。

（四）控制爆破

控制爆破是维护露天矿边坡稳定比较有效的方法。控制爆破的方法有三种：①减少每次延发爆破的炸药量到最小限度；②在靠近最终边坡面附近采用预裂爆破；③在预裂爆破和正常生产爆破之间采用缓冲爆破。

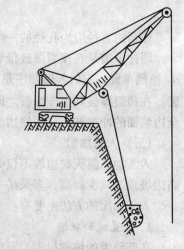

图 5-14　套索铲清整坡面示意图

减少每次延发爆破的炸药量，使冲击波的震幅保持在最小范围内。使用的延发系统也要经过检查，以保证不同的炸药量不会相互增加冲击波的震幅和产生震幅很大的谐波，这种谐波本身就可能引起危险性。每次延发爆破的最优炸药量以及延发系统应在具体矿山试验确定。例如某露天铁矿为了保证边坡稳定，从爆破技术

上要求：

（1）控制一次爆破的炸药量或微差爆破一段的炸药量。爆破中心距闪长岩边坡 11 m 左右，总药量为 5.23～19 t，微差爆破一段的最大药量为 0.63～3.61 t，确保边坡无明显的破坏。

（2）靠近边坡爆破时，采用毫秒爆破技术，减少炸药的冲击波对岩体的破坏。

（3）根据经验，采用 12～15 段雷管顺序起爆，较 4～6 段间隔式降震 19.8%～21.2%。

（4）采用与坡面一致的斜炮孔有利于保护边坡稳定，较垂直炮孔降震 11.7%～24%。

预裂爆破是当前国内外露天矿用以改善最终边坡状况的最好办法。预裂爆破是在最终边坡面钻一排倾斜小直径孔，并在生产爆破孔之前爆破这些孔（图 5-15）。爆破以后形成一条破碎槽，将生产爆破冲击波反射出去，保护最终边坡免受破坏。预裂孔通常用小型冲击式钻机钻孔，孔径为 63.5～127 mm。孔间距离按照经验为：

$$d = （10～20）×孔径 （m） \tag{5-1}$$

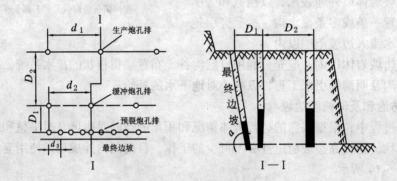

图 5-15　炮孔布置示意图

炸药的直径应为孔径的一半，装药的长度仅为孔深的一半。

缓冲爆破是在预裂爆破带和生产爆破带之间，爆破一排孔，其孔间距离按 $d_3 < d_2 < d_1$ 原则布置。它的起爆顺序是在预裂爆破和生产爆破之间，形成一个爆破冲击波的吸收区。在预裂爆破和生产爆破之间起一个缓冲带作用，因此进一步减弱了通过预裂爆破带传至边坡面的冲击波，从而使边坡岩石保持良好状态并维护了其稳定性。

（五）人工加固

人工加固露天矿边坡不仅是一种治理滑坡手段，而且，近年来逐渐发展为人工加固提高边坡角，减少剥离，多采矿石，降低开采费用的途径。

人工加固的方法主要有：

1．设置坡脚护墙

在破碎带的坡脚衬砌岩石或混凝土块，以防止和限制坡脚移动。在滑落量小的地方，如石碌铜矿、大孤山铁矿等成功地使用了这种方法。但至今还没有用以控制滑落量大的滑坡。

2．抗滑桩

桩作用抗滑措施，在国内外均已有成功的先例。桩材有木桩、钢板桩、钢管柱、钢轨桩、混凝土桩、钢筋混凝土桩和钢筋混凝土管桩等，如图 5-16 所示为钢筋混凝土桩。

抗滑桩的布置形式分为：互相边接的排桩，如图
5-17（a）所示；互相间隔的排桩，如图 5-17（b）、
（c）所示；互相间隔的锚杆加固，如图 5-17（d）所
示等。

这种抗滑桩需根据边坡岩体具体条件，进行受力
分析，并进行计算。桩受力后产生变形亦需进行验
算。

3. 注浆

这种方法用于有开口节理和裂隙的岩层，方能灌
注水泥砂浆。在它凝固胶结岩石之前是不增加岩石强
度的。即使在水泥砂浆凝固胶结岩石之后，如果节理
面是顺着被水泥砂浆胶结的弱岩层时，岩石强度也增
加不大。特别是在水泥砂浆胶结之前，当水的渗透压
力很大时，注浆起到相反的作用。因此，在边坡岩体

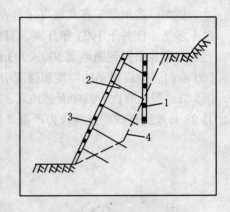

图 5-16　钢筋混凝土桩加固示意图
1—钢筋混凝土桩；2—锚杆桩；3—喷
射混凝土层；4—计算的滑坡面

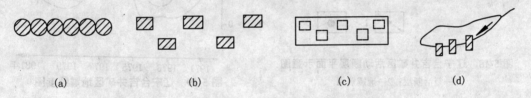

(a)　　　　　　　(b)　　　　　　　(c)　　　　　　　(d)

图 5-17　抗滑桩布置形式图

裂隙发育条件下，首先要用锚杆加固，然后才能应用灌浆加固法。由此可见，灌浆加固法
在增加边坡稳定性方面的使用价值是有限的。

综上所述，在现有维护边坡的稳定性措施中还没有一个完善的解决方法，所以不能只
用一种方法，而应根据矿山的不同条件，经过周密的现场调查和实验室的研究，采用综合
措施来解决边坡稳定性问题。

第四节　采矿诱发地震及其他问题

采矿诱发地震是矿区的环境工程地质问题之一。它是一种危害较大的地下型人工诱发
灾害。它包括由采矿和抽水采矿引起的构造型地震、塌陷地震和煤、岩爆等三类。

一、诱发构造型地震活动

（一）采矿直接引起地震活动

构造型矿震，震中分布于深采区，震源极浅，震级较矿区范围低，其发生机制与目前
的采矿活动有密切关系。采矿形成的自由空间使采空区周围的岩体由原来的三向受压变成
两向或单向受压，从而引起应力、重力的重新分布。在采矿区范围内，沿断裂形成众多的
应力集中地段和高地压异常带，最后促使应变能提前分散释放，从而实现了采矿的诱发作
用，而矿区外围的诱震则是断裂活动传递的结果。

例如，我国辽宁省北票煤田台吉井区，历史上从未发生过破坏性地震活动，微震活动也不多见。该井于 1921 年开发，目前浅部煤层已采完，井区继续向深部采掘。1970 年，当台吉竖井采掘到距地面 500～900 m 深时，井区开始出现微震活动；1971 年采掘深度达 700 m 时，地震活动的频度和强度明显增大，到 1981 年 8 月 20 日，井区共记录到 $M_S \geqslant$ 0.5 级地震 160 次，其中有感地震 37 次，造成不同程度破坏的有 4 次，尤其以 1977 年 4 月 28 日地震造成的破坏较为严重（见图 5-18 和图 5-19）。

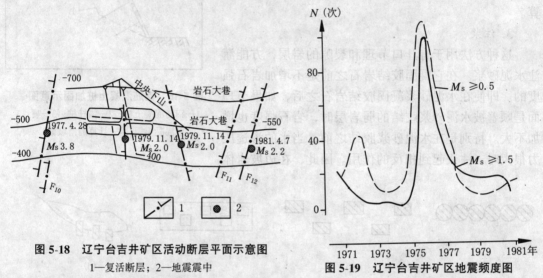

图 5-18　辽宁台吉井矿区活动断层平面示意图
1—复活断层；2—地震震中

图 5-19　辽宁台吉井矿区地震频度图

台吉井区 4 次破坏地震发生后，在巷道内北东向断层面上可见明显的活动断层擦痕。1997 年 4 月 28 日 M_S＝3.8 级地震后，在四个不同水平巷道内均发现断层有明显的活动。如在深 550 m 水平巷道内测得 F_{12} 断层（见图 5-18）两盘相对位移达 10 cm，并将穿越断层面的锚杆切断。1981 年 4 月 7 日 M_S＝2.2 级地震后，在深 550 m 水平巷道内发现 F_{10} 断层也有活动，两盘相对位移达 3 cm。1981 年 8 月 20 日 M_S＝2.7 级地震后，测得 F_{10} 断层两盘最大位移量达 7 cm。其规律是：震级越高，断层位移量就越大，二者呈正比关系。

（二）由抽水采矿引起地震活动

抽水采矿也可引发地震。抽水前，由于水压作用，断裂面（带）受水浸润，一旦失去水压，沿断裂面发生卸荷作用，形成偏差应力。当差应力大于断面的抗剪强度时，即出现粘滑效应，诱发地震。

例如，我国湖南省恩斗桥（恩口—斗笠山—桥头河）矿区，抽水前无地震活动记载，但抽水疏干后，相继发生了 16 次有感地震活动（如图 5-20）。这些地震可分为两类，一类集中于抽水影响区内，这类地震均发生在抽水量大的雨后，震级较小，震源极浅，系抽水后溶洞洞顶陷落所至，其危害主要在于陷落，而不在于地震。另一类地震，震级较大，如 1976 年 3 月 11 日和 4 月 8 日在杉山发生的 M_S＝2.1 级和 M_S＝1.2 级两次地震，其震中均靠近恩口向斜的中部，似没有前震而后震明显，有感范围较大，几乎遍及整个向斜盆地，约 100 km²，烈度衰减缓慢，震源深度相对较大。等震线长轴方向与向斜轴部的两条断层（桐梓断层和石龙湾断层）平行，总体呈椭圆形。它和发生在其两侧的诱发塌陷型地震大致呈圆形等震线形态有明显的区别（如图 5-21 所示）。

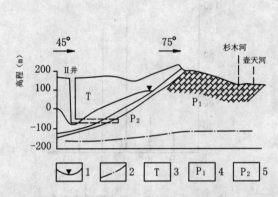
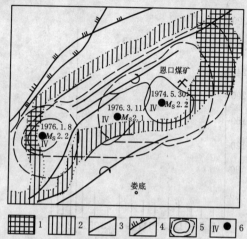

图 5-20　湖南恩口Ⅱ井抽水影响剖面图　　　　图 5-21　湖南恩口矿区岩溶及地震等震线分布图

1—抽水前的地下水面；2—大抽水后的地下水面；　　　1—岩溶强烈发育区；2—岩溶中等发育区；

3—三叠系；4—二叠系下统；5—二叠系上统　　　　　3—背向斜轴线；4—断裂；5—等震线；6—震中及烈度

二、诱发塌陷型地震活动

矿区的诱发地震（矿震）多属此类，它起因于采空区和顶板陷落。这类矿震分布范围较小，震中无明显迁移现象，地震波是由顶板块体脱落敲击底板而产生的。理论上，产生的弹性波高频成分很多，但实际记录到的周期反而比邻近天然构造地震的周期大，且衰减快。震源极浅，大多处于开采平面上，一般几百米深。在震级不超过四级的情况下，震中烈度却可达Ⅶ度，且井下烈度高于地面。这类地震大的呈孤立型，小的为群震型。这类地震与构造地震震型不尽相同，它们彼此的关系不像构造地震那么密切。

例如，我国具有 80 多年开采历史的山西省大同煤矿，1956 年至 1980 年间该煤矿因顶板塌落而产生的有感地震达 40 多次，最大震级 $M_S = 3.4$ 级，释放能量约 1.0×10^9 J。地震型式既有主震型，又有群震型（如图 5-22 和图 5-23）。

据统计，塌陷型矿震在开采岩溶矿床时出现较多。我国南方的粤、鄂、湘、桂、赣及浙等省（区）的岩溶充水矿区普遍产生地面塌陷，起因多属矿区的强烈抽水和矿山的排水疏干；我国北方辽、鲁等省一些矿区也曾出现，但规模较小。

诱发塌陷型矿震的破坏性是普遍而严重的，尤其是普遍性。塌陷可以造成直接的破坏，影响到地面正常生活、生产活动；而塌陷引起的冲击震动则产生了不同于塌陷但影响范围更大的地震，应当引起足够的重视。

三、矿井地压、岩（煤）爆

矿震是地压（地应力）急剧变化的表现。除了上述大规模地压释放产生矿震外，还有小规模的地压释放方式，如巷道侧壁位移、井壁变形等。几乎所有井巷都出现上述现象，能否发展成为具有质变性的矿震，则因地而异。

岩爆或煤爆是地压以小规模方式急剧释放的一种表现，往往出现在新采的掌子面上，

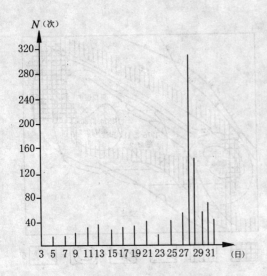

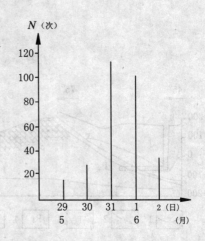

图5-22 1972年3月28日大同晋华宫煤矿　　　　图5-23 1975年5月大同晋华宫煤矿
　　　　塌陷地震频度图　　　　　　　　　　　　　　　塌陷地震频度图

其危害较小，但对井下工作人员的安全有极大的威胁。岩（煤）爆一般出现于硬岩层等易于积能的地区，其释放机制与钻孔内出现岩饼现象类似。

岩爆（Rock Blasting）又称矿山冲击，它是突然发生的一种动力破坏现象，即由于巷道附近应力集中，使小到 $1 m^3$，大到几千立方米的岩石冲进巷道并伴随巨响，是地下工程的一大地质灾害。岩爆的渐进破坏可划分为三个阶段，劈裂成板→剪切成块→块片弹射。岩爆产生于具有大量弹射应变能储备的硬质脆性岩体。由于开挖硐室和坑道，使地应力分异，围岩应力跃迁及能量进一步集中，在围岩应力作用下产生张—剪脆性破坏，并伴随声响和震动。在消耗部分弹性应变能的同时，剩余能量转化为动能，使周围的静态平衡向动态失稳发展，造成岩片（块）隔离母体，获得有效的弹射能量，猛烈向临空方向抛（弹、散）射。

岩爆发生的条件是：①岩体经受过较强的地应力作用；②围岩内储存较大的弹性应变能；③埋藏位置具有较紧密的围限条件；④机械开挖造成应力的突然释放。

应当指出，地压并非总是有害的。对地压分布规律有正确认识后，就可以利用地压产生岩（煤）爆作用进行矿石开采——即矿块崩落法开采。例如智利曾利用此法开采过 E.L.Feniente 矿山。

除上述外，还有一类发生于地表的震动，如我国湖北盐池河磷矿山崩（1980年6月3日）直接冲击地面，产生震级达 $M_S = 1.2$。它起因于地下开采导致上部山体失稳，100多万 m^3 的岩体从 300 m 的高处急剧下落，冲击地面产生震动。

第五节　工矿废物污染问题

地下或露天采矿随着社会的发展日渐增多，随之而产生的工矿废物也日渐增多，已达到恶化工程地质环境的程度，不仅污染、破坏了环境，影响正常的生产和生活活动，而且由此而产生的滑坡、泥石流常造成财产损失和人身伤亡，应予以特别注意。1999年，国家环保总局公布，全国工业固体废物产生量 7.8 亿 t，其中，县及县以上工业固体废物产生量为 6.5 亿 t，占产生总量的 83.3%；乡镇工业为 1.3 亿 t。工业固体废物排放量为 3 881 万 t，其中，乡镇工业的排放量为 2 726 万 t，占排放总量的 70.2%。危险废物产生量为 1 015.5 万 t，其中，县及县以上工业产生量为 910.5 万 t，占产生总量的 89.7%。据不完全统计，到 1976 年底时，我国主要生产矿井煤矸石的堆存量约为 8 亿 t，占地 3.4 万亩（$2.27 \times 10^7 t$）；1977 年的排矸量为 $5.6 \times 10^7 t$，占地 746.7 亩（约 49.8 万 m^2，见表 5-1）。南非、日本、美国和西欧诸国的废矿矸石堆放量也很大，且已引起严重的环境恶化。

表 5-1　我国各大区煤矸石情况统计表

大区名称	1977 年排出		1976 年底以前堆存	
	数量（万 t）	占地（亩）	数量（万 t）	占地（亩）
东北区	1 295.4		33 778.8	16 021.3
华北区	1 750.2		15 878.5	3 890.9
中南区	841.96	428.29	4 918.37	3 341.58
西北区	267.9	4	3 992.2	23
西南区	577.1	10.6	6 687.53	2 146
华东区	1 052.7	303.8	15 408.53	8 776.32
全国总计	5 785.26	746.69	80 663.93	34 199.1

这些问题主要是：①大量占用耕地；②污染空气；③污染地表水；④污染地下水；⑤形成泥石流、滑坡等。下面以煤矸石为例探讨其对环境的污染问题。

一、矿区煤矸石对环境的污染

矿区煤矸石的露天堆放导致地下水、土壤及空气的污染。

（一）煤矸石的物理化学特性

煤矸石中含有大量的有机成分，同时富含金属、碱土金属和硫化物等，是无机盐类污染源，可通过大气降水淋滤外泄而污染环境。

由于从地下到地表所处环境的急剧变化，煤矸石易于风化，且有机成分容易发生自燃，温度可达 600 ℃，从而加剧风化作用。风化又促进了可溶性成分的溶解，使其形成污染源。

（二）煤矸石对地下水的污染

大气降水渗入煤矸石后，少量直接渗入矸石堆地下，大部分形成溢流水，向地势低洼处积聚排泄。大量可溶性无机盐溶于水中直接入渗补给地下水，造成矸石山周围地下水污染。主要表现在地下水呈现高矿化度、高硬度，硫酸盐、钠离子含量普遍高于地区背景值。

在我国抚顺煤田，市区堆积的一座座矸石山占地面积达 22.4 km^2，为市区面积的 8.1%，并继续以每年 200 万 t 的排放量增加（如图 5-24）。在其西舍场，五处溢流泉年均溢流量达 118 万 m^3。由于矸石自燃，使溢流泉水温度达 30～50 ℃，常年不冻。溢流泉不仅流量大，且含盐量高，水化学类型以 Na_2SO_4 型为主。在监测的 24 个井点中，有 80% 以上的井水属于硬水，硬度最高值达 83.08 德国度，超过背景值的 5.4 倍；80% 以上的井水矿化度均超过背景值，最高值达 5 200 mg/L，超背景值 10.41 倍，是比较特殊的地下水污染类型。

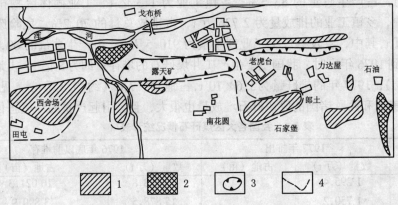

图5-24　抚顺地区矸石山分布图
1—煤矸石；2—燃烧矸石山；3—露天矿坑；4—地下水重度污染区界线

（三）煤矸石对土壤与大气的污染

煤矸石溢流水污染使土壤盐分升高而导致盐碱化，土壤含盐量高于农作物的耐盐临界浓度，作物生长发育受到严重控制，甚至导致部分土地弃耕。

空气污染主要来自煤矸石的自燃，尤其在高温季节，产生大量有害气体，如 H_2S、SO_2、CO_2 等，使周围地区常常尘雾蒙蒙，邻近居民上呼吸道疾病的发病率显著高于其他地区。

二、回填煤矸石引起的地基危害

煤矸石回填，形成特殊的人工填土。由于这种土的主要成分是含煤的油母页岩、未燃烧的碳质页岩、碎煤粉以及灰岩、砂、泥岩等碎块，矸石自燃导致其物理性质（含水量、重度等）和化学性质常常处于变化之中，致使此类填土上的建筑物地基产生不均匀沉降，建筑物随之发生变形破坏。

例如，抚顺石油二厂东部仓库人工回填煤矸石范围达 3.4 万 m^2，平均厚度 16 m；发生自燃的面积达 1.04 万 m^2，燃烧厚度 6～7 m，燃烧深度 6 m 左右，燃烧温度 50～60 ℃。因此，厂区地基与建筑物受到了极大的威胁，该厂每年用于改建和加固该类建筑物的费用高达几百万元。

三、煤矸石堆放引起的边坡灾害

煤矸石堆放引起的动力灾害会破坏环境。煤的自燃、硫的蒸发也会削弱堆积物的稳定性，从而发生破坏性滑坡、泥石流。

英国南威尔士阿别尔方（Aber Fan）、克列格依基佛村（Craigy-Dyffryn）和阿而比昂（Albion）三地的煤矸石堆都曾发生过滑坡和泥石流。

阿别尔方是塔夫（Taff）河边的一个村庄，它是现已有 200 a 工业历史的麦其尔奈德维尔（Merthyr Tydfil）市的南卫星城市。1961 年，阿别尔方村庄上方陡坡上发生了大规模煤矸石堆滑坡（如图 5-25）。矸石是从河谷下的麦其尔维依尔矿中采掘出来的。这座高达 200 英尺（约 68 m）、主要部分标高在 800 英尺（约 246 m）以上的 7 号矸石堆滑坡，发生在 1966 年 10 月 21 日。滑坡发生时，约占整体 1/3 的滑坡体达 14 万立方码（合 10.7 万 m³）矸石，以 10～20 英里/h（16～32 km/h）的速度滑动，一直波及到村庄。滑落的矸石吞没了当地的学校、民房，造成了 116 名儿童和不列颠岛 28 名成年人的死亡。这次灾难不仅影响到威尔士的居民，还影响到其他一些国家，以致引起社会性纠纷。

　　在法庭调查中，英国政府派出的专家组提出了比较系统的意见，认为造成煤矸石堆失稳的因素很多，但主要因素是地下水、煤矸石堆的形状和剪切强度的改变等。地面沉降的出现与地裂缝的渗透条件有重要关系，连续观测钻孔中承压水位的变化说明了这一点。残煤的缓慢自燃能够影响煤矸石堆的形状，如焙烧过的页岩很脆，表面很快就会风化。自燃的另一个效应是加速干缩裂隙扩展。

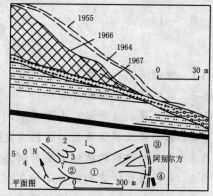

图 5-25　英国南威尔士阿别尔方
7# 煤矸石堆剖面图

1—煤矸石堆；2—残积土；3—漂砾土；
4—具有裂隙的平南组砂岩；5—煤层；
6—滑坡相应年代的剖面；7—排水沟；
①滑坡体；②泉；③废弃的铁路；④学校

四、对煤矸石的处理方法

　　对废矿矸石和尾矿目前尚无完善的处理方法，限于经济和技术方面的因素，也未实现广泛的处理。

　　目前，国内主要处理的途径是：

　　(1) 利用其作建材，但量很小；

　　(2) 复填矿坑，美化环境或复田。

　　今后的方向是综合利用，防止其对环境的破坏。例如东鞍山铁矿，长期以来存在着排土能力和排土容量不足的问题，严重影响了矿山生产的发展，矿山公司决定在某废弃尾矿库上建一高 80～100 m 排石场，节省征地和动迁投资近亿元，并减少尾矿对周围环境的污染，具有较大的经济效益和社会效益。对排土场的废石料也可综合利用，如开发新型建筑材料，用石英岩加工矽砂，用黑云变粒岩代替粘土作水泥填加料，用废石筑尾矿坝等；尾砂可以再利用，如以尾砂粉代替砂土制砖瓦或用尾砂代替天然砂作建筑材料，还可以考虑对高含矿尾砂再选，提取精矿。

　　对尾矿库进行绿化，是保护环境行之有效的办法。尾矿坝、尾矿库干坡段往往风刮沙起，危害人身健康和农作物生长，可采取以下措施：在坝坡上覆盖山皮土，让其自然生长小杂草，并在部分地段栽种灌木，起固沙作用，防止尾砂粉尘对自然环境的污染，缓解雨水对坝面的冲刷；喷水防尘，在尾矿坝外坡脚集水，抽水喷洒坝顶，可起防尘作用；植树绿化，保护环境。

　　此外，应对排土场边坡和尾矿坝进行稳定性监测，及时发现异常，及时采取防护措施，以避免重大灾害发生。

复习思考题

5-1 地面沉陷有哪些类型？

5-2 沉陷将造成哪些危害？

5-3 什么是山体开裂？山体开裂的研究要点是什么？

5-4 影响露天矿边坡失稳的因素是什么？

5-5 露天矿边坡的破坏主要有哪几种形式？

5-6 矿区诱发地震的因素是什么？

5-7 矿区煤矸石的露天堆放将导致哪些污染？

第六章 水利环境工程地质

据1993年《世界水能资源》统计，全世界水能资源如表6-1所示，发达国家如日本、美国、加拿大，以及欧洲各国如法国、瑞士、瑞典、意大利、挪威等，都已开发可开发水能资源的50％以上，一些发展中国家如巴西、阿根廷、土耳其、印度、委内瑞拉等也已开发13％～22％。我国的水力资源十分丰富（见表6-1），但主要集中在西南地区，占全国总量的68％。据1997年统计资料，我国水资源总量为$2.812\ 4\times10^{12}\ m^3$，居世界第六位（人均占有量只有$2\ 200\ m^3$）。目前，我国已成功地在不同河流上兴建了许多大型和中小型水利水电工程，充分发挥了拦洪、灌溉、航运以及发电效益，在国家经济建设中发挥了巨大的作用。但也因此而引起了许多新的环境地质问题，如坝址环境工程地质问题、水库环境工程地质问题以及由地下水开采而引起的环境工程地质问题等。这些问题都是水利水电工程建设和运行中重要的研究内容。

表6-1 世界与中国的总水能资源 （单位：10^4 亿 kW·h/a）

	理论水能蕴藏量	技术可开发量	经济可开发量	已开发量（1991年）
世界总量	35	15	9.35	2.27
中　国	5.922 2	1.923 3	1.260 0	0.124 8

第一节 坝址环境工程地质问题

一、概述

（一）坝址环境的基本特征

水库大坝坝址是水利水电工程的枢纽，大坝建成后水库蓄水，坝址自然环境发生了明显的改变，工程地质环境也起了变化。坝址环境的基本特征是：

1. 新的自然生态环境——人工湖的出现

大坝建成后出现了新的人工湖泊，形成新的自然生态环境。对山区来说，由原来湍急的河流转变为稳定的静水湖泊环境，外营力地质作用相应发生了变化。水库为水生生物的繁衍提供了有利的条件，水库周边植被生长又为水库底层的有机物质的富集创造了条件，下层库水则是处于还原环境。对坝址来说，水库水是坝基地下水的主要补给源，补给源的水环境的变化必然导致坝基渗流过程中水与岩体（包括帷幕、混凝土等）间水文地球化学作用的进行，有可能出现化学管涌、软岩软化或泥化等问题。

2. 坝基岩体承受荷载的长期性

大坝新建后，坝基岩体即处于长期荷载状态，对坝基岩体来说，除考虑一般构造应力外，还要考虑大坝所受的水平推力及其垂直荷载对岩体的长期作用，这与一般土建工程是有不同之处的。同时,在长期荷载中,有一部分荷载大体不变,如坝的荷重、水库正常压力等;另一部分是瞬时的、短暂的作用,如洪水、地震等引起的应力。相对而言,后一部分比前一部分更具破坏性和危害性。值得提出的是荷载作用的长期性与坝基岩体强度的可变性是不相适应的,而且坝基岩体强度及裂隙发育是不均一的。因此,坝基岩体尤其是其中的软弱夹层和结构面,在长期浸泡后性状的改变,就可能影响大坝的稳定性,这正是工程技术人员所关心的事。

3. 水岩间的相互作用已成为引起坝址和环境工程地质问题的主要因素

在大坝建设过程中,为防止坝基渗漏,进行了大量的基础处理,如设置灌浆帷幕、坝前铺盖及防渗墙等。尽管如此,坝基渗漏仍然长期存在,从大坝安全与稳定考虑,在一定限度内的渗漏量并不构成威胁,然而坝基渗漏不仅仅是流失水量问题,而且可能引起扬压力的超限,影响大坝的稳定。水岩间相互作用的长期存在,就可能引起坝基软弱岩层和结构面的软化或泥化,从而产生机械和化学潜蚀,以及对帷幕和混凝土的腐蚀等,又构成对大坝稳定性的威胁。

(二) 坝址环境工程地质中常见的问题

近几十年来,国内外出现多起大坝失事,虽然投入大量财力、物力但水库坝址仍不能达到设计要求的正常运行状况。这些众多的坝址环境工程地质问题,已愈来愈受到工程界的重视。根据世界各国的调查统计,在重力坝失事原因中,由于地质问题造成的占45%。坝址环境工程地质问题,归纳起来主要表现在三个方面。

1. 渗漏及渗透变形

渗漏及渗透变形(Seepage Deformation)是坝址环境工程地质的首要问题。坝基渗漏不仅会造成渗漏量过大,影响水库效益,也造成坝基扬压力超过设计值,从而对大坝稳定构成威胁,而且还可能造成坝基松散土层,产生机械潜蚀(Mechanical Latent Erosion)。在碳酸盐岩层上修建水库枢纽,由于库坝渗漏造成水库不能正常蓄水运行,甚至成为干库,在国内外均有实例。据广西壮族自治区初步统计,因喀斯特渗漏问题而影响正常蓄水甚至完全不能蓄水的水库约占总数的50%。

2. 坝基岩石在长期浸泡下的软化或泥化

坝基岩石在新的水环境下长期浸泡,一些软弱夹层或结构面,或含可溶盐的岩层中的易溶甚至难溶盐分别发生迁移,引起岩层的软化或泥化,导致坝基岩石强度的急剧降低,造成大坝失稳失事。美国圣·法兰西大坝的破坏,系由于坝基泥质胶结的砾岩浸水崩解,岩层中的石膏细脉溶解,以及坝基漏水等原因而失稳。在国内,由于坝基岩层产生软化或泥化,岩层力学强度明显降低也是有实例的。如安徽泾县纪村引水式电站,坝基岩层为白垩系红层,在具有酸性侵蚀的库水的作用下,岩石中的碳酸盐胶结物部分被溶蚀,造成坝基面岩石抗剪强度下降,摩擦系数(f)值由0.4降至0.28,发现后,经修建防渗墙和化学灌浆处理,岩石强度才得以改善。

3. 水对帷幕、混凝土的腐蚀与破坏

水库下层水和坝基水质的酸性化,可造成防渗帷幕体和坝体混凝土的腐蚀。水质中硫酸根离子和氯离子含量丰富时,可促使混凝土产生结晶性侵蚀,如甘肃八盘峡水库大坝坝基下的地下水中SO_4^{2-}和Cl^-含量曾分别达4 246 mg/L和22 810 mg/L,造成坝体廊道地面混凝土的严重腐蚀,局部已成稀泥状,后经处理得以改善。

4. 坝址泄流区"雾雨"对周围地质环境的影响分析

大坝本身即将河水位抬高，而泄流区即把除需蓄水量以外的多余水量排向下游。由于工程的修建和运用改变了河流及建筑物场地的天然平衡状态，因而诱发一系列环境工程地质问题，其中泄流区所产生的高强度"雾雨"对周围地区地质环境的影响即是一个必须予以重视的问题。

泄流区"雾雨"对周围地质环境的影响，主要表现在其影响范围内岩土体含水量的增大、物理力学性质的恶化及动、静水压力的升高等方面。

例如：龙羊峡坝下右岸泄流冲刷区的虎丘山，在导流洞底孔泄水后，山体表面裂缝在强大的水雾作用下，不断向下游发展，最终导致方量为 81 万 m^3 的 $I^{\#}$ 滑体近于垂直方向地急速滑落，堆积于岸坡和黄河内，并在其后形成了目前正在滑动的 $II^{\#}$ 不稳定体。

又如：在黄河小浪底水利枢纽工程中，泄流区的"雾雨"对消力塘上游边坡、溢洪道边坡及南岸东苗家滑坡体、$4^{\#}$ 公路滑坡群等部位的稳定性产生严重的不利影响。因此，详细研究"雾雨"影响范围内岩土体动、静水压力及主要物理力学性质指标的变化趋势和特点，分析预测泄流区周围边坡的稳定性变化趋势，并提出相应的预防、处理措施，意义十分重大。

总之，在坝址环境下，水的作用已成为引起坝址环境工程地质问题的重要因素。

二、坝址环境水基本特征

坝址环境水包括坝前库水、大坝两侧岸坡地下水以及坝基地下水。水库蓄水后，坝址环境水作用是引起坝址环境工程地质问题的主要因素，也是分析坝址环境工程地质问题的重要依据。

（一）坝前库水的基本特征

坝前出现人工湖，水深可达几十米甚至百米以上，与建坝前河水相比，水库下层水无论在水温或水质上，还是运动特征上都发生了明显的变化。坝前库水是坝基地下水的主要补给来源，对坝址环境工程地质问题的产生有着重要的影响。

库水温度变化的趋势是上部温度高、下部低。一般库面水的平均温度要高于多年平均气温，库水水层重力和热力对流的存在，造成了库底水的温度最低。从水的特征看，在温度 3.94 ℃ 时，水的密度最大，其值为 1.000 g/cm^3。若以此推测，深水水库库底水最低可达 4 ℃ 左右，这说明库底水是处于低温环境。影响库水温度的因素较多，如气温、天然水的温度、流量及水库深度等。在多泥沙的河流上，常出现较高温度的水库底层水。如甘肃刘家峡水库，坝高 147 m，多年平均气温仅 9.6 ℃，但库底多年平均水温为 13 ℃，比水深 60 m 处的水温还高 2.2 ℃，这是与夏季入库的高温浑水沿库底流至坝前有关。

库水水质与原来的天然河水相比，亦发生显著变化。水库蓄水初期，大片土地被淹没，大量有机物和可溶盐进入库内。同时，由于库面水温增高，蒸发加剧，透明度提高，浮游生物及其他生物的繁殖得到加强，尤其在气候湿润的温带、亚热带，水库的底部常年有大量有机物的富集。水环境的变化对库水水质的形成有严重的影响。它既存在有利方面，又有不利影响的方面，见表 6-2。

从一些坝址库水水质分析资料看，上层库水与河水水质相近，为中性和弱碱性水，随着水深的增加，水的 pH 值逐渐减小，底层水 pH 值多小于 6.5，为弱酸性水。水中侵蚀

性 CO_2、HCO_3^-、Ca^{2+}、SO_4^{2-} 含量从库面至库底呈递增趋势，侵蚀性 CO_2 增值最大，但 Ca^{2+}、HCO_3^-、SO_4^{2-} 含量增值不大，含量亦较少（见表6-3）。水库底层水中常含有一定量的 H_2S 气体，说明库底水所处的地球化学环境为低温、弱酸性的还原环境。

表6-2　库水环境对水质的影响

有利影响	不利影响
降低混浊度	减少混合，降低充氧
降低硬度	藻类繁茂，发生臭味，影响观感
有利于有机物氧化	降低溶解度，增加 CO_2
降低生物需氧量	重金属污染积累
降低色度	产生热分层作用，库底部铁、锰、硫化氢含量增高
减少大肠菌	降低 pH 值

表6-3　我国部分水库水质特征

取样地点		pH 值	含量（mg/L）					
			HCO_3^-	SO_4^{2-}	Ca^{2+}	Mg^{2+}	侵蚀性 CO_2	矿化度
浙江新安江	河床（蓄水前）	7.60	48.06	4.95	14.20	2.01	—	49
	库面	8.10	45.14	3.34	13.60	1.94	0.90	46
	库下 30 m	7.62	50.02	3.34	14.00	1.94	3.90	47
	库下 50 m	7.49	54.09	4.30	16.00	2.43	6.00	53
	库底	6.60	61.00	5.30	17.10	1.74	9.70	58
安徽梅山	库面	7.68	33.32	5.96	6.71	2.04	2.16	46
	库下 35 m	6.34	41.62	5.67	8.40	2.86	17.20	46
	库下 45 m	6.34	43.28	11.05	8.82	3.56	15.40	50
安徽陈村	库面	7.40	51.87	10.00	10.46	8.32	2.20	60.48
	库下 30 m	6.70	48.82	12.0	11.90	4.60	13.20	61.72
	库底	6.40	54.92	26.0	11.54	4.60	8.80	84.51

水库下层水弱酸的环境主要是由水中的碳酸含量所决定的，库底水中碳酸是来自有机物的分解。在湿润气候环境下，水库底层富集的有机物，在歉气条件下，产生不完全的分解，反应式为

$$CH_2O + H_2O \xrightarrow{\text{厌氧细菌}} CO_2 + 4H^+$$
（有机质）

反应过程中还可释放出还原物质 H_2S 和 CH_4 等。由于库底温度较低、压力高，故水中 CO_2 的含量丰富，但由于库底处于缺氧环境，有机质厌气性分解速度缓慢，而且分解不完全，因而库底层水中 CO_2 含量又受到一定的限制。而在水库中层，因库水运动造成的氧化环境，有利于有机质的氧化分解，故水中 CO_2 含量有可能高于库底层水（见表6-3）。

（二）岸坡地下水特征

大坝两侧岸坡地区渗流特征表现在：

1. 地下水位抬升

随着水库水位的抬升，库岸岩层中地下水位也相应升高，岸坡水的径流条件、排泄条件均发生变化。原来处于地表上部的风化岩体大部分又遭受水的浸泡，可造成软岩的软化

或泥化，加之库水位变幅的影响，又可形成和出现新的自然地质现象。

2．帷幕后地下水力坡降增大

岸坡区帷幕线上下游地下水力坡降明显不同，这是由于坝址上下游水位差异造成的。以浙江新安江大坝两侧岸坡区为例（见图6-1），幕后下游水力坡降大者可达上游的1倍多（右岸），水力坡降达1:1～1.2，幕前地下水力坡降与蓄水前基本相近，一般为0.4～0.6。

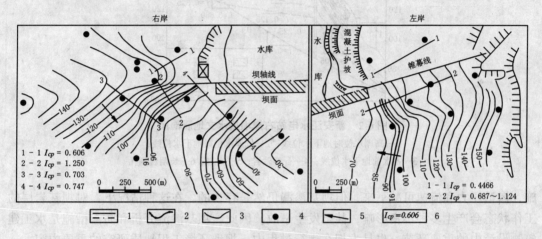

图6-1　新安江坝区水库蓄水后地下水等水位线示意图

1—帷幕线和坝轴线；2—等于库水位的地下水等水位线；3—等水位线；4—观测孔；5—地下水流向；6—水力坡降

3．绕坝渗流

尽管岸坡区进行过防渗处理，如铺盖、帷幕灌浆等，但常由于处理不当，如防渗铺盖不厚等，在上下游水位差的条件下，绕坝渗漏是常发生的。如河南某水库坝肩基岩为震旦系石英砂岩、安山岩、硅质灰岩和泥灰岩，左坝肩有两条断层交汇，形成宽约50～100 m的断层破碎带。入渗补给量 ω 值一般为0.1～1 L/(min·m·m)，最大达 3.5～18.2 L/(min·m·m)，抽水试验渗透系数 K 值为 0.5～18 m/d，加之基岩面上第四纪覆盖层较薄，不能起到稳定的防渗层作用，因而造成严重的绕坝渗漏通道。后经上游山坡采用粘土覆盖等有效防渗措施处理，效果良好，下游断层交汇带未发现集中渗漏和管涌(Piping)现象。

在喀斯特地区严重的绕坝渗漏可导致水库不能正常运行，甚至成为干库。如贵州猫跳河四级水电站左岸绕坝渗流量达 20 m³/s，导致水电站不能按照设计要求正常运行。

岸坡区由于施工开挖和蓄水池的修建，也加大了岸坡区地下水的补给量。如新安江大坝，两岸原始地形坡度在40°左右，大坝施工过程中，分别在两岸142 m和175 m高程处开挖两级揽机平台，右岸142 m平台是在深挖30 m的基础上形成的槽形洼地（见图6-2），台面平整且因爆破开挖时平台基岩裂隙发育。本区气候湿润，年均降水量达1 754 mm，平台便成为岸坡地下水补给的有利地形，平台部位地下水位十分平缓即是佐证，从而加大了岸坡渗流量。有些大坝在坝肩岸坡修建蓄水池，或开挖种地人工灌溉，这些均是造成岸坡地下渗流量增加的主要因素，也构成了影响岸坡坝系稳定的主要因素。

（三）坝基地下水特征

坝基地下水是坝址环境水的重要组成部分，由于建筑物与高水头的水接触，改变了原来水流状态，坝基岩体中地下水的渗透压力和流速必然加大，尽管采取多种堵排处理措

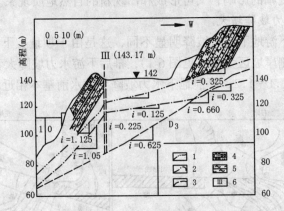

图 6-2　新安江水电站右岸坝肩水文地质剖面

1—高库水位时地下水位线；2—低库水位时地下水位线；
3—蓄水前地下水位线；4—石英砂岩；5—页岩；6—长期观测孔

施，渗透压力和流速可减下来，但坝基渗漏仍然是存在的。在这种情况下，对坝基岩层的工作状态会产生多种不良影响，甚至发生事故。因此，坝基渗流分析和防渗措施是水工建筑物设计中的重要环节，也是大坝在运行过程中，坝址环境工程地质研究的重要内容。

坝基地下水的基本特征为：

1. 坝基地下水分布的不均匀性

在大坝坝基岩层中，由于基岩裂隙发育的不均匀性，基岩中地下水分布也不均匀，在高水头压力的作用下，这种分布的不均匀性更为突出。如安徽陈村大坝河床坝基有四排防渗帷幕，其中有一排为丙凝加强帷幕，幕后地下水位绝大多数（包括扬压力孔和排水口）已明显低于设计值，且水位高程相近，被称为"水位平台"。但在河床坝基仍出现三个高水位孔，突出在"水位平台"之中，其中 17 坝段 4 号排水孔水位高出两侧临孔水位达 18 m 左右，其孔距仅 3 m。又如浙江新安江大坝坝基 3 坝段 E1-1 扬压力孔水位超过设计值达 8.97 m，且与库水位同步变化，但邻近观测孔水位均在设计值以下。

坝基地下水分布的不均匀性还表现在渗漏量上，坝基排水孔的渗漏量大小也是不一致的，甚至是极不均匀的。如安徽陈村大坝河床坝基目前多数排水孔已不排水，但灌浆廊道 10 坝段 4 号排水孔的排水量却占河床坝基排水总量的 85％。又如新安江大坝共划分 26 个坝段，据 1989 年高水位时对排水量的观测，仅右岸 2、3 坝段的排水量就占整个坝基排水总量的 47.7％。

在大坝坝基渗流分析中，一定要重视坝基渗流不均匀性的调研，因为水位或渗漏量的突变，常常是坝基薄弱部位或帷幕破坏的反映，应认真查明原因，必要时应采取工程补强措施。

2. 地下水质的酸碱化

建坝前，河谷基岩地下水水质成分多为重碳酸钙（$HCO_3 - Ca$）型水，水的酸碱度（pH）属中性和弱碱性水。建坝后，坝基地下水质向碱性、强碱性水或弱酸性水转变，且以前者为主（见表 6-4）。如新安江大坝帷幕后有 20 个坝段各选一排水孔，进行了近 30 a 的水质监测分析，右岸坝基地下水出现弱酸性化，河床及左岸坝基地下水出现碱性、强碱性水，水的 pH 值最大达 12.6（见图 6-3）。坝基水质的酸碱化与地下水作用密切相关。

表 6-4　我国部分坝基地下水化学成分统计表

地点	编号	pH值	化学成分（mg/L）							观测日期	坝基部位
			$Na^+ + K^+$	Ca^{2+}	HCO_3^-	SO_4^{2-}	CO_3^{2-}	游离CO_2	OH^-		
新安江	灌 3-2*	6.06	4.71	5.54	27.24	5.53	0	45.55	0	1984～1989 年均值	岸坡
	灌 12-6	9.35	5.28	16.82	46.03	4.55	13.51	0	5.47		河床
	灌 24-1	11.59	122.93	50.84	0	8.21	108.05	0	14.92		岸坡
梅 山	4 拱 10	10.1	75.97	3.99	29.1	10.7	35.5	0	1	1991 年 7 月两次均值	岸坡
	9 拱底孔	6.36	6.76	8.7	47.3	5.6	0	19.1	1		河床
	13 拱 1	6.69	19.94	30.8	157	27	0	41.1	1		岸坡
陈 村	灌 17-4	6.8	14.69	80.8	37.16	5.45	0	12.32	0	1992 年 5、9 月两次均值	河床
	扬 16-3**	12.11	124.71	193.04	0	27.21	30.30	0	229.25		河床

注：＊灌浆廊道 3 坝段 2 号排水孔；＊＊16 坝段 3 号扬压力孔。

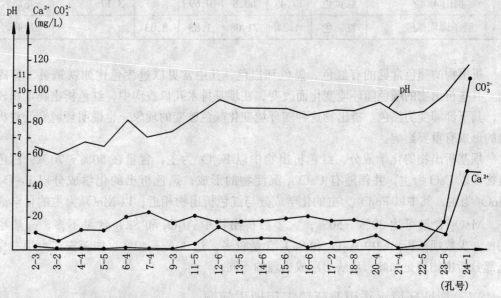

图 6-3　新安江灌浆廊道坝基排水孔地下水化学成分变化曲线图

3．坝基渗排水口常见胶状物质析出

水利水电部门习惯上将此胶状析出物简称为"析出物"。它常出现在坝体廊道内排水的排水口或基岩裂隙渗水口，甚至少数混凝土坝体裂缝渗水口也有出露。有析出物析出的排水孔，其孔内水质一般是清彻透明的。在强光透过细孔观察水样时，水中丁达尔效应现象明显，说明孔内清水中存在胶粒。在排水孔内一般不形成胶体析出物，只有当水流到孔口后才形成不同颜色的析出物。

坝基析出物的出露在大坝中较为普遍，无论在干旱气候区的北方（如甘肃兰州附近的盐锅峡水库大坝），还是在湿润气候的南方（如浙江新安江大坝、安徽陈村大坝等），均可在坝基廊道内见到不同颜色的析出物，但排出量是不相同的。从坝基地质环境看，无论红色地层、海相砂页岩以及火成岩、变质岩，甚至第四纪松散沉积层，均可存在胶状物质的析出。从坝型看，混凝土坝较为常见，土坝少见。浙江省新安江大坝为混凝土重力坝，坝高105 m，在坝体内417个排水孔中，128个排水孔有析出物析出，此外，还有18处从基岩裂隙口析出（见表6-5）。

表 6-5　新安江等水电站坝基胶状析出物化学成分统计表

取 样 地 点		颜 色	所 占 百 分 比 （%）					pH值	坝基岩性
			SiO_2	Fe_2O_3	Al_2O_3	CaO	MnO_2		
新安江	10-11宽缝（上层）	红色	7.16	66.47	0.90	3.43	0.66	—	砂页岩
	10-11宽缝（下层）	黑色	8.14	54.63	1.45	5.67	0.41	—	
	基岩裂隙	黑色	8.21	13.73	2.56	5.6	19.87	—	
	灌3-2	红色	29.89	30.74	5.78	9.92	0.20	6.06	
	排2-C	红色	2.41	78.41	0.11	0.29	0.17	5.5	
陈村	灌17-4	红色	13.36	43.70	4.54	9.05	—	6.8	砂岩
	排8-2	黑色	7.54	6.96	1.87	8.83	43.09	8.5	
梅山4#垛		红黄色	17.49	60.8	0.69	4	3.17	—	花岗岩
磨子谭坝体缝		红色	4.24	71.08	1.83	3.03	—	—	片麻岩

析出物的颜色常见的有红色、黑色和白色，其中常见以过渡色比如铁锈黄、黄褐等色。有些析出物的颜色随环境变化而改变，在坝基排水孔口或沟中，红色析出物堆积较厚时，其下部即变为黑色。析出物这种随环境变化颜色改变的现象，也说明环境变迁对析出物的形成有重要影响。

坝基析出物的化学成分，红色析出物中以 Fe_2O_3 为主，含量在50%～70%；白色析出物多以 CaO 为主，并伴随有 $CaCO_3$ 沉淀物的形成；黑色析出的化学成分以 Fe_2O_3 或 MnO_2 为主，其中以 Fe_2O_3 为主的化学成分与红色析出物相近；以 MnO_2 为主的化学成分中，MnO_2 含量可达30%～50%；大多数析出物中 Al_2O_3 和 SiO_2 含量不多，一般小于10%，少数坝基析出物中 Al_2O_3 和 SiO_2 含量较多，达30%～40%，如新安江大坝右岸坝基部分析出物即是如此，反映出形成机理的不同。

三、坝址环境水作用及环境工程地质问题

坝址环境水作用主要表现在两个方面，即水文地球化学作用和水动力作用。

（一）水文地球化学作用

坝基岩石在渗透水流的长期浸泡下，水与岩石之间相互作用，致使水中富集或失去某些成分，即产生元素的富集和迁移，同时也改变了岩石的性质和成分，这一系列的化学和物理化学反应，即称之为水文地球化学作用。Brown（1978）曾系统地论述了影响水岩系统作用等因素，归纳为岩石类型、流体性质、温度、压力、岩石渗透率、水岩间作用时间等。从坝基环境水作用看，这是表生环境下，处于常温常压下进行的地球化学作用，温度和压力的影响相对较小，因此，表生环境下水文地球化学作用的强度主要决定于岩石性质与成分、水径流状态、水岩间作用时间以及水环境特征。水环境特征指标主要是水的酸碱度（pH）和氧化还原电位（E_h）。坝基地下水水文地球化学作用的主要形式有溶解和沉淀、氧化与还原、胶溶与胶凝。

1. 坝基地下水酸碱化的水文地球化学机理

坝基地下水的酸碱化是水岩（包括混凝土和帷幕）间相互作用的产物。地下水的碱性化主要是水与混凝土、帷幕（水泥结石）间相互作用的结果，岩层中碳酸盐的存在（碳酸盐岩层、胶结物和方解石脉等）也促使坝基水的碱性化。

大坝混凝土是由水泥和骨料等多种成分组成的，坝基防渗帷幕目前大多是由水泥加少量掺合剂组成的，在裂隙中形成水泥结合，这就是说水泥是决定混凝土和帷幕抗侵蚀强度的主要成分。水泥的一般化学成分中 CaO 含量占 66%～67%，SiO_2 含量占 19.3%～23.1%；其他成分含量甚少，Al_2O_3 含量为 4.1%～7.6%，Fe_2O_3 含量为 1.5%～5.8%，MnO_2 含量为 0.7%～4.5%，CaO 在水的作用下形成 $Ca(OH)_2$，反应式为

$$CaO + H_2O \Longrightarrow Ca(OH)_2$$

在富含 CaO 水的作用下，混凝土、帷幕即产生分解性侵蚀，混凝土表面发生碳化，形成碳酸钙，强度降低，反应式为

$$Ca(OH)_2 + Ca(HCO_3) \Longrightarrow CaCO_3 + 2H_2O$$

碳酸钙在水中或在含有侵蚀性 CO_2 的水中，发生溶解，即

$$CaCO_3 + H_2O \Longrightarrow Ca^{2+} + OH^- + HCO_3^-$$

$$CaCO_3 + H_2O + CO_2 \Longrightarrow Ca(HCO_3)_2$$

坝基地下水径流缓慢，在水中 CO_2 补给不足时，碳酸盐以水解为主，其速度是极缓慢的，故坝基帷幕后地下水质多出现碱性或强碱性水，如幕后不排水的排水孔、扬压力孔水均是这样，水的 pH 值多在 9.0 以上，随着远离帷幕体，坝基岩层中地下水 pH 值逐渐减小。

坝基地下水化学场也是渗流场特征的反应，因此，坝基帷幕后地下水 pH 值越大，说明径流愈缓慢，新安江大坝 24 坝段坝基帷幕后排水孔水 pH 值达 12.26，称之为"死水"，即是例证。也可以认为坝基帷幕后水质的碱性或强碱性是帷幕体防渗性能良好的标志之一，尤其是强碱性水的存在更是如此。随着坝基地下水 pH 值增大和强碱性水的出现，水中阴离子则以 OH^- 和 CO_3^{2-} 为主，出现 $CO_3 - Ca$ 型或 $CO_3 \cdot OH - Na$ 型水，这正是坝基水与混凝土、帷幕间相互作用的产物。

坝基地下水酸性化是指坝基地下水呈弱酸性，pH 值在 5～6.5 之间。坝基地下水酸性化由两方面因素所决定：一是水库下层水的直接补给。水库下层水多为酸性水，当穿透帷幕后，补给坝基地下水即出现地下水酸性化。这亦是坝基帷幕局部受侵蚀，地下径流条件畅通的标志，应引起重视，必要时应进行帷幕补强处理。坝基地下水酸性化的另一个重要因素是水岩间的相互作用，即水文地球化学作用的结果。浙江新安江水电站大坝坝基弱酸性地下水的出现，即是这种成因。右岸 2、3 坝段坝基岩层中夹多层黑色碳质页岩，其排水孔水 pH 值平均为 6 左右（见图 6-3），极小值为 5.15，明显低于水库底层水（pH 值为 6.6），显然坝基地下水弱酸性化不是库水补给造成的，而是由于在较高渗透压力作用下，地下水渗入页岩微裂隙，页岩中有机质氧化分解造成的。反应式为

$$CH_2O + O_2 \xrightarrow{\text{细菌}} CO_2 \uparrow + H_2O$$

（有机质）

形成富含 CO_2 的弱酸性水，个别排水孔水游离 CO_2 含量最大达 62.0 mg/L 就说明了这一

点。

　　岩层中硫化物矿物的氧化、分解也促使地下水的酸性化。如岩层中黄铁矿氧化、分解，即形成富含 SO_4^{2-} 的酸性水，甚至出现强酸性水，其反应过程为

$$2FeS_2 + 7O_2 + 2H_2O \longrightarrow 2FeSO_4 + 4H^+ + 2SO_4^{2-}$$

当有游离氧存在时，$FeSO_4$ 极不稳定，进一步反应为

$$4FeSO_4 + 2H_2SO_4 + O_2 \longrightarrow 2Fe_2(SO_4)_3 + 2H_2O$$

$Fe_2(SO_4)_3$ 水解生成 $Fe(OH)_3$

$$Fe_2(SO_4)_3 + 6H_2O \Longrightarrow Fe(OH)_3 + 3H_2SO_4$$

此时黄铁矿风化成褐铁矿（含水赤铁矿），水溶液呈酸性，且富含铁和硫酸根离子。

　　2. 水的酸碱性（pH 值）对岩层中化学元素迁移的影响

　　坝址环境水水质的变化，其中包括水库下层水的弱酸性化和坝基地下水的弱酸性化、碱性化、强碱性化，它影响着水对岩石的溶解和沉淀，也决定着岩石中某些元素迁移的形式和数量，自然界中许多物质的溶解和沉淀，均受到介质酸碱性（pH 值）的制约（见表 6-6，见图 6-4）。

表 6-6　常见金属氢氧化物沉淀时所需的 pH 值

金属氢氧化物	pH 值	金属氢氧化物	pH 值	金属氢氧化物	pH 值	金属氢氧化物	pH 值
Fe^{3+}	2～3	Cu^{2+}	5.3	Pb^{2+}	6	Mn^{2+}	8.7
Al^{3+}	4～10	Fe^{2+}	>6.6	Ca^{2+}	7.8	Mg^{2+}	10.5

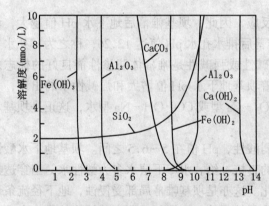

图 6-4　各种氧化物和氢氧化物的溶解度与 PH 值的关系

　　CaO、SiO_2、Al_2O_3 均是坝基岩石（包括混凝土和水泥结石）的主要组成成分，它们的迁移与水的酸碱性密切相关。水的 pH 值越小，对坝基水泥帷幕和坝体混凝土的侵蚀性越强，因此，大坝坝前下层库水的弱酸性化，对水泥帷幕和混凝土具有侵蚀性（酸性或碳酸性侵蚀）。尤其是在湿润气候环境下，有利于水库底部有机质的富集和 CO_2 的形成，库水中 CO_2 含量随着水温在降低和水压力的增大而增大。因此，对大坝坝前下层库水的侵蚀性应予以重视，不能再用水库蓄水前河水水质来评价库水的侵蚀性。库底与坝基弱酸性水的存在，造成对水泥帷幕的侵蚀，Ca^{2+} 的迁移。一些已建成的大坝，虽然多次进行水泥帷幕补强，但效果不佳，出现大量的水泥灰浆的灌入，而水泥结石却甚少见到，这与水的侵蚀性是有关的。

　　水的碱性化，甚至强碱性化，造成水中重碳酸根离子含量的减小或缺失，易造成混凝土的溶出性侵蚀，按《水利水电工程水质评价标准》规定（初稿），坝基地下水对混凝土的溶出性侵蚀的评价，是以 HCO_3^- 含量（以 mg/L 为单位）的多少来判定，即：

　　　　　　　无侵蚀　　　　　　　>2

弱侵蚀　　　　　　　　　2~1.07

中等侵蚀　　　　　　　　<1.07

以安徽陈村水电站为例，排水廊道内部排水沟水呈碱性、强碱性，水中 HCO_3^- 含量少，仅 $0.25~0.67$ mg/L 属中等溶出型侵蚀，其结果造成排水沟表面混凝土疏松，易脱落，这是排水沟水对混凝土腐蚀的结果，但它仅限于排水沟混凝土的表面。

铝的氧化物（Al_2O_3）和氢氧化物 [$Al(OH)_3$] 均属两性化合物，沉淀 pH 值 4~9 之间，当水溶液 pH 值小于 4 或大于 9 的条件下，其溶解度急剧增加（见图 6-4）。

SiO_2 和 Al_2O_3 是硅酸盐类矿物和岩石的主要成分，坝基地下水强碱性化有利于岩石中的 SiO_2 和 Al_2O_3 的迁移，但径流缓慢又减弱了岩石中硅、铝的迁移强度。从目前国内大坝水质监测资料看，各坝基地下水均未测定 Al_2O_3 的含量，SiO_2 含量也只是进行不定期的监测。新安江大坝坝基地下水中 SiO_2 最大含量为 20.75 mg/L，一般为 8~13 mg/L。

铁、锰是组成岩石成分的常见元素，但除铁锰质岩外，岩石中含量一般不大。铁的含量一般在 10% 以下，锰的含量多不到 1%。但铁锰成分对岩石的强度、水质成分、坝基析出物的形成有着重要的影响。

铁、锰均是变价元素，高价 Fe^{3+} 由于其很容易水解生成 $Fe(OH)_3$ 胶体沉淀，故沉淀 pH 值小，为 2~3；亚铁 Fe^{2+} 沉淀 pH 值大于 6.6；当介质 pH 值大于 6.6 时，生成 $FeCO_3$ 沉淀；当介质 pH 大于 7~8 时，生成 $Fe(OH)_2$ 沉淀。天然水中铁的价态不同，稳定性也不同，在相同环境下，亚铁 Fe^{2+} 稳定性强，水中含量多。这就是说，在表生环境下，Fe^{2+} 和 Fe^{3+} 更容易迁移。河流相、湖相、海相沉积岩以及结晶岩中多以低价态铁的形式存在，故在氧化环境下易被迁移。锰的氢氧化物 [$Mn(OH)_2$] 的沉淀 pH 值为 8.7，由于锰和铁均为变价元素，它们的沉淀与溶解还受到氧化还原环境的影响。

3. 氧化还原电位（E_h）对化学元素迁移的影响

天然水环境中都有自由电子存在，一个物质的氧化必然伴随另一个物质的还原，丢失电子的物质氧化，称为还原剂，与此同时，得到电子的物质被还原，称为氧化剂。对每一个氧化还原体系可以写成如下半反应式：氧化态 + ne = 还原态。例如铁的氧化还原反应可用两个半反应式的叠加来表示

$$O_2 + 4H^+ + 4e == 2H_2O \qquad （还原）$$

$$4Fe^{2+} == 4Fe^{3+} + 4e \qquad （氧化）$$

$$O_2 + 4Fe^{2+} + 4H^+ == 4Fe^{3+} + 2H_2O \qquad （氧化还原反应）$$

空气和水中游离氧是表生作用中的重要氧化剂，氧化结果使变价元素从低价变为高价。有机物质和微生物的活动则是表生环境中重要的还原剂，微生物分解有机质时，常分离出游离 H^+，消耗了化合氧和游离氧，使元素由高价变为低价。

地下水中的氧化还原状态用氧化还原电位 E_h 值表示，关系式为

$$E_h = E_0 + \frac{RT}{nF} \ln \frac{Q_x}{R_{ed}}$$

式中　　E_h——介质的氧化还原电位，mV；

　　　　E_0——标准电极电位，即 $\dfrac{Q_x}{R_{ed}} = 1$ 时的 E_h 值；

R——气体常数（8.315 J）；

T——绝对温度，298 K；

F——法拉第常数（96 500 C）；

n——参加反应的电子数；

Q_x、R_{ed}——氧化态和还原态的克分子浓度。

由上式可知：温度、浓度、参加反应电子数影响到 E_h 值的大小。在一定氧化状态下，元素的稳定性取决于增减电子所引起的能量变化，这种能量变化的定量测定由 E_h 而定。

任何反应的氧化还原电位都是一个相对值，下列反应是一种比较标准

$$H_2 === 2H^+ + 2e$$

即从氢原子移去电子，或氢被氧化成氢离子的电位，定 E_0 为 0.00 V。

大坝坝址水环境的变化也造成水的地球化学环境的变迁。水库蓄水，原来处于氧化环境的急流河水转变为处于还原环境的库底静水，坝基地下水环境也处于还原或还原氧化的过渡环境。因此，水岩间相互作用过程中氧化还原反应更是大量存在。它引起元素化合价的变化，改变化学元素及其化合物的溶解度，影响胶体的胶溶和胶凝作用。

氧化还原电位（E_h 值）对变价元素化合物的迁移与沉淀的影响甚大，在不同的氧化还原环境中，他们以不同的价态存在。铁、锰、硫等是坝址环境水中或岩层中常见的变价元素，Fe（0、2、3价）、Mn（2、3、4价）、S（-2、0、6价）。在氧化环境中，这些变价元素多形成高价态氧化物或氢氧化合物沉淀，如赤铁矿、软锰矿等；在还原环境下多形成低价化合物的沉淀或呈凝胶。低价铁锰氧化物的溶解度比高价的溶解度要高数百倍至千倍，故在还原介质中铁、锰易溶解而不易沉淀。坝基析出物的形成和成分中多以铁、锰为主，以及析出物颜色随环境变化而改变等，均是坝址环境下，水岩间作用过程中氧化还原反应的产物。

4. 坝基岩层的化学潜蚀

坝基岩层中含有易溶盐类物质时，如岩盐、钾盐、石膏等，以及某些难溶盐类，如方解石、菱铁矿、白云石等。在坝址环境水作用下，尤其在地下水环境循环比较强烈的部位，岩层中的矿物或胶结物逐渐被溶解，并随水带走形成空洞，称之为"化学潜蚀"，或称"化学管涌"。其发生的条件是：

(1) 易溶盐直接水解，随水带走。

(2) 方解石、白云石等难溶盐在含有侵蚀性 CO_2 水的作用下发生溶解，在岩层或混凝土中造成空洞，空洞大小取决于溶蚀强度。当地下水排出坝基时，由于压力降低释放出 CO_2，形成 $CaCO_3$ 和 $MgCO_3$ 沉淀，反应式如下

$$Ca(HCO_3)_2 === CaCO_3 \downarrow + CO_2 \uparrow + H_2O$$
$$Mg(HCO_3)_2 === MgCO_3 \downarrow + CO_2 \uparrow + H_2O$$

(3) 在弱酸、还原环境中，水中侵蚀性 CO_2 易促使坝基岩层中低价铁、锰等元素发生迁移，如低价铁 Fe^{2+} 变成 $Fe(HCO_3)_2$，以离子或胶粒形式迁移。

(4) 在碱性条件下，岩层中或混凝土中的二氧化硅易被溶于水中，常以硅酸形式出现，即

$$SiO_4^{4-} + 4H_3O^+ \Longrightarrow H_4SiO_4 + 4H_2O$$

（正硅酸）

$$SiO_3^{2-} + 2H_3O^+ \Longrightarrow H_2SiO_3 + 2H_2O$$

（偏硅酸）

并随水迁移。在 pH 值降低或脱水时，单分子硅酸就聚合成乳白色半透明的絮状胶体，即硅酸溶胶，漂浮在排水孔水面或裂隙出口处形成淤堵。坝基地下水中硅的迁移也是化学潜蚀的一种形式，但不多见。

坝基化学潜蚀可能招致严重的危害，如美国圣·佛兰西斯重力坝，坝高 62.6 m，其失事是由于右岸坝基砾岩中的石膏被溶解，岩体崩解，产生潜蚀，最后导致坝基被挖空，造成溃坝事故。

5. 胶溶和胶凝作用

坝基地下水实质上是含有多种成分的溶液，水中既含不同的离子成分，还含有带不同电荷的胶粒。地下水地球化学环境的改变是影响水中胶粒成分产生胶溶或胶凝的主要因素，也是坝基析出物形成的重要原因。析出物的一般形成过程是排水孔内水质清彻透明，丁达尔现象（即光束通过胶体溶液时明显可观察到光通过的行迹）明显，胶状析出物是水流出孔口后才形成的。坝基地下水径流缓慢，多处于弱还原或氧化还原过渡环境，当地下水源流出孔口，与空气中氧接触，水环境变为氧化环境。原在水库底部和坝基还原环境中，变价元素铁、锰以低价态离子或胶粒发生迁移，一旦转变为氧化环境极易产生胶凝作用，在排水孔口，形成红色或黑色胶状析出物沉淀。

析出物的化学成分中主要以 Fe_2O_3、MnO_2、CaO 为主。铁、锰成分既可以来自水库底层水，也可来自坝基岩体，如新安江水库电站坝基分布有含锰质和锰结核的砂岩，坝基黑色析出物多分布在此种岩层地段。析出物中的铁也可来自钢筋混凝土和排水铁管。一般岩层中铁、锰含量甚少，坝基少量胶状析出物的出现，对岩层强度的影响不大，尤其在坚硬岩层分布区对岩层影响更小。CaO 主要来自混凝土和帷幕的溶解。

（二）水动力作用

坝基渗透水流是在一定的水头压力作用下流动，渗透压力（Seepage Force）是坝址上下游水位差作用下产生的压力，包括了静水压力和动水压力。坝基各部位渗透压力强度的分布是不均匀的，它既与坝基岩性和裂隙发育特征密切相关，还与所在部位有关。河床坝基只承受库水产生的渗透压力，岸坡坝基既承受库水产生的渗透压力，又承受来自岸坡地下水的侧向渗透压力。坝基地下水动力作用引起的环境工程地质问题主要是机械潜蚀和扬压力超值。

1. 机械潜蚀和渗透变形

在渗透水流的动水压力作用下，坝基松软沉积物、软弱夹层或坝体中的细颗粒物质产生移动或被水流带走，并形成空洞称之为"机械潜蚀"，又称为"机械管涌"。形成渗透破坏的条件是渗流动水压力和岩土的性质、结构。为限制建坝后渗透压力和流速的增大，在坝基内设置了灌浆帷幕和排水系统，正常情况下是不会产生机械潜蚀和渗透变形的。但在水的长期作用下，局部地基的恶化和压力的积累，在坝基或坝体的某些部位渗透压力和流速仍可达到较大值，并产生破坏作用。

土石坝地基多为松散沉积物，土石坝本身也是用松散的土、砂、石料填筑的挡水建筑物。由于水库蓄水形成上下游水头差，水流必将通过坝体和坝基向下游渗透，由此产生的渗流破坏问题对土石坝的安全至关重要。据国内统计，从241座大型水库发生的1 000事故分析，由渗透破坏而引起的占32%；从2 391座水库失事分析，由上述原因造成垮坝的占29%。因此，土石坝由于渗流破坏而造成事故或垮坝的占30%左右。据世界各国统计，如美国对206座土石坝事故分析，由渗透破坏而造成的占39%；日本对土石坝失事调查分析结果表明，由于这一原因造成的占44%；瑞士的土石坝由于上述原因造成失事的占40%。仅从上述三个国家的统计分析结果可以看出，土石坝由于渗流破坏发生事故或垮坝的占统计数的30%～40%，有的还超过40%，这也说明坝体或坝基渗流特征对土石坝安全的重要性。

山西省东榆林水库土石坝为砂质壤土均质坝，坝高为15.5 m，副坝高8.5 m，主坝设截水槽，切断松散细砂与粘土层接触，副坝未做防渗处理，下游排渗沟内挖至细砂层，未铺反滤层。1975年截流后，1976～1978年曾蓄水至1 033 m（坝顶高程为1 043 m），副坝有渗水，但无异常现象。1978年12月至1979年2月，蓄水至1 038.8 m，副坝下游排渗沟渗水量增加并出现浑水；4月初蓄水至1 039.5 m，排水沟渗水坍塌；4月25日晚，副坝溃决，溃口长129 m，坝基冲深6 m（见图6-5）。

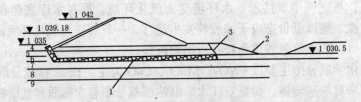

图6-5 山西东榆林水库副坝溃决示意图 （单位：m）

1—推测管涌通道；2—施工边坡；3—冲刷坍塌后边坡；4—砂质粉土；
5—粉土；6—含砾粉土；7—龟裂状粉土；8—粉质粘土；9—粉砂

河北省龙门水库的土石坝为粉土均质坝，坝高40 m。主河槽段坝底设置粉土截水槽达基岩，但基岩表面裂隙发育，溶洞、泉眼多，施工时未处理。滤水坝址块石与坝体粉土之间，只有中细砂及碎石两层反滤，层间系数过大，不符合反滤要求，且有错断现象。褥垫排水为碎石铺筑，只有一层中细砂反滤，层间系数不能满足要求。两岸台地坝段，地基的砂质粉土夹砂卵石透镜体，未做防渗处理。坝体填筑质量差，干密度为1.5～1.6 t/m³。1963年蓄水很低时，就发现上游坡有两个塌坑，直径为0.3 m，深1.7 m。1965年1月，坝前水深为27.6 m，坝后反滤排水体冒浑水，直至5月水库放空为止。后经多次翻修坝后反滤排水体，情况略有改善。但多年蓄水后，仍有塌坑不断出现，塌坑直径和深度也更大，大的直径达6.6～7.2 m，深5.2 m，漏水量为0.3 m³/s。1974年汛后，决定将坝挖除，在原坝轴线上重建土坝，开挖时发现沿反滤排水体几乎全是连续孔洞（见图6-6）。

坝基地层岩性及固结程度对坝基机械潜蚀的产生有重要影响。又如，河南伊河陆浑水库，坝高52 m，为具有截水槽的粘土斜墙砂砾石坝。水库正常高水位315 m，左坝肩为厚达30多米的下更新统冰水沉积的红色含泥砂卵石层，颗粒粗、分选差、不均匀系数（d_{60}/d_{10}）大于100，卵石严重风化，粘粉粒含量达20%～30%，天然重度大，在2.0

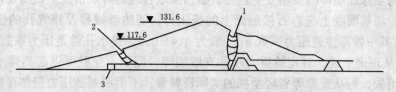

图6-6 河北龙门水库塌坑位置示意图 （单位：m）

1—塌坑；2—漏水塌坑进口；3—导流涵洞

g/cm^3以上，渗透系数小于1 m/d，表明土层固结性好，结构紧密。若按常用的伊斯托明娜不均匀系数法评价其渗透变形，其不均匀系数大于100，已远远超过产生机械潜蚀的条件。但经现场多次渗透变形试验，当渗透比降达到5时，仍未产生渗透变形，考虑到该层透水性很弱，固结性好，因此未作任何处理，20多年来水库运行正常，当水库蓄水至311.26 m时，测得左坝肩渗漏量仅为11 L/s。

基岩地区由于软弱夹层或裂隙中充泥也可产生机械潜蚀。如四川永川陈食大坝为条石连拱坝（见图6-7），坝基为侏罗系沙溪庙组的泥岩、砂岩。当蓄水至23 m高时，3号拱基沿着近于平行岸坡的走向一组陡倾、张开达20 cm宽并充泥的裂隙发生渗透破坏。开始拱坝基础出现泉眼，后来泉水流量明显增加，而且时浑时清，最后在坝基内扩大成洞，库水迅猛下泄，溃决成穴。十几分钟内，近百万方蓄水泄空，将坝基冲蚀成7 m多深，形成一个高15 m、宽8 m的冲蚀洞穴。

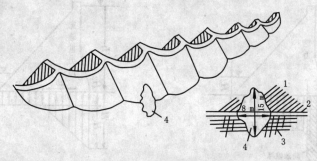

图6-7 四川陈食连拱坝冲蚀洞穴

1—坝体；2—混凝土基；3—风化泥岩中的裂隙；4—冲蚀洞穴

2. 扬压力超值和渗透压力作用

坝基扬压力是坝基底面上一点的渗透压力和浮托力之和，就混凝土重力坝而言，坝体重力、库水的平均推力以及扬压力是作用在大坝上的主要荷载。其中扬压力是垂直向上的作用力，也是作用在坝体内部的一种特殊的而且是重要的荷载。坝基扬压力还可降低坝基滑动面上的法向应力，也不利于坝基岩体的稳定。为了限制坝后的扬压力和渗透压力，一般在坝基内进行帷幕灌浆和设置排水系统。帷幕灌浆可以延长渗流途径，增加阻力，减少渗透流量；排水系统能及时排除渗水，削减渗透压力。但也有缺陷：灌浆帷幕形成后，在帷幕带上将承受较集中的水压力作用，对其下游岩体的稳定性影响宜加注意。排水系统设置也加剧了局部地区的水力坡降和软弱夹层中的管涌作用，并使渗透力更集中地作用在帷幕至排水系统间的狭窄地带内。由此可见，大坝的修建和帷幕、排水系统的设置将引起复杂的变化。为了保证坝体的长期安全运行，必须采取合理的有效措施。依照设计规范，对重力坝而言，坝基混凝土与岩石接触面上的扬压力，随防渗帷幕及排气孔的设置而变化（见图6-8），其中帷幕渗透压力系数 α_1 一般为 0.4~0.5，排水孔渗透压力系数 α_2 一般为 0.2~0.3。从理论上说，对宽缝重力坝和支墩坝等轻型坝，空腔可以起到排水作用，坝基扬压力将消失，但从安徽等省轻型坝的实际资料看，不但垛基扬压力仍然存在，而且其值并不低于重力坝排水孔后的扬压力。这是由于基岩裂隙水分布不均造成的，当岩体透水结构面有一定方向性时，则形成渗透的各向异性，如河谷中顺河向裂隙较发育，垂直河向断裂发育较弱，渗入垛基下水就不易向空腔排泄，因而在垛基下面出现较高的扬压力。

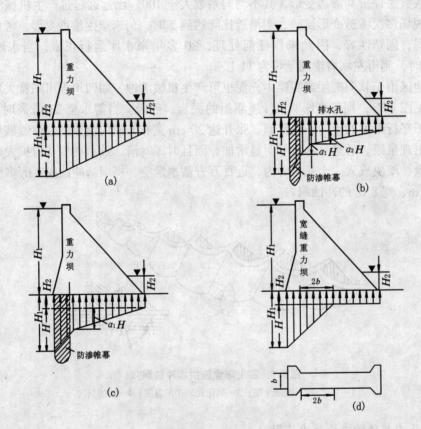

图 6-8　坝基扬压力示意图

坝基扬压力超限，即超过设计规定值，易引起坝体或坝基的不稳定。安徽梅山连拱坝于1962年右岸坝肩岩体向河床蠕动而使13、14、15支墩向河床位移，拱面产生裂缝。坝的上游面沿拱台前缘与基岩接触线附近，出现长 100 m、宽 17 cm 的裂缝。与此同时，右岸坝肩基础突然大量漏水，出现险情。经调查引起这一事故的主要原因是右坝肩在库水推力、扬压力和侧向渗透压力作用下，坝基岩石裂隙进一步张开，风化夹泥裂隙面受到地下水浸润后，抗剪强度骤然降低，因而产生位移和大量漏水。

坝基扬压力超值是人们所关心的，它在分布上常常是局部的。引起的原因主要有以下两方面：

（1）帷幕的破损或缺陷。灌浆帷幕的设置造成在帷幕体上承受较集中的水压力作用，尤其是河床坝基部位，库水最深，承受动水压力可达几十米，甚至百米以上，而且库底水又为富含 CO_2 的弱酸性水。在水压力和弱酸性水的共同作用下，坝基裂隙发育段或帷幕薄弱部位易出现帷幕的破损，造成坝基扬压力超限。安徽陈村大坝坝基地质条件复杂，断裂裂隙发育，在河床坝段范围内，设置主、副、补强三排水泥灌浆帷幕，但坝基渗漏仍然较严重，部分孔扬压力超值，幕后渗压系数 α 最大达 0.43，大大超过设计值 0.25。后经在主、副帷幕之间又增设一道丙凝帷幕，效果明显，扬压力超值孔水位明显下降，渗压系数在 0.223~0.227，符合设计要求。7~12 坝段排水廊道排水量由 45 L/min 减少至 0。当然渗压系数的减小，还与坝基排水有关。

（2）坝肩渗透压力作用。岸坡坝段除坝基渗透压力外，还出现侧向渗透压力。在有绕坝渗流或坝基渗流时，都能形成较高的侧向渗透压力。即使不存在绕渗条件，由于库水位上升，地下水位相应抬高，以及坝基排水，亦能形成较天然条件下更高的坡降。在岩层裂隙分布不均的条件下，地下水局部受阻也可形成扬压力超限。图 6-9 显示断层带地下水位高，坝基距断层较近，局部出现较大的扬压力。

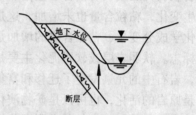

图 6-9 阻水断裂带引起的扬压力增大示意图

四、软岩及软弱夹层泥化问题

在水利水电工程建设中，软弱夹层是经常遇到的主要工程地质问题之一，它控制着大坝的抗滑稳定、边坡稳定和地下洞室围岩稳定。软弱夹层在构造错动、地下水或二者兼有的作用下形成泥化层，对水工建筑物的设计、布置具有重要的影响。若对其研究不够或处理不当，将给大坝的安全造成很大的威胁，甚至造成危害。尽管在大坝施工过程中对软弱夹层进行了部分处理，但是在水的长期浸泡下，软弱夹层软化或泥化问题仍是坝址环境工程地质中的重要问题。

我国工程环境地质学者对软弱夹层的工程地质问题给予了足够的重视，无论是宏观调查还是微观分析，都做了大量的工作，取得了丰富的资料和经验。有的学者在泥质岩泥化过程的研究中，提出了"活化作用"的概念，强调了水的物理化学作用在软岩泥化过程中的作用，并认为随着"岩性"的丧失，粘土矿物等高分散物质恢复和增强因泥化而减弱的物理化学活性是形成泥化产物的基本过程，这是我国 20 世纪 70 年代在软岩泥化机理上认识的。在近期的研究中，进一步认识到水与岩石之间的水文地球化学作用是造成软岩或软弱夹层泥化的主要原因。

在大坝坝址环境下，软弱夹层是否会进一步泥化，目前存在着不同看法。这里先介绍软弱夹层泥化的一般过程和机理，然后介绍大坝坝址环境下软弱夹层的泥化问题。

（一）软弱夹层及软岩泥化的基本过程

软弱夹层是指夹在相对坚硬的岩层中的，呈层状或条带的夹层，是软弱结构面的一种。在工程地质学科中，将其归纳为软岩范围内，软弱夹层（包括软岩）遇水易软化或泥化形成泥化夹层（带），力学强度低，渗透稳定性差。它在沉积岩、变质岩及火成岩三大岩类中均有分布。沉积岩、变质岩内多出现在硬岩层间夹的软弱岩层中，呈层状或似层状分布；火成岩中出现在构造断裂带附近，或沿岩脉发育呈条带状分布，或顺火山喷发间歇面呈层状分布。

软弱夹层泥化实质上是软岩甚至较坚硬的岩石向泥或松软土性转化的过程。泥化层的基本特征与原岩相比，泥化层发生三个方面的变化：

(1) 粘粒含量增加，结构上变成泥质散状结构；

(2) 物理性质改变，重度变小，力学强度大为降低，含水量超过塑限，岩性由坚硬变成塑泥状；

(3) 矿物化学成分发生了变化。

若软弱夹层或软岩仅含水量增加，岩性由坚硬变为软塑状，但岩石的矿物化学成分并未发生变化，粘粒含量也未增加，这是岩石发生软化的标志，而并没有产生泥化。这里矿物的化学成分变化、粘粒含量的增加是区分泥化和软化的重要标志，也是鉴别岩层泥化的重要标志。软弱岩层或软岩泥化主要是水岩之间水文地球化学作用的产物。在地下水的作用下，岩石中的元素发生了迁移和富集，原岩结构被破坏而产生泥化，次生矿物的形成既可以是原岩的活化，也可以是矿物演化或从溶液中沉淀结晶而成。

从广义上看，可将软弱夹层泥化认为是岩石化学风化作用的产物。化学风化是指在地下水作用下，由于化学和物理化学因素（作用），使组成岩石的矿物发生分解，直到形成在表生环境中稳定的新的矿物组合。表生环境中，在氧、二氧化碳和有机酸等的参与下，加快了矿物的分解速度，其结果是使矿物中大部分被溶解的元素转移到地下水溶液中，或水溶液中部分元素与矿物中难溶或残留组分相互作用形成新矿物，这样软弱夹层部分或全部被分解破坏，形成泥化层。

表生环境中，水岩之间相互作用常见的化学和物理化学作用有：水解和水合作用、酸碱作用、氧化还原作用、胶融和胶凝作用。

1. 水解和水合作用

岩石中所含的盐类按其在蒸馏水中的溶解度大小可分为五类：

(1) 易溶盐。溶解度大于 2 g/L，包括钾、钠的化合物等。由于其溶解性，可使地下水化学成分发生明显变化，如在含易溶盐的红层地下水化学成分中，Cl^- 含量每升可达几克甚至几十克。

(2) 中溶盐。溶解度在 2～0.1 g/L 之间，包括钙、镁卤化物，硫酸盐等。

(3) 难溶盐。溶解度在 0.1～0.01 g/L 之间，包括钙、镁碳酸盐等。

(4) 最难溶盐。溶解度小于 0.01 g/L，包括铝硅酸盐等。

(5) 不溶盐。包括三价铁、铝氢氧化物。

水解作用为各种化学反应的首位。水解是由水电离产生 H^+ 和 OH^-，与矿物离子间发生交换反应。碳酸钙的水解作用是碳酸盐溶解时最普遍出现的，其反应式为

$$2CaCO_3 + 2H_2O \Longrightarrow Ca(OH)_2 + Ca(HCO_3)_2$$

硅酸盐的水解作用是自然界最普遍的反应，同时也是矿物深度化学破坏的一种最普遍的过程，其一般反应式为

$$MeSiAlO_n + H^+OH^- \Longrightarrow Me^+OH + [Si(OH_{0\sim4})_n + Al(OH)_6]_n^{3-}$$

其中 Me 代表阳离子，被置换出的矿物中的钾、钠、钙、镁等阳离子则进入水溶液随水带

走。

由于水的离解常数很小，$K = 1 \times 10^{-14}$（25 ℃），故碳酸盐和铝硅酸盐矿物的水解作用都极其缓慢地进行，然而其结果可造成水溶液的碱性化和强碱化。据 B·A 柯夫达的资料，在接近于原生矿物颗粒表面，由于铝硅酸盐的水解和形成的微量碱性溶解（KOH 或 NaOH 等类型），实际的反应可能是强碱性，pH = 9~10（有时可达 11）。

水合作用是水分子结合到矿物晶格中的过程，如硬石膏、赤铁矿的水合作用

$$CaSO_4 + 2H_2O \Longrightarrow CaSO_4 \cdot 2H_2O$$
（硬石膏）　　　　　　　　（石膏）

$$Fe_2O_3 + n\,H_2O \Longrightarrow Fe_2O_3 \cdot n\,H_2O$$
（赤铁矿）　　　　　　　（水赤铁矿）

水合作用常常使岩石体积增加。

2. 酸碱作用

表生环境中，生物及生物化学因素对化学反应有着重要的影响，可以这样说，生物化学反映本身就是化学反应的一部分，如有机质分解产生 CO_2 和有机酸，CO_2 与水结合形成碳酸，它是决定表生环境中介质 pH 值的主要因素。在碳酸的参与下，弱碳酸水与矿物水解时出现的低浓度碱性溶液中和，加速了矿物的水解速度，并伴随出现碳酸盐化，其结果使矿物部分地或全部地溶解，含于其中的金属元素则变为碳酸盐

$$CO_2 + 2H_2O \Longrightarrow H_2CO_3$$

$$CaCO_3 + H_2CO_3 \Longrightarrow Ca(HCO_3)_2$$

$$4KAlSi_3O_8 + 2\,H_2CO_3 + 2H_2O \longrightarrow Al_4(Si_4O_{10})(OH)_8 + 8SiO_2 + 2K_2CO_3$$
（钾长石）　　　　　　　　　　　　　　（高岭石）　　　　（胶体）　（碳酸盐）

由于碳酸的一级离解常数（$K = 4.2 \times 10^{-7}$）远大于水的离解常数，故碳酸的加入使矿物的水解速度明显加快。天然水中溶解的 CO_2 愈多，碳酸盐和二氧化硅愈易从矿物中解离，其迁移强度也越大。碳酸盐解离称为碳酸盐化。在湿润炎热气候环境中，茂盛的植被极有利于有机质的分解，地下水中 CO_2 含量越丰富，因而碳酸盐化是急剧进行的。

溶液的碱性化可造成碳酸盐的聚积和沉淀，称之为脱碳酸盐化，在碱性环境下不利于碳酸盐矿物的水解。

环境酸碱性的不同，岩石风化（或泥化）后造成的次生粘土矿物也不同，在酸性环境形成的次生粘土矿物，主要是指具有较小的 $SiO_2 : Al_2O_3$ 比率的矿物，如 1:1 的高岭石，或甚至没有 SiO_2 的一水软铝石。在碱性或中性环境中产生的次生粘土矿物，主要是具有较大 $SiO_2 : Al_2O_3$ 比率的矿物，如 2:1 的蒙脱石、伊利石。

3. 氧化还原作用

氧化还原反应是表生环境中重要的物理化学反应。在火成岩等结晶岩中，或在还原环境下形成的沉积岩中，铁、锰等变价元素和化合物一般是处在还原状态，以低价状态存在，岩石或矿物的颜色也多为浅蓝和浅绿色，这些岩层（体）出露地表后，与空气中或地下水中的氧作用可使大部分铁、锰和其他变价元素，从低价态向高价态转变，岩石和矿物的颜色随之变为黄色、橙黄或红色，岩石或矿物的结构也随之改变。表生环境中氧化过程基本都是放热过程。

4. 脱硅和复硅作用

硅是组成矿物岩石的基本元素，硅的迁移和富集是决定软岩泥化和次生矿物演化的重

要标志。在基岩裂隙水中，一般含溶解状态的 SiO_2 约 $10 \sim 50$ mg/L，在湿润热带，岩石中所析出的 SiO_2 可占岩石原含量的 $80\% \sim 90\%$。

习惯上人们总是把石英作为风化过程中最稳定的矿物，其实不然，无论晶质或非晶质二氧化硅，如石英和蛋白石，它们的地球化学特征是在强碱介质中溶解度剧增。晶质石英在碱质溶液（富钾或钠）中可以被溶解，反应式如下

$$SiO_2 + 2NaOH = Na_2SiO_3 + H_2O$$
（石英）

二氧化硅从岩石和矿物中的析出称之为脱硅过程和脱硅作用。在炎热、湿润的热带、亚热带气候条件下，二氧化硅析出特别强烈。在干旱气候环境中的二氧化硅的积累特别明显，地下径流缓慢的条件下，地下水中的二氧化硅由于浓度的增加而沉淀，称之为复硅过程和复硅作用。环境的改变或由于脱硅和复硅过程的转变，亦引起水铝英石、蒙脱石、伊利石、高岭石等次生矿物的演化（见图6-10）。

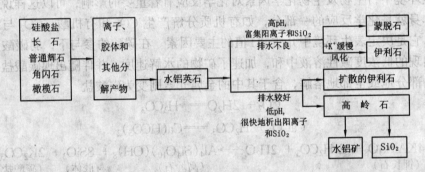

图6-10　粘土矿物的形成与演化

5. 胶溶和胶凝作用

表生环境广泛发育胶态体系（粒径 $10^{-3} \sim 10^{-6}$ mm），其最突出的地球化学意义在于胶体使难于迁移的元素可以呈胶态活动搬运。这是由于胶体质点带电荷，使它具有离子的性质，处于水溶液中活动，如 SiO_2、Fe_2O_3 等胶体。由于胶体带电荷，相同成分的胶体质点具有相同电荷，质点间相互排斥，保持分散体系的稳定性。不同成分的胶体如带相反的电荷，两种介质相互吸引，导致胶体的凝聚，即胶凝作用。胶体溶液中加入大量强电解质，或由于氧化还原环境的改变，胶体浓度的增大等原因均可促进胶粒凝聚。软弱岩层泥化过程中，新生的粘土矿物的形成，胶体的凝聚是其中的主要方式之一（其他如矿物演化等），如当带负电荷的 SiO_2 和带正电荷的 Al_2O_3 胶体相互接触时，在相互凝聚过程中发生中和，产生非晶质的水铝英石，反应式如下

$$\boxed{SiO_2 \cdot nH_2O} + \boxed{Al_2O_3 \cdot nH_2O} \rightarrow \boxed{H_2Al_2Si_2O_8 \cdot nH_2O}$$
（水铝英石）

水铝英石进一步结晶，则形成新生的次生粘土矿物，随着结晶环境的不同，可形成不同的粘土矿物。

（二）坝址环境下的软岩泥化

坝址环境下，软岩（包括软弱夹层）的泥化将危及大坝的稳定与安全，一直是工程地质人员所关心的问题。为防止坝基软岩泥化的进一步发展，在坝址勘察阶段就进行了现场和室内的渗水和浸泡试验，以预报坝址环境下软岩泥化发展的可能性。

国内外许多坝址试验结果都表明：软岩在水浸泡和水动力作用下是存在泥化的可能性的，这与渗流速度密切相关，在缓慢的渗流条件下，地下水中元素迁移也是缓慢的，要使软岩泥化必须经过相当长的历史过程。大量的水电站坝基处理资料调查也表明，透水性不大的软岩是不易产生渗透破坏的，但条件的改变如渗透压力和渗透速度较大、水质的变化（如酸性化）等，都可能导致坝基软岩泥化的发展。

坝址环境水作用下软岩泥化的标志目前没有明确的规定，从软岩泥化的基本过程看，下列三方面可作为坝基软岩泥化的基本准则：

（1）坝基水质和析出物的化学成分特征。软岩泥化必然导致岩石的化学、矿物成分发生变化，因此，首先要表现在坝基水质和析出物成分的变化上。

如安徽陈村水电站坝基断层发育，位于断层带附近的排水孔口常有黑色胶状析出物排出，曾怀疑是断层构造岩泥化的产物，但经化学分析，黑色析出物的主要成分为 MnO_2，硅、铝甚少（不到 10%），而断层构造岩和泥化物成分主要是硅、铝成分（80% 以上），因此，可以说黑色胶状析出物的形成与断层泥化关系不大，并非断层构造岩泥化扩展的迹象。

（2）岩性的变化。即岩石由硬变软，呈塑泥状，含水量增加，表现在坝基排水孔孔壁坍塌，孔内淤塞；钻井过程中出现软泥等。

（3）软岩物理力学性质的改变。表现在软岩强度变弱，声波波速及弹性模量也相应减小，地震波波速出现低速带。在勘察方法上，可通过坝基水质及析出物成分的系统定期分析、物探（如地震波）测试及勘探取样等手段。

坝址环境下要查明泥化层的分布规律难度较大，需要采用多种测试手段进行综合分析研究。在勘察过程中，还要排除人为或施工的影响。如位于甘肃兰州附近黄河上的盐锅峡水电站为混凝土宽缝重力坝，坝高 57.0 m，坝基岩层为白垩纪红色岩层。在坝基钻探过程中，曾有多处红色粘土质粉砂岩"泥化"的发现，由于坝基岩层产状平缓，且微向下游倾斜，泥化层的存在将严重威胁大坝的稳定与安全，后经开挖竖井验证，竟无一处岩层发生泥化，究其原因是钻井过程中循环水作用与钻具作用力造成的假象。

安徽纪村水电站坝基软岩泥化就是一个很好的实例。安徽纪村水电站为一引水式电站。挡水建筑物河床部位为混凝土重力坝，两侧以均质土坝与两岸相接，坝高 22.5 m。坝基岩层为白垩系红层，岩性以紫红色粘土质粉砂岩为主，间夹灰白色疏松中粗粒长石砂岩和砂砾岩。紫红色粘土质粉砂岩胶结物以碳酸钙为主，岩石光性鉴定成果表明：粉砂岩碳酸盐含量占 40%～60%，化学成分分析 CaO 含量达 14.8%～17.5%，颗粒级配以细砂和粉砂为主，粘粒含量次之，粘土矿物经 x 射线衍射分析，是以伊利石为主，蒙脱石含量在 30% 左右。由于蒙脱石矿物具有亲水性强、分散性高、胀缩性大、晶格具活动性等特征，水溶液将会对红层物性变化起重要作用。在纪村大坝上游渠道内约 900 m 处，有一黄铁矿矿化带，水质受此影响甚大，在低水头和停机不发电时，库水呈强酸性，水的 pH 值为 2.9～3.0，水质类型为 SO_4—Ca·Mg 型水，显然这是黄铁矿氧化水解的结果。当酸性水渗入时，坝基红层将受到侵蚀破坏，但原设计勘测工作深度不够，对红层坝基遭受破坏的机理认识不足，没有采取切实有效的防渗措施，仅在坝前设置 6 m 长的水平铺盖。1977年 5 月蓄水发电，同年 9 月在 7# 坝段坝址钻射倒垂孔时，发现孔深 12 m 处有集中渗漏，最大渗漏量达 1 000 ml/min，1987 年该孔实测扬压力水头超过设计值的 4.9 倍，1979 年超过设计值的 5.8 倍；$7^{\#}$ 和 $8^{\#}$ 坝段地基红层软化、泥化严重。

纪村水电站部分混凝土坝基泥化的标志为：

（1）水质变化，水中 Ca^{2+} 含量明显增加，可达 $100\sim200\ ml/L$，这是酸性、弱酸性水作用下红层中碳酸盐胶结物溶蚀的结果

$$CaCO_3 + H_2O + CO_2 = Ca^{2+} + 2HCO_3^-$$

（2）钻孔检查，坝基 41 个地质孔中，有 30 个发现有泥化点 77 个。$7^{\#}$ 坝段斜孔注水时，$8^{\#}$ 坝段廊道排水孔见喷水高 50 cm 的紫红色泥浆。

（3）钻孔穿透测试，部分软岩处纵波波速出现低速带（小于 2 500 m/s）6 处，其中最小值 $v_p = 1\ 250$ m/s。

（4）坝基存在强渗漏带、扬压力超值，以及部分排水孔渗流量加大。

坝基岩层这一系列的恶化迹象表明，坝基抗剪能力显著降低，抗滑稳定性受到严重影响，大坝已失去正常挡水运行能力，应及时进行补强加固，否则将会造成更严重的经济和社会损失。首先在坝基恶化区域进行丙凝和水泥灌浆，其次进行永久补强加固。

纪村水电站坝基永久补强加固是采用"以堵为主，以排为辅，全面设防"的原则，尽量封堵渗水入口和延长渗径，以减少渗水和降低渗流速度。因此，在混凝土坝段坝前增加垂直防渗墙；延长水平铺盖以及铺盖下增设排水廊道（见图 6-11），排水廊道底部设垂直

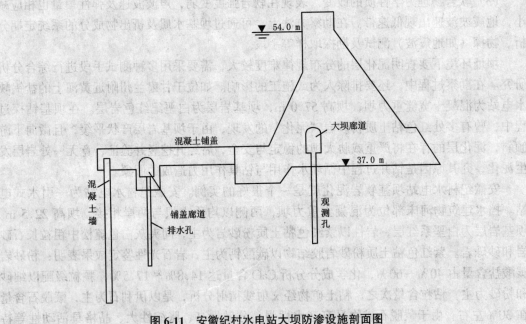

图 6-11 安徽纪村水电站大坝防渗设施剖面图

排水孔，以排出绕过和透过防渗墙的渗水。在两侧土坝段，由垂直防渗墙和土坝上游表面的斜墙组成。经过这一系列补强加固措施后，大坝混凝土坝段坝基渗流已得到控制，坝体安全度提高。表现在扬压力降低，除 $8^{\#}$ 坝段一个孔受左侧土坝影响而扬压力偏高外，其余均已降至设计标准以下；大坝坝基渗流量已降为零。这说明原来导致渗水进入这些坝段基础的强渗透带，已在坝基范围以外得到有效的处理；原稳定性最差的 $7^{\#}$ 坝段，再次进行抗滑稳定复核计算，抗滑稳定安全系数 k_c 为 1.53（基本组合）和 1.31（特殊组合），

均满足规范要求。

第二节　库区环境工程地质问题

一、概述

新中国成立以来，随着我国水利水电事业的发展，在一些山区和平原区兴建了86 400多座水库，这些水库为国民经济建设和农业发展起了巨大作用，并取得了显著效益。但由于兴建水库，使其周围的自然环境条件发生明显改变，甚至引起灾害，如湖南的柘溪水库、浙江的黄坛口等工程，曾因塌方和滑坡形成地质灾害和人身事故，影响了工程的进度，造成了巨大的损失。

总结国内外一些水利水电工程资料，因兴建水库和水利设施引发的地质问题有：①由于水库蓄水，会使库内一些城区和居民点、古迹、文物、工矿企业、铁路、公路和其他一些重要建筑物以及大片农田、森林等受到"淹没"。②由于水库蓄水会使两岸地下水位抬高，使一些地区发生"浸没"，甚至地上建筑物也受到危害，有些地区甚至发生沼泽化、盐渍化，导致农作物无法种植、土地荒芜、工矿企业排水困难。在低洼地区会引起土地充水、沼泽化、盐渍化或地下水淹没。③水库存在严重"渗漏"，会影响水利枢纽正常运行。④当水库受到冲刷和侵蚀会引起"库岸再造"，有些地段形成滑坡、崩塌和冲蚀。在有古滑坡存在条件下会发生"复活"。⑤水库淤积，库容体积减小，使农业、航运、渔业条件恶化，自然环境条件受到影响。⑥泥炭层、垃圾场以及工厂污水废料排放到水库使水库水质变坏，卫生条件变差，导致生活用水、灌溉用水受到污染，引发一些疾病。⑦有的水库会产生水库诱发地震。

治理以上水库环境工程地质问题对国民经济发展，对人类生存条件，有着十分重要的意义。

二、库岸失稳与淤积问题

（一）库岸失稳

库岸稳定性研究，包括由于库水等人为因素诱发的库岸滑坡、崩坍、塌岸等变形破坏问题。

1. 水库塌岸、滑坡的危害

意大利瓦依昂水库滑坡，是一个惨痛的例证。该水库坝高262 m，为当时世界上最高的双曲拱坝。在勘测和施工过程中，早已发现库内紧靠左坝肩山体有变形迹象，但直到大坝建成以后，仍未对稳定性和发展趋势作出明确判断。水库蓄水后（1963年10月9日），该山体突然以高达25～30 m/s的速度沿层面下滑，约2.7亿 m³ 土石淤填库内，激起的涌浪高出坝顶100余 m，库水奔腾而下，摧毁了下游3 km处的一村庄，造成近3 000人丧生，使整个水库也变成"石库"。在国内，湖南柘溪水库塘岩光滑坡也造成巨大损失。水库蓄水仅18 d，由前震旦系砂岩夹板岩组成的该处岩体，有165万 m³ 的土石突然滑落库内，形成高达21 m的涌浪，造成人员重大伤亡。湖南凤滩大坝附近左岸刺桐溪，于1977年4月16日发生了20万 m³ 的滑坡。乌江渡水电站库岸的大、小黄崖不稳定岩体，也曾发生变形，后经处理，有效控制了变形，并使其趋于稳定。

水库岸坡崩滑不仅表现为直接破坏，而且能造成间接损失，这种间接损失有时甚至比直接破坏造成的损失更为严重，影响范围更大，特别是崩滑激起的涌浪破坏，常十分惨重。水库岸坡崩滑往往造成废库，损失库容，对施工形成严重威胁，碍航，威胁大坝安全，等等。对水库岸坡的稳定问题千万不可掉以轻心，稍有不慎，即造成不可估量的损失。因此，对水库岸坡稳定性的勘测研究、预测和治理，是一项不可忽视的紧迫任务。

2. 库岸失稳的类型

库岸是有别于一般人工边坡、自然斜坡的一种特定斜坡，甚至和湖岸、海岸也不尽相同。它伴随水库的兴建而出现，受水库及其水位变化的影响，导致其稳定状态具有独特的性质。

库岸失稳，一般可分为两大类问题：

(1) 小型缓慢岸坡坍蚀，包括传统工程地质研究的库岸再造；

(2) 大型崩滑破坏，这类失稳形式对水库环境影响重大，是本学科的重点研究对象。

根据国内外已建水库，其具体塌岸类型列于表6-7、表6-8中。

表 6-7　水库坍岸类型

类	型	坍 滑 特 征	规模及方式	工程名称
松散层	黄土坍岸	黄土浸水湿陷，坡脚失去稳定	层层坍落范围大	三门峡、官厅
	崩坡积层	基岩界面倾向河床，上有松软带，水浸后各层透水性不一，孔隙压力增大，排水慢，坡脚冲淘，基岩面以上或粘土夹层以上能维持稳定	范围大	风滩
	湖相沉积	库岩陡峻，岩层松散，平缓层面有细颗粒夹层	范围大	龙羊峡
	古滑坡复活	水库水位渗入滑动面，降低摩擦系数	突发性	黄龙滩
基岩	顺层滑坡	千枚岩、页岩，层面倾向河床15～35°，有利于滑动的软弱夹层	规模较大	柘溪、刘家峡
	切层滑坡	断裂发育的岩体中，有组合成倾向河床的不利结构体	大小不一	瓦依昂
	断裂破碎带坍滑	岩体破碎，水库蓄水后强度降低不能维持原状	局部	费尔泽
	古滑坡复活	山坡较陡，水库渗入滑动面后，已稳定的老滑坡复活	较大	碧口、宝珠寺
	蠕动带	卸荷带软弱岩体裂隙张开，岩层变位，蓄水后不能维持原来稳定	变形缓慢规模小	安康

从表6-7和表6-8可以看出，库岸常见的破坏形式有：塌岸、滑坡和岩崩。水库塌岸还可分为两种类型：一种是由于水库蓄水，岸坡产生整体性滑坡，一般规模较大，可危及建筑物的稳定，并危及到下游安全；另一种为松散堆积物组成的岸坡，由于蓄水和风浪影响造成塌岸，一般范围较小。

在此必须强调的是近坝库岸的稳定问题。在距大坝 1～3 km 范围内，库岸稳定性对

表 6-8　国外水库滑坡实例

国名	工程名	坝型	坝高 (m)	总库容 (亿 m³)	建设年代	库岩地质情况	滑坡情况 时间	滑坡情况 方量 (万 m³)	距坝址 (km)	涌浪 (坝址处)(m)
意大利	瓦依昂	双曲拱	262	1.65	1960 年建成	滑前位移从 1.43 mm/d 逐渐加大滑速 28 m/s	1963-10-09	28 000	紧靠坝	250(100)
意大利	庞特塞	双曲拱	93	0.1	1957 年蓄水	灰岩强烈破碎	1959-03-22	300	0.5	20(5)
苏联	契尔盖依	拱	233	2.78		施工过程遇 7.5~8.5 级地震产生多处小型滑坡	1970-05-14	300	1.0	
阿根廷	埃尔—卡迪拉尔	拱	85	3	1966 年蓄水	岸坡失稳,已作处理	古滑坡复活蠕动型			
墨西哥	桑塔—罗查	拱	13	0.15	1937 年蓄水	火山凝灰岩、流纹岩,有古滑坡,蓄水后位移 50 cm/a,以后逐渐减小,未作处理				
日	奈川渡	拱	155	1.23	1969 年	二叠系砂岩和泥质板岩有区域性断层,岩石破碎	25 处滑坡体,高度 >20 m,最大 200 m			
日	鸣子	拱	94.5	0.5	1957 年蓄水	第三系凝灰岩岸坡积层,后用钢桩处理	1957-04 1964-10	80 (长 100 m)		
日	鹿野川	重力	61	0.48	1959 年蓄水	砂页岩	多次滑坍			
日	石渕	土	53	0.16	1952 年蓄水	新第三系砂岩,凝灰岩覆盖粉土和粘土	蓄水后失稳			
日	一濑	拱	130	2.6	1963 年蓄水	白垩系砂岩和泥质板岩,上覆坡积层	蓄水后多次坡积层滑坡			
日	上椎叶	拱	110	0.9	1955 年蓄水	下白垩系奈砂岩和泥质板岩,上有火山凝灰岩	蓄水后多处风化岩层滑坡			
苏联	托克托古尔	重力拱	215	1.4	1974 年	灰岩山高 1 500~1 800 m,边坡 65~80°,断裂发育,剪切卸荷,地震强烈(9~10 度)	1946-11	500~600		形成天然水库
奥地利	界伯奇	心墙堆石	153	1.4	1964~1966 年	古滑坡复活	1964-08	2 000		0.2 m
波兰	特列斯纳	土	39	1.02	1965 年	上白垩系薄层砂页岩,位移 1 cm/d	1960-11	10		

127

大坝的安全有直接影响，如龙羊峡的近坝库区滑坡主要有六处（见表6-9），直接影响大坝的建设和安全。

表 6-9 龙羊峡近坝库区滑坡

滑坡名称	长 (m)	宽 (m)	厚 (m)	方量 (亿 m³)	地 质 情 况	距坝址 (km)	滑 坡 情 况
查纳	3 000	2 000	20～80	15～20	堆积物、滑坡面在粘性土中，呈圆弧形，破裂壁为砂土及砂质粘土	6	垂直滑距为300 m，水平滑距500 m，土层结构破坏
磨坊	450	300	30～40	0.3	滑动面在黄色粘土中	4	垂直滑距120 m，水平滑距大于100 m，土层结构破坏，大部分滑坡物质被河冲走，洞穴发育
龙羊	1 000	600		3	滑动面40～80 m，最大100 m，滑面近水平，厚1～6 cm，塑性粘土，挤压、光面有擦痕	3.3	垂直滑距200 m，水平滑距大于500 m，大都被黄河搬运新复活的小型蠕动，属切层滑坡
龙西	250	350	10～30	0.165	堆积层上部切层，前缘近水平	3.8	垂直滑距100 m，水平滑距大于100 m，大量竖井，环状裂缝，张开20～50 cm，延伸50～150 m，正在发展
农场	400	450	20～40	0.4	滑面圆柱面，为龙羊滑坡东侧外滑坡	2.8	
2#沟	250	420	30～50	0.4	滑带宽20～50 cm，较疏松土块，粘土层1～6 cm，挤压紧密成薄片，有擦痕	2.6	垂直滑距75 m，水平滑距100 m，有竖井洞穴

3. 库岸失稳的人为影响因素

水库塌岸的影响因素很多，一种划分为自然因素和人为因素；另一种划分为内在因素和外在因素。人为因素和自然因素的一部分属于外在因素。人为因素是本学科研究的重点。

自然因素有库岸地形地貌、水文、气象、地层岩性和地质构造等。库岸愈是高陡，则塌岸愈严重；弯曲的库岸较平直易发生塌岸；凸形坡较凹形坡塌岸更严重些。岩土的类型和工程地质性质不同，塌岸的宽度和速度是不相同的，一般由坚硬岩石组成的库岸地段，稳定坡角较大，不易发生塌岸，而松散软土组成的库岸除卵砾石外，所形成的库岸坡度较小，塌岸较严重。其中尤以黄土类土和砂土库岸更严重。

建库兴坝，叠加在库岸斜坡上的人为因素，即水库地质作用是比较复杂和特殊的，它使得库岸的演变过程在形成机制上更具有难解性和复杂性。归纳起来，这些因素主要是：

1）库水的地质作用

就对库岸的地质作用而言，包括改变库岸外表型态的浪蚀作用、引起库岸岩土体物理力学性质发生变化的库水浸泡作用、引起岸坡地质体渗流场发生改变的库水渗透作用以及库水的静水压力和浮托力作用等。

2）人类以及其他经济活动的作用

在库岸区，人类经济活动将出现结构性调整，对库岸稳定发生间接影响，包括农村居民密度增大、生产生活负荷增加，环境容量不足，加紧在斜坡地带的垦殖等开发活动；旧城镇的迁移改造和新城镇的建立、交通网络的改造与发展、码头的重建与发展等，均可能引起斜坡地质环境质量和容量发生矛盾的情况，影响库岸的稳定。

3）兴库使气候环境发生变化，从而影响库岸的稳定

由于建库，库区的水热条件发生变化，污染作用将增加，可改变斜坡岩土体的水理、物理性质，促使库岸局部泥石流的活动。

4. 库岸稳定性的分析研究

斜坡的形成、演变和消亡是自然界的一种普遍规律。这种现象与人类工程—经济活动关系密切，主要体现在其演变过程对人类工程—经济活动的制约，在时空方面具有普遍性、频繁性；在程度上具有危害性；在形成机制上具有难解性和复杂性。

自然斜坡，既是漫长地质作用的产物，又是永恒的地质作用的不断演化。水库的兴建，对库岸斜坡叠加了以库水作用为主的人类地质作用，致使地质作用系统发生"突然"变化、自然斜坡转化为库岸，在新的环境中不断进行调整，趋于新的动态平衡，使问题更加复杂。所叠加的人类地质作用，主要是加速库岸斜坡的演变、失稳以致破坏。因此，对库岸稳定性的分析研究，要在弄清地质背景的条件下，对库岸的稳定状态进行分类，然后着重预测其在建库后的发展趋势，对可能失稳破坏的库段及其危害性进行评价，为充分保护和合理利用库岸提供依据。由于库岸一旦出现大规模失稳破坏，非人力所能抗拒，故在分析研究中，预测具有最实际的意义。

5. 库岸失稳的预测

预测水库塌岸的目的是：定量地估计水库建成蓄水后塌岸的范围，某一库岸地段塌岸宽度和速度，某一期限内和最终的塌岸宽度，以及形成最终塌岸宽度所需的年限，以便采取防治措施。

完全、准确预测塌岸规律和其塌岸速度、宽度是十分困难的。20世纪50～60年代常用的预测方法是苏联的Е·Г·卡丘金法、卓洛塔廖夫图解法等。

目前，对库岸稳定性能的研究大体依次分为：进行宏观地质判断、静态系统分析、动态系统分析和失稳预报。

1）地质判断

主要是对库岸进行工程地质条件分段，并进行分段稳态论证；对可能失稳库段，进行详细论证，分段论证，强调采用规范化格式。

2）动态系统分析

在查清边界条件和相应计算参数的基础之上，建立稳态分析计算式。

要强调的是，通常采用的方法是计算在确定边界条件和计算参数前提下的安全系数，并以此为依据判断库段的稳态。事实上，边界条件与计算参数并非都是完全稳定的，因此安全系数有一个置信度或可靠度的问题。所以，还要讨论边界条件与计算参数选择中的随机性与由此而得到的指标（安全系数）的可靠度问题，也就是要进行静态系统的概率论分析。

3）动态系统分析

主要有三个方面的内容：

（1）统计分析影响边坡稳定主要因素的历史演变过程。主要因数是指参数、作用荷重

等，这一分析称为对各概率变量的概率过程分析。

（2）以概率模型为依据确定系统类型（如非赘余系统、赘余系统）和各种因素同岸坡稳态间的结合关系（如串联、并联和串并混合联），从中选出非赘余系统（只要一个组成部分变化，即可导致系统破坏的系统）和串联系统，以及该系统的主要成分（如 f 值和动、静水压力），然后将监测的重点放在这些主要成分上。

（3）据累积变形量曲线的梯度变化趋势，确定中、短期预报起始时间。

4）库岸失稳时间预报

水库岸坡的大型滑坡并非防不胜防，因为滑坡发生前有其征兆，如岸坡变形、沉陷甚至裂缝等现象常常是很明显的。能捕捉到前兆，掌握趋势，就有可能进行预报。

开展库岸稳态的原位监测，掌握水库岸坡变形特征，以便及时采取预防和整治措施，是环境工程地质学的重要课题，有效地监测和完善的成果，是预防与治理的基础。

（二）水库淤积

对水利工程来说，流域管理中受到广泛关注的是水库淤积问题。它是一个全球性的工程问题。但这个问题因国家和地区不同会有所区别。世界上任何一条河流都挟带泥沙。表6-10 中列出了世界上一些河流的含沙情况。

从表6-10 中可以看出，河流含沙率（沙体积与含沙河水体积之比）最高的是我国的黄河，含沙率为 2.20%，最低的是扎伊尔河，含沙率为 0.003 4%。由于修建水库蓄水必然使泥沙在水库中淤积，引起水库及其周围环境改变以及水库使用寿命缩短。

表 6-10　世界上一些河流的泥沙情况统计表

河　流	国　家	流域面积 (10^6 km^2)	径流深 (cm)	输沙模数 (t/km^2)	含沙率 (1/10^6)
黄河	中国	0.77	6	1 403	22 041
长江	中国	1.94	46	246	531
湄公河	越南	0.79	59	203	340
恒河/布拉马普特拉河	孟加拉	1.48	66	1 128	1 720
印度斯河	巴基斯坦	0.97	25	454	1 849
底格里斯/幼发拉底河	伊拉克	1.05	4	50	1 152
黑龙江	中国、苏联	1.85	18	28	160
尼日尔河	尼日利亚	1.21	16	33	208
尼罗河	埃及	2.96	1	38	3 700
扎伊尔河	扎伊尔	3.82	33	11	34
密西西比河	美国	3.27	18	107	602
亚马孙河	巴西	6.15	102	146	143
奥里诺科河	委内瑞拉	0.99	111	212	191

1．水库淤积问题实例

在我国西北、华北地区，水库淤积速度是惊人的。黄河是举世闻名的多沙河流，古人以"黄水一石（等于 10 斗），含泥六斗"来描述黄河的多沙状况。根据 1919~1985 年 66 a 资料统计，平均含沙量约 33.6 kg/m^3，居世界河流之冠。黄河泥沙主要来自洪水期，不同地区来的洪水含沙量差别很大，黄河泥砂 90% 来自中游的黄土高原。1977 年 8 月发生的高含沙量洪水，三门峡站和小浪底站的最大含沙量分别达到 911 kg/m³ 和 941 kg/m³，这是有水文记载以来的最高记录。

黄河多年平均进入下游的泥沙约 16 亿 t，其中 1/4 输入深海，有 1/2 堆积在河口三角洲，其余 1/4 约 4 亿吨淤在下游河道内。年复一年，河床不断抬高，形成举世闻名的地上"悬河"。河床高出两岸地面 3～5 m，京广铁路桥附近，河床平均高度高出新乡市地面 23 m，黑岗口河床平均高度高出开封市地面 11 m，这种形势对防洪极为不利。在黄河下游河道淤积抬高的过程中，有时也有冲刷。河道的冲淤，随来水来沙情况的不同而变。在水多沙少年份，河道发生冲刷；而在水少沙多的年份，则发生淤积。三门峡水库建成投入运用后，由于水库控制了黄河下游来水量的 89%，控制来沙量的 98%，所以三门峡水库的运行方式及下泄水沙情况，对下游河道的冲淤及冲淤的部位起着决定性作用。

表 6-11 记载了我国 20 座水库淤积统计资料。不难看出在不到 14 a 内，20 座水库平均库容损失率为 31.3%，年平均损失率为 2.26%，相当于美国水库淤积速度的 3.2 倍。

表 6-11　中国 20 座水库的淤积情况

序号	水库名称	河流	控制面积（km²）	坝高（m）	设计库容（亿 m³）	统计年限	总淤积量（亿 m³）	淤积量占库容的百分数（%）	备注
1	刘家峡	黄河	181 700	147	57.2	1968～1978	5.8	10.1	
2	盐锅峡	黄河	182 800	57	2.2	1961～1978	1.6	72.7	
3	八盘峡	黄河	204 700	43	0.47	1975～1977	0.18	38.3	
4	青铜峡	黄河	285 000	42.7	6.20	1966～1977	4.85	78.2	
5	三盛公	黄河	314 000	闸坝式	0.8	1961～1977	0.40	50	
6	天桥	黄河	388 000	42	0.68	1976～1978	0.075	11	
7	三门峡	黄河	688 421	106	96.4	1960～1978	37.6	39	335 m 水位时
8	巴家嘴	蒲河	3 522	74	5.25	1960～1978	1.94	37	
9	冯家山	千河	3 232	73	3.89	1974～1978	0.23	5.9	
10	黑松林	冶峪河	370	45.5	0.086	1961～1977	0.034	39.5	
11	汾河	汾河	5 268	60	7.0	1959～1977	2.6	37.1	
12	官厅	永定河	47 600	45	22.7	1953～1977	5.52	24.3	
13	红山	老哈河	24 486	31	25.6	1960～1977	4.75	18.6	
14	闹德海	柳河	4 501	41.5	1.96	1942～1977	0.38	19.4	
15	冶源	弥河	786	23.7	1.68	1959～1972	0.12	7.1	
16	岗南	滹沱河	15 900	63	15.58	1960～1976	2.35	15.1	
17	龚嘴	大渡河	76 400	88	3.51	1967～1978	1.33	37.9	
18	碧口	白龙江	27 600	101	5.21	1976～1978	0.28	5.4	
19	丹江口	汉江	95 217	110	160.5	1968～1974	6.25	3.9	
20	新桥	红柳河	1 327	47	2.0	14 a	1.56	78	

2．水库淤积对环境的影响

水库淤积不仅缩短水库使用寿命，而且会给上下游防洪、灌溉、航运、排涝治碱、工程安全和生态平衡带来影响。在表 6-12 中列举了水库淤积给水库环境带来的影响。

水库的兴建，极大地改变了原河流的水动力条件和河流地质作用，使其侵蚀、搬运和

表 6-12 水库淤积在环境和工程技术上所造成的影响

位 置	问 题	说 明
库区	(1) 损失库容	减少水库兴利效益，缩短水库寿命
	(2) 污染环境	化学物质吸附在泥沙颗粒表面，随泥沙进入水库，通过离子交换，使水库水质日益恶化
	(3) 破坏泄水建筑物，造成水轮机磨损	①粗颗粒泥沙通过水轮机后造成磨损；②高速含沙水流对闸槽和隧洞所造成的磨损；③泥沙堵塞泄水建筑物进口，在需要提门开闸时造成困难
	(4) 影响生态平衡	①悬移质泥沙加多以后，改变了水中溶解氧的含量，影响鱼类正常生长，鱼类的繁殖区和食物供应基地为泥沙所覆盖以后，造成水产量下降；②库周为泥沙淤没并遍长杂草以后，鸟类将不能自浅水湖底取食
	(5) 影响旅游业	三角洲的推进使部分库区丧失旅游价值
水库上游	水库淤积不断向上游延伸	①三角洲尾部段的溯源上延，使水位不断抬高，扩大水库上游的淹没范围和洪水威胁，地下水位的抬升也将产生更多的沼泽地和盐碱地；②进入水库的泥沙量有所减小
水库下游	(1) 水库下游河床的下切	①支汊堵塞，游荡强度减小，河流朝更为稳定的方向发展；②掏刷桥基和沿河工程建筑物的基础，危及建筑物的安全，水位降低将给引水带来困难；③水电站的水头和出力增加，水跃下延有可能超出消力池范围
	(2) 破坏了河岸坍塌和滩地淤长间的平衡	河岸继续坍塌，而滩地淤长速度则因洪峰和含沙量的减小而减缓；导致河槽展宽，甚至影响两岸堤坝的安全
	(3) 洪峰流量减小	①使下游洪水减胁得到缓和；②低水流量的加大和中水持续时间的延长，将有利于航运；③部分河漫滩不再上水，可以开垦利用；④如水库长期不泄放较大洪水，将使下游河槽内草木丛生，妨碍设计洪水的正常通过；⑤有可能在支流汇口的下游造成淤积
	(4) 对生态和农作物生长的影响	①冲泻质的减少，意味着水中肥分的下降，影响灌溉质量；②部分浮游物质被水库拦截，影响河口地区渔场；③水库下游水温变化幅度减小，有利于浮游生物和生活在河底部分的水生物的生长

沉积作用发生大幅度的变化，并在自我调整中取得新的动态平衡。其间，库内沉积作用加剧，将影响水库的寿命、航运（包括航道和港口）的通畅、库尾的洪水位等；在坝下游，由于清水下泄，冲刷作用增强，底蚀显著，河道下切，河流变直，可导致部分河段岸坡稳定性下降，出现裂缝、坍塌等现象，河道还可能出现负比降，影响汛期行洪等。

影响水库淤积的环境因素很多，主要是上游入库的泥沙量（决定于流域上游的地质构造、地形、地貌以及水土保持、水利设施等），库岸地带的崩、滑、流发育状况，水库的形状特征以及水库调度特性等；影响下游河道冲刷的因素，主要是水库的运用特征和河岸性质。

对这一问题的研究，要在查清影响因素，分析、掌握冲淤基本规律的基础上，通过模拟试验、计算，对淤积和冲刷可能带来的种种危害性，进行预测和评价，并提出防治措施。对已建水库，要进行监测。

3．防治水库淤积的措施

防治水库淤积的措施有：在固体径流来源地区开展水土保持、整治冲沟、植树种草、加固库岸不稳定地段等。也可以在水库上游固体径流来源最严重的支流、沟谷上修建拦沙库。此外，修建水库时应设置泄流排沙设施，以减小库内的淤积。

三、水库浸没问题

（一）水库浸没

水库蓄水后水位抬高，引起水库周围地下水壅高。当库岸比较低平，地面高程与水库正常高水位相差不大时，地下水位可能接近甚至高出地面，产生种种不良后果，称为水库浸没。

浸没对滨库地区的工农业生产和居民生活危害甚大，它使农田沼泽化或盐碱化；建筑物的地基强度降低甚至破坏，影响其稳定和正常使用；附近城镇居民无法居住，不得不采取排水措施或迁移他处（见图6-12）。浸没区还能造成附近矿坑渗水，使采矿条件恶化。因此，浸没问题常常影响到水库正常高水位的选择，甚至影响到坝址的选择。

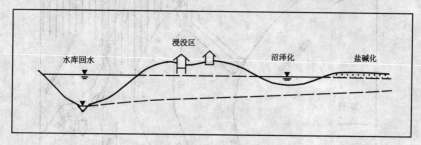

图 6-12　水库回水及浸没示意图

水库的浸没是在一定的环境工程地质条件下发生的，不发生浸没的地段是：①库岸为相对不透水岩土层组成或研究地段与库岸之间有相对不透水层阻隔；②研究地段与库岸间有经常水流的溪沟，其水位等于或高于正常蓄水位时。但在下述环境工程地质条件下将会存在浸没的可能性：①平原型水库的坝下游，顺河坝或围堤的外（背水）侧，特别是在地面高程低于河床的库岸地段；②地下水位埋藏较浅，地表水和地下水排泄不畅，补给量大于排出量的库岸地段，封闭、半封闭洼地或沼泽的边缘地带，盆地型水库边缘与山前洪积扇直接相接的地段或其他地貌过渡带。

对水库的淹没，一般可通过1:10 000～1:50 000地形图来圈定，在图上圈出正常高水位或最高壅水位的尖灭界线。

（二）预防浸没和淹没应采取的工程措施

为了保护一些工程免受浸没和淹没，可以采取一些防护措施。但是在某些环境工程地质条件下，仅借一种措施还难以预防浸没和淹没时，可安置降水和排水设备（见图6-13），修建一些渠道使河水绕过保护区引泄（见图6-14）。

（三）浸没标准问题

所谓浸没标准是指地下水超过城市建筑、工矿企业、道路和各种农作物等的安全埋藏深度。

建筑物的浸没标准等于基础埋置深度加基础下土的毛细管上升高度。农作物的浸没标准是农作物的根系深度（一般不超过0.5 m）加根系下部土的毛细管上升高度。如果壅水后的实际地下水位线还不到浸没水位，则不会产生浸没。

一般将产生浸没的地下水埋藏深度称为地下水临界深度。地下水临界深度与地下水的

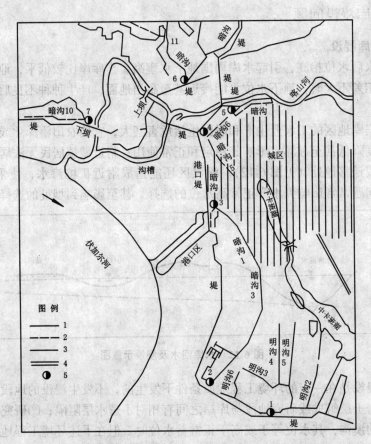

图 6-13　保护喀山城区免遭古比雪夫库水浸没和淹没的工程示意图
1—堤埝；2—暗排水沟网；3—明排水沟网；4—沟槽；5—水泵站

矿化度、岩性有关。矿化度与临界深度关系如表 6-13 所示。部分地区一些土的临界地下水深度值列于表 6-14 中，一些土的毛细管上升高度值列于表 6-15 中。

表 6-13　矿化度与临界深度关系

矿化度（g/L）	2	4	6	10
地下临界深度（m）	2	2.5	3	3.3

（四）浸没预测

一般通过地下水壅高计算预测地下水回水位高程。当回水位高程高于当地临界地下水位时，则认为发生浸没。地下水回水高度计算公式列于表 6-16。

（五）原始资料的选取

1．地下水位

当含水层厚度选得过大，预测回水值就大时，河岸部分地下水位会随河水位的涨落而变化。在计算回水位时，如取偶然一次各孔水位值作为原始浸润曲线，由于这时河水位与地下水流间的稳定平衡状态尚未形成，计算回水值就会出现问题。应选取枯水期水位作为

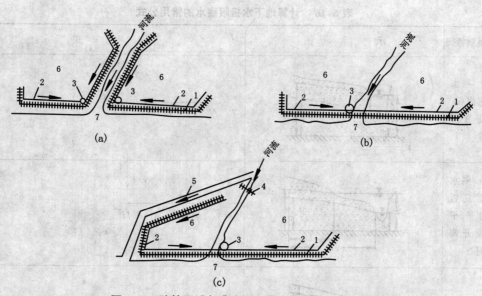

图 6-14 防护区域免遭淹没和浸没的典型工程示意图

1—保护堤埝；2—排水管道；3—水泵站；4—堤坝；5—排水渠道；6—被保护区；7—水库

表 6-14 临界水深经验值

地区	岩 性	矿化度 (g/L)	临界水深 (m)
山东	粉土为主，上部砂土，下部粘土	<3~5（淡水）	2.0
		>3~5（矿质水）	2.2
	上部粘土层，下部砂层	<3~5	1.3
		>3~5	1.5
河南	粉砂—粉土	<2	1.9~2.1
		2~5	2.1~2.3
		5~10	2.3~2.5
	粉土	<2	1.5~1.7
		2~5	1.7~1.9
		5~10	1.9~2.1
	粉质粘土—粘土	<2	0.9~1.1
		2~5	1.1~1.3
		5~10	1.3~1.5
河北	砂	1~3	1.5
	粉砂、粉土	1~3	1.8~2.1
	粉土	1~3	1.0~1.9
	粉质粘土	1~3	1.2~1.4

表 6-15 毛细上升高度参考数值

土 的 名 称	粗砂	中砂	细砂	粉砂	粉土	粘土
毛细上升最大高度（cm）	2~4	12~35	25~250	120~250	300~350	500~600

表 6-16　计算地下水极限壅水的常用公式

水文地质特征		示　意　图	公　　式
无渗入时均质岩层	隔水层底板，陡直河岸		$y = \sqrt{h_2^2 - h_1^2 + H^2}$
	隔水层底板水平，平缓开阔河谷		$y = \sqrt{\dfrac{L'}{L}(h_2^2 - h_1^2) + H^2}$
	隔水层底板倾斜		正　坡 $y = \sqrt{\dfrac{z^2}{4} + H^2 + h_2^2 - h_1^2 + z(h_2 + h_1 - H) - \dfrac{z}{2}}$
			反　坡 $y = \sqrt{\dfrac{z^2}{4} + H^2 + h_2^2 - h_1^2 - z(h_2 + h_1 - H) + \dfrac{z}{2}}$
无渗入时非均质岩层	双层结构水平岩层		$2k_1 M(h_2 - h_1) + k_2(h_2^2 - h_1^2)$ $= 2k_1 M(y - H) + k_2(y^2 - H^2)$
	透水性在水平方面上急剧变化的岩层		$y = \sqrt{h_2^2 - h_1^2 + H^2}$ 　在水平方向急剧变化的岩层中潜水的壅水值与岩层的渗透系数无关
	构造复杂的非均质岩层		$(k_1 h_1 + k_2 h_2)(h_2 - h_1) = (k'_1 H + k'_2 y)(y - H)$ 式中　k_1、k_2——壅水前 I 断面和 II 断面的平均渗透系数； 　　　k'_1、k'_2——壅水后 I 断面和 II 断面的平均渗透系数；

水文地质特征		示　意　图	公　　　式
无渗入时非均质岩层	非均质岩层隔水底板倾斜		正　坡 $$y = \sqrt{\frac{(2H-z)^2}{2} + \frac{k}{k'}L'I(h_1+h_2)} - \frac{z}{2}$$ 反　坡 $$y = \sqrt{\frac{(2H-z)^2}{2} + \frac{k}{k'}L'I(h_1+h_2)} - \frac{z}{2}$$ 式中　I——回水前上下断面间的潜流坡度。 　　断面间的平均渗透系数 k(壅水前)或 k'(壅水后)按下式确定: $$\begin{aligned}k(k') = &[(k'_1 h'_1 + k'_2 h'_2 + \cdots + k'_n h'_n) \\ &+ (k''_1 h''_1 + k''_2 h''_2 + \cdots + k''_n h''_n)] \\ &/[(h'_1 + h'_2 + \cdots + h'_n) + (h''_1 + h''_2 + \cdots + h''_n)]\end{aligned}$$ 式中　k'_1、$k'_2 \cdots k'_n$——开始断面处地下水位以下厚度 h'_1、$h'_2 \cdots h'_n$ 的渗透系数; 　　k''_1、$k''_2 \cdots k''_n$——计算断面处地下水位以下厚度 h''_1、$h''_2 \cdots h''_n$ 的渗透系数。
有渗入时河间地块	两河壅水陡直河岸		$$y = \sqrt{h^2 + (H_1^2 - h_1^2)\frac{L-x}{L} + (H_2^2 - h_2^2)\frac{x}{L}}$$
	两河壅水平缓河岸		$$y = \sqrt{H_1^2 - x'\left[\frac{H_1^2 - H_2^2}{L'} - \frac{L'-x'}{L-x}\left(\frac{h^2-h_1^2}{x} + \frac{h_1^2-h_2^2}{L}\right)\right]}$$
	一河壅水一河水位不升高,陡直河岸		$$y = \sqrt{h^2 + (H_1^2 - h_1^2)\frac{L-x}{L}}$$
	一河壅水一河水位不升高,平缓河岸		$$y = \sqrt{H_1^2 - x'\left[\frac{H_1^2 - h_2^2}{L'} - \frac{L'-x'}{L-x}\left(\frac{h^2-h_1^2}{x} + \frac{h_1^2-h_2^2}{L}\right)\right]}$$
辐射流(非平面流)			$$y_1^2 = \frac{\ln b'_1 - \ln b'_2}{\ln b_1 - \ln b_2} \times \frac{b_1 - b_2}{b'_1 - b'_2}(h_1^2 - h_2^2) + y_2^2$$ 式中　b_1、b_2——回水前上、下游断面潜流宽度; 　　b'_1、b'_2——回水后上、下游断面潜流宽度; 　　h_1、h_2——回水前上、下游断面潜流厚度; 　　y_1、y_2——回水后上、下游断面潜流厚度。

原始水位。如取平水期水位，尚应考虑丰水年水位。

2．隔水层顶板位置

它是影响回水值的一个基本水文地质因素，随含水层厚度增大，所求回水值变大。对于隔水层只有倾角小于 2～3°时，才可用平水层代替，否则误差较大。

3．透水系数、给水度、入渗补给量

对透水系数（k）、给水度（μ）、入渗补给量（ω）等水文地质参数要通过野外或室内实验确定。

4．浸润曲线绘制

支流、沟谷、地形起伏对浸润曲线有较大影响。在图 6-15 中，由于未考虑凹地，得出不正确的浸润曲线。当 $h_1 > h_2 > h_3$ 时（见图 6-16），回水已出露地表不必计算。

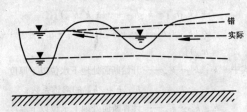

图6-15　水库浸润曲线图

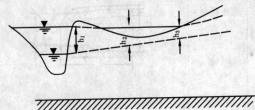

图6-16　水库浸润曲线图（回水出露地表）

四、水库诱发地震

（一）水库诱发地震研究概况

由于人类工程—经济活动所引发的地震称之为诱发地震（Induced Seismcity），如地下核爆炸、采矿、深井注水和抽水灌溉、水库蓄水等均可诱发地震。

诱发地震，属于典型的环境工程地质问题。诱发地震与一般自然地震比较，在形成机制、发展过程以及地震效应几个方面均表现出独有的特点：

（1）诱发地震出现的地质环境、条件较严格，范围比较小；

（2）自身表现，有区别于自然地震的特征；

（3）对工程地质环境的破坏作用，有其自身的特点。

自 1931 年希腊马拉松（Marathon）水库首次诱发地震以来，已有 60 多年的历史。其后，1933 年阿尔及利亚的乌得福达（Oued Fodda）水库发生了地震，但并没有引起人们的重视，到 1936 年美国胡佛（Hoover）水库诱发地震后，人们才觉得水库诱发地震（Reservir-induced Seismcity）是一个值得研究的问题。到 1986 年底已有 29 个国家报道了 116 座水库地震震例（见表 6-17）。

水库诱发地震一般指与水库蓄水相伴的地震活动性增强。水库诱发地震最大震级一般不超过 6.5 级。震源深度多在 3～5 km。因此，由水库诱发地震所引起的灾害有时是很严重的。如印度珂依纳水库地震使该城市大部分砖石结构建筑倒塌，死亡 177 人，伤 2 300 余人，不得不放空水库进行加固处理。科列马斯塔水库地震倒塌 480 所房屋，死 1 人，伤 60 人。我国新丰江水库地震倒塌房屋数千间，死伤数人，水库边坡发生地裂、崩塌和滑坡，在大坝右侧坝段 108 m 高程处产生上下游贯通达 82 m 长裂缝，经过加固处理，花费巨大。由此可知水库诱发地震是一种典型的环境工程地质问题，应当加以研究和监测。

表 6-17　世界上一些水库诱发地震与发展率统计表

序号	国　名	震级　（M_S）				诱发地震次数	水库总数（水深 $h>15$ m）	发震率（%）
		>6.0	5.9~4.5	4.4~3.0	<3.0			
1	中　　国	1	3	6	8	18	19 053	0.09
2	日　　本		2			2	2 299	0.09
3	印　　度	1	2	4	5	12	1 297	0.93
4	伊　　朗		1			1	28	3.57
5	巴 基 斯 坦			1	2	3	40	7.50
6	土 耳 其			1		1	168	0.60
7	阿 尔 及 利 亚			1		1	43	2.33
8	加　　纳		1			1	5	20.00
9	南　　非				1	1	458	0.22
10	赞 比 亚	1		1		2	4	50.00
11	埃　　及		1			1	5	20.00
12	澳 大 利 亚		2		1	3	431	0.70
13	新 西 兰		1	1		2	85	2.35
14	希　　腊	1	2			3	21	14.29
15	奥 地 利				1	1	130	0.77
16	意 大 利		1	2	1	4	459	0.87
17	南 斯 拉 夫		1		1	2	134	1.49
18	法　　国		2		1	3	473	0.63
19	瑞　　士			1	6	7	147	4.76
20	西 班 牙		2	3	2	7	803	0.87
21	罗 马 尼 亚			3		3	170	1.76
22	苏　　联		3	2	1	6	150	4.00
23	美　　国		5	5	9	19	5 473	0.35
24	加 拿 大		1	2	1	4	613	0.65
25	墨 西 哥		1	1		2	520	0.38
26	巴　　西		2	3		5	563	0.89
27	委 内 瑞 拉			1		1	77	1.30
28	多 米 尼 加				1	1	12	8.33
29	泰　　国		1			1	109	0.92
合　　计		4	34	36	43	117	33 770	0.34

注：各国水库统计据 1988 年出版的"世界大坝登记"到 1986 年底完成数与在建数。

（二）水库诱发地震的基本特征

从已有地震资料来看，水库诱发地震具有下列特征：

1. 震中多分布在水库影响区域内（包括通过活动断裂传递到库外几十公里的地方）

根据统计，水库地震的震中区，除少数在坝址附近以外，主要分布在库区中部及尾部。这说明大坝的位置一般选在地质条件较好的地方，故诱震几率低。另外，震例资料还说明，震中常沿构造线分布。

2. 震源极浅

据统计，水库诱发地震的震源深度，一般不大于 5 km，也有超过 10 km 的，达 20 km 者少见。由于震源浅，故震中区烈度偏高，例如乌溪江水库诱发地震，当 $M_S=2.8$ 级时，震中区烈度曾达到 5~6 度，较天然地震高出 2~3 度，即水库诱发地震烈度，较同震级的天然地震烈度偏高。

3. 地震形式的特点

诱发地震形式，常以前震—主震—余震型（即茂木 II 型）为主，也有群震型，孤立型则罕见。

4. b 值特征

水库诱发地震的 b 值，较天然地震的 b 值高，且其自身的前震 b 值，又明显高于余震 b 值。

5. 震波垂直分量作用显著

水库诱发地震震波垂直分量的作用显著，一般 $M_S=5$ 甚至 $M_S=4$ 级地震，都可造成明显的破坏作用。

6. 分布特征

水库诱发地震，大部分发生在低烈度区，强度不大，烈度偏高。据统计，大部分发生在 $I_0 \leqslant 6$ 的低度区，少数发生在 7~8 度区；如 4 例 $M_S \geqslant 6$ 级的水库诱发地震，除希腊的克里玛斯塔位于高烈度区外，其余均位于低烈度区或无震区。中国已发现的 18 例水库诱发地震，除参窝、盛家峡与龙羊峡位于 7 度区外，其余均位于 6 度或小于 6 度区。又如印度的 12 例水库诱发地震中，也只有一例在喜马拉雅地震带，其余均位于少震或无震的印度地盾区。

目前，对水库诱发地震的研究主要有以下三个方面：

（1）用统计学、模糊数学、岩石力学以及数值模拟技术进行水库地震预测。如美国 G.B.Beacher（1982 年）根据世界 29 座发震水库和 205 座未发震水库资料，提出了预测水库可否发震的概率模型。我国陶振宇（1987 年）以固体—液体两相介质相互耦合提出预测水库地震的概率模型。谭周地（1988 年）根据世界上 65 座水库诱发地震资料用贝叶斯（Bayes）定理来预测水库发震概率模型。

（2）对水库诱发地震机理的新见解。如李智毅的扩容—沟通模式，金春山的水库地震扩容—水击模式等。他们见解的共同点是强调高异常空隙流体压力在诱发地震中的作用。

（3）从区域地质背景和水库环境条件来探讨水库诱发地震机制。这一点我国一些学者的研究走在世界前列，并应用到一些工程上，如三峡、二滩、龙羊峡、龙滩、百色、小浪底等大型水利工程。

总之，目前对水库诱发地震的机制、发生和发展，国内外均处于资料积累和探索阶段，由于诱发水库地震因素的复杂性，目前尚难以用一套固定模式作出定量、定性分析和评价。

（三）水库地震与坝高、库容关系

按国际大坝会议统计资料，水库发震震例与坝高和库容关系列成表6-18和表6-19。

表 6-18　水库地震与坝高统计表

坝高　（m）	>200	>150	>100
水库总数	31	87	406
诱发水库地震实例数	8	14	28
水库地震占百分比（%）	26	16	7

表 6-19　水库地震与坝高、库容统计表

坝　高　（m）	>200			>150			>100		
库容（亿 m^3）	>1 000	>100	>10	>1 000	>100	>10	>1 000	>100	>10
水库总数	1	9	19	1	12	40	5	36	119
诱发水库地震实例数	0	3	5	0	3	7	2	7	19
水库地震占百分比（%）		33	26		25	18	40	20	16

从表中可以看出如下几点规律：

（1）诱发地震的水库占已建水库总数的比例很小，但在高坝中比例明显增加，且坝愈高，比例越大，坝高超过 200 m，水库发震震例占 1/4。

（2）从库容看，库容愈大，水库发震率愈高，当坝高大于 100 m，库容大于 1 000 亿 m^3 时，比率高达 40%。

（3）一般来说，震级大的水库坝高和库容都较大，震级 M_S 在 6 级以上，其坝高大于 100 m，库容大于 25 亿 m^3。

因此，高坝大库产生水库诱发地震的概率较高。

但由于诱发机制的复杂性，上述三点并不具备普遍性，如坝高小于 100 m，库容小于 10 亿 m^3，地震震例仍然很多。坝高大于 200 m，库容超过 1 000 亿 m^3 的丹尼台约翰逊水库并未发生地震。

（四）水库地震与蓄水过程的关系

1．水库水位的影响

统计资料表明，多数水库地震强度和频度与水位相关，按其相关性分成两大类，一类是有明显主震，另一类是蓄水后微震频度明显增多。第一类又可分为两种情况，一是蓄水后不久发生微震，蓄至高水位不久发生主震，如克雷玛斯塔、蒙台纳尔、我国新丰江等水库。二是水库蓄水至最高水位后经过一段时间，水位稍再增加发生主震，如美国胡佛水库（Hoover）蓄水经过三年近最高水位后又经一年发生 5 级主震。日本黑部第四、津巴布韦的卡里巴（Kariba）、印度珂依纳等水库均属此种情况。

地震频度与库水位的关系，往往由于研究者处理方法不同，结果差异很大。如印度古普塔（H.K.Gupta）对珂依纳、卡里巴和克雷玛斯塔三个水库（6 级以上地震）做每个月平均水位与地震总数相关分析，其相关系数为 0.93、0.74、0.69，在希腊帕帕扎丘斯（B.C.Papazachos）按每月统计只有克雷玛斯塔相关性较好。说明地震活动与水位关系是复杂的。

2. 水库地震持续时间一般较长，由十几年到几十年

如新丰江、胡佛等水库。但也有少数在水库蓄水后 2～3 a 内地震停息，如瑞士的康脱拉（Contra）、西班牙的卡麦列拉（Camariuas）等水库。

值得注意的是，在这些历时不久就停息的水库地震中，康脱拉水库是 1966 年放空后再蓄满时地震完全停息，卡麦列拉水库是在 1961 年蓄水、放空、再蓄满后发生主震，至 1962 年停息。

3. 水库蓄水对地震活动的抑制作用

对大多数水库来说，蓄水导致地震活动加剧。但也有地震活动减少的实例，如美国胡佛坝上游佛莱敏谷（Flaming Gorge）和格兰峡（Clan Canyon）蓄水后，连同胡佛坝地震活动都见减少（见表 6-20）。

表 6-20 部分水库蓄水后地震频度变化表

水库名称	地 震 频 度					
	1961 年	1962 年	1963 年	1964 年	1965 年	1966 年
佛莱敏谷	701	669	665	256	85	251
格兰峡	170	149	172	62	50	109

根据 W.F.Brace 的研究，在一定的温度和围压条件下，围压有效值的降低可使岩体从产生地震的粘滑机制（Stick Slip）转变为产生蠕变的稳定滑动，从而减少了地震活动性。C.G.Bufe 对美国加州利洛安德逊（Leray Anderson）水库地震情况做了研究，1973 年 10 月发生 4.7 级地震。在加州没有余震发生，但水库附近桥梁发生严重变形，这可能与水库附近的卡拉范拉（Calaveras）断层蠕动有关。从产生蠕动而没有余震推测这是由于孔隙水压力作用使断层从粘滑机制转变为稳定滑动机制。Goguel 指出库水荷重对库区地震活动如有影响，则将是减少岩体深部的围岩应力差，因此可能是增加地区构造稳定的一个因素。

总之，水库蓄水对地震不仅有诱发作用，而且在一定地质环境下会有某些抑制作用，加强这方面的研究是非常必要的。

（五）水库地震的特征

这里所说的水库地震的特征是与构造地震比较而言的。它是在特定的地质背景条件下产生的，研究这些特征对区分水库诱发地震和构造地震是大有裨益的。

1. 水库地震的时空分布

水库地震发生在蓄水之后且在库区范围内，这是一个最为明显的特征，也是鉴别水库地震的一个重要标志。水库地震和蓄水过程相关性是明显的，但两者的关系很复杂。

按 24 个水库震例资料分析，其发震位置在库底或库区边缘，有人认为以库区 25 km 范围为限，有人提出纵、横波到达时差 $S-P=1\sim2$ s 为限。

震源浅，波及范围不大，地震时常常听到类似闷雷的声响。按 15 例水库地震资料，有一例震源深度仅 150～600 m，其他是 1～3 km 5 个，5～7 km 3 个，10～20 km 6 个。震源深度在 3 km 以内的多是弱震。

2. 地震序列型式

一般具有前—主—余（地震）的型式［茂木（Mogi）称之为 Ⅱ 型］。如新丰江、珂依

纳、卡里巴、胡佛等水库地震具有这一地震序列型式。另外，水库地震有时是一些微震形成的群震，没有明显的主震。而构造地震常常是前震很少（茂木Ⅰ型）。

3. 震级—频度曲线

通常震级 M 与频度 N 之间的关系可表示为：

$$N = \beta e^{-\beta M} \quad \text{或} \quad \log N = a - bM \tag{6-1}$$

水库地震的前震和余震的 b 值一般高于本地区相同震级的构造地震，而且前震的 b 值比余震要大，这也和一般构造地震情况相反。

表 6-21、表 6-22 列出了一些水库地震和一般构造地震的有关参数。可见水库地震 b 值略高于一般构造地震。

表 6-21　世界上一些水库地震的有关参数

水库名称	主　震 M_0	最大余震 M_1	M_1/M_0	$M_0 - M_1$	前震 b 值	余震 b 值	余震衰减系数 b	震源深度（km）
克雷玛斯塔	6.2 (6.3)	5.5	0.89	0.7	1.41	1.12	0.8 (0.7)	15~20
珂依纳	6.0 (6.5)	5.2 (5.4)	0.87(0.83)	0.8 (1.1)	1.87	1.3	1.0 (0.7)	8~10
卡里巴	6.1	6.0	0.98	0.1	1.13	1.03	1.0	20
新丰江	6.1	5.3	0.87	0.8	1.12	1.04	0.9	5
胡　佛	5.0	4.4	0.88	0.6				10
蒙台纳尔	4.9	4.5	0.92	0.4				
曼格拉	3.5	3.3	0.94	0.2				
渥洛维尔	6.1 (5.7)	2.5						12
黑部第四	3.8							3

表 6-22　构造地震的有关参数

地　　名	年份	M_0	余震 b	余震衰减系数 p
San Francisco	1957	5.3	0.7	1.1
Allutian		8.3	1.3	1.1
Alaska	1964	8.5	1.0	1.1
Parkfield		5.5	0.9	1.0
Cephalonia	1953	7.2	0.8	0.8
Sophades	1954	7.0	0.9	0.9
Amogos	1956	7.5	0.9	1.9
Magnesia	1957	6.8	0.9	1.5
印度半岛			0.47	
非洲			0.84	
希腊			0.82	

4. 余震的衰减

余震的频度按下式衰减：

$$n = bt^{-p} \tag{6-2}$$

式中　t——时间；

　　　　p——余震衰减系数。构造地震 p 大于1，水库地震 p 小于1，但两者差别并不明
　　　　　显，且有例外（见表6-22）。

　　5．最大余震和主震的差值

　　在表6-21中余震 b 都大于1.0，其最大余震 M_1 和主震 M_0 差值甚小，比值在0.87
～0.98之间。麦克埃维里指出，构造地震 $b=0.24\sim0.5$ 时，$M_1/M_0=0.7$；$b=0.6\sim$
0.8时，$M_1/M_0=0.6\sim0.7$。巴特（Bath）认为，构造地震 $M_0-M_1=1.2$（$M_0\geqslant5$）。
在表6-21中列出6个水库地震 $M_0-M_1=0.2\sim0.8$，较一般构造地震小。说明水库地震
余震能量较大。

（六）水库地震的地质环境

1．库区常有规模较大的断层存在

　　如新丰江、卡里巴、克雷玛斯塔、蒙台纳尔和胡佛等坝在其库区内均存在较大断层，
其发震部位、断层性质等概括如下：

　　（1）水库地震发生在活断裂的弧形拐点或几组断裂的交叉地段，特别是在断陷盆地垂
直差异运动较大处。

　　我国新丰江水库就是在"S"形构造转弯部位，即桂山急剧隆起边缘弧形带，新丰江
花岗岩体块断隆起轻度上升区和河源断陷盆地相对下降区三者交汇处。胡佛、克雷玛斯
塔、卡里巴等水库区均位于断陷盆地，并发生了震级较大的地震。

　　（2）库区断层属正断层或走向断层。按 M.M.Clark 对26个水库震例统计有23个为
正断层或走向断层，3例是冲断层。

　　我国新丰江水库地震是沿北北西较直立的断层面发生左旋走滑型错动。美国渥洛维尔
水库地震为右旋平移正断层。克里巴、克雷玛斯塔是左旋正断层。珂依纳是左旋平移断
层。

　　（3）断层倾角较大。

　　水库区断层多半是陡倾角，且水库位于下降盘侧。根据 D.I.Gough 等人的观点，直
立断层最容易诱发地震，因为在这种情况下，断层面上的法向应力因孔隙水压力作用最易
降低。按照24例水库地震资料，断层倾角大于45°占23例，小于45°的仅有一例。我国新
丰江水库的主震就是沿着竖立断层面发生的。

　　（4）断层带内透水，两盘岩层不透水。

　　（5）库区断层多为活动断层，根据 M.M.Clark，Н.Ииколаев 的统计，在27个有震
例的水库中，库区断层年代小于200万 a 的占11个，而大于6 500万 a 的只有7个。

2．从岩性分析看，碳酸岩发震率最高，块状岩体次之，层状岩体最差

　　对坝高大于100 m 或库容大于100亿 m^3 的全世界52座发震水库，碳酸岩和块状岩
体各为20座，层状岩体12座。国内8座坝高大于80 m 和库容大于10亿 m^3 的发震水库
统计，碳酸岩体4座，块状岩体3座，层状岩体1座，见表6-23中（6）、（10）。

　　从表6-23（12）中可知，碳酸盐发震率远高于块状岩体和层状岩体。

　　另对全世界有震例的85座水库统计，震中岩性和主震震级列于表6-24中。

表 6-23　水库地震概率与岩性的相关分析表

岩体类型	中国 库容大于 1 亿 m³				中国 坝高大于 80 m 或库容大于 10 亿 m³				全球 坝高大于 100 m 或库容大于 100 亿 m³			
	水库数（座）	发震水库数（座）	不同岩体水库占总数的（%）	发震水库占同一岩体水库总数（%）	水库数（座）	发震水库数（座）	不同岩体水库占总数的（%）	发震水库占同一岩体水库总数（%）	水库数（座）	发震水库数（座）	不同岩体水库占总数的（%）	发震水库占同一岩体水库总数（%）
	(1)	(2)	(3)	(4)	(5)	(6)	(7)	(8)	(9)	(10)	(11)	(12)
块状岩体	151	4	43.5	2.6	31	3	46.3	9.7	101	20	47.6	19.8
层状岩体	156	1	45.0	0.6	29	3	43.3	3.4	73	12	34.4	16.4
碳酸盐	40	5	11.5	12.5	7	4	10.4	57.1	38	20	17.9	52.6
水库总数	347				67				212			

表 6-24　水库地震主震震级与岩性相关关系

岩性	震例数 最大震级	$M_S \geqslant 6.0$	$6.0 > M_S \geqslant 5.0$	$5.0 > M_S \geqslant 4.0$	$4.0 > M_S \geqslant 3.0$	$M_S < 3.0$	合计震例数	占总数的（%）
火成岩	花岗岩类[①]	1	0	3	5	5	14	16.5
	火山岩类[②]	1	2	3	0	3	11	12.9
变质岩	片麻岩类[①]	1	0	2	3	4	10	11.8
	板片状变质岩类[②]	0	1	1	0	4	6	7.1
沉积岩	碎屑岩类[②]	0	1	2	4	5	12	14.1
	碳酸盐岩类[③]	1	3	12	5	11	32	37.6
合计震例数		4	9	23	17	32	85	100
占发震水库总数的百分比（%）		4.7	10.6	27.1	20	37.6		

注：①块状岩；②层状岩；③碳酸盐岩、可溶岩。

从表中可知，在大于 5 级以上的震级中，火成岩有 6 例，沉积岩有 5 例，变质岩有 2 例。说明火成岩和沉积岩地区发震概率高于变质岩地区。

3. 库区地形陡变，地形差异大

如印度地盾的西海岸到阿拉伯海的地形陡变达 2 000 m，珂依纳水库就位于该地区。印度学者 S.K.Guha 指出，在印度地盾边缘地区的另外一些水库如 Kinnersani、Sholayar 和 Mangatam 等 7 座水库均存在诱发地震问题。

4. 库区如位于地壳余热区、温泉出露和火山活动地段易发生水库地震

从上述水库地震诱发机制来看与地质构造条件有关，在地质构造应力场较高地区，水库诱发地震的概率较高，因此库区地应力场，应力差和应变率是否接近临界状态是水库诱发地震的内因。修建水库是触发的外因，外因通过内因起作用，因此，地质环境是水库地震的主导因素，研究水库地震必须首先调查研究水库周围的地质环境。

由统计资料可知水库地震往往发生在新构造运动较强烈地区，但也有例外的情况，如

日本、意大利都是新构造运动强烈区，构造地震频度高但水库地震却很少。也有些在建库前属非震区和弱震区，建库后却发生了强烈的水库地震，如我国新丰江水库在地震史上从未见到6度以上的地震，但建库后诱发水库地震大于6度。印度柯依纳水库位于前寒武系地层上并属于稳定的印度地盾，仅有稀少的弱震，建库后却发生了6.5级的地震。由此看来，那些认为水库诱发地震不会超过该地区构造地震的说法是值得研究的。

也有一些修在地震区的高坝一直没有发生水库地震，如印度Ramganga（坝高125 m），加拿大 Daniel Johnson（坝高214 m），Mica（坝高242 m），苏联的 Братскцй（坝高120 m）等。

由于地质构造十分复杂，完全查清库区地质构造条件是一项十分困难的工作，尤其是深部地质构造条件更是如此。因此，在分析地质环境资料时应慎重对待。由表及里，去伪存真，以便找出可能诱发水库地震的构造地质特征，以作出符合实际的结论。

（七）水库地震的诱发机制

加拿大学者高夫（D.I.Gough）认为，水库诱发地震机制有以下三种：①水库荷载形成剪应力直接引起地震；②附加应力触发已处于临界状态的构造地震；③蓄水引起孔隙水压力增加而诱发地震。

水库诱发地震受到多种因素影响，主要有：

（1）水库渗透作用。库水渗透增加了岩体内的孔隙水压力，同时使断层面上有效应力减少，抗剪强度降低。

（2）水库对断层面的弱化、润滑和腐蚀作用。这一观点由基斯林格提出，他认为在库底硅酸岩中的裂隙受到水化学作用，使裂隙扩展，使孔隙水压力对结构面产生润滑和弱化降低岩石抗剪强度，再加上库水重产生剪应力使浅部岩石诱发初始应力释放，形成小震进而引向深部在断裂端部引起新的应力集中，使断裂扩展，库水向深部渗透且不断发展，以致在深部诱发主震。

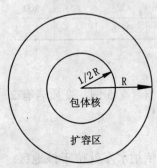

图6-17 包体结构示意图

（3）水库诱发地震扩容—沟通。地壳岩石由于受到构造应力作用，形成了纵横交错的结构面，在地应力作用下，构造面交汇、折曲、尖灭，拐点部位产生应力集中，也就是这些部位是孕育地震的场所，并称为包体区。包体区分为包体核和扩容区（见图6-17）。包体核称为震源区，扩容区半径为包体核的2倍，它与波速比异常等前兆现象有关。开始时，地质体处于稳定状态（不排水），当断层带有较好的透水性或包体应力状态不规则，包体核内孔隙水在压力的作用下向外运移，库水沿结构面向包体区入渗，两者相遇即为沟通。直到核中水体突然排出，泊松比降低，排水到一定程度后，包体失稳，产生诱发地震（主震）。

（八）水库诱发地震预测的调查研究

1. 调查目的

（1）查明库坝区诱震的地质条件，诱震的可能性及其危害，为大坝设计提供应否采取抗震措施的依据，以保证大坝在施工和运行中的安全。

（2）根据库坝区水库地震工作调查和研究，布置适当的监测系统，对施工和运行期库坝区震情变化发展趋势进行预测和研究，为工程建设和管理提供对策依据。

2. 工作步骤和程序

第一阶段配合可行性研究定性评价拟建水库蓄水后诱发地震的可能性及其强度，尤其应查明有无超过坝区地震基本烈度的地震。长江三峡水库地震危险性初步评价工作法框图（见图6-18）可供参考。

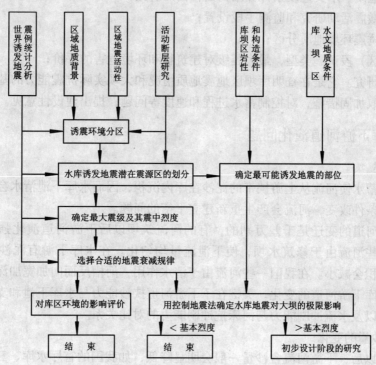

图 6-18 水库诱发地震危害性初步评价工作框图

第二阶段是配合初步设计阶段进行工作。一方面结合初步设计要求从水文地质环境和条件对可能诱发地震地段进行论证和定量研究。另一方面按施工设计进行监测系统设计。

第三阶段为施工中、后期和运行期的工作。

（1）蓄水后地震活动明显增加或无震区成为有震区。这时应进行五个方面的工作：

①查清工程所在大地构造系统宏观地震构造地质环境，库坝区对地震构造有直接影响的地质构造和水库地震震中区的地质构造以及内外动力地质情况。

②地震活动的研究。利用地震台网进行震情发展和变化监测。

③进行现场原型激振试验，实测大坝的各项动力参数。

④进行大坝的实验室模拟型振动试验（包括破坏试验），以确定大坝实际承载能力。

⑤进行大坝动力分析。

通过以上工作查明库区地质环境条件、水库地震发展趋势、水工建筑抗震能力及其采取的对策。

（2）蓄水后地震活动有明显减弱，对震情也应该进行监测，直到震情趋于稳定。

（3）蓄水后经2～3个设计水位考验说明，库坝区地震活动和蓄水前相比没有明显变化，则可对以往的工作进行总结，经主管部门批准方可压缩或停止地震台网监测。

3. 内容和方法

对水库诱发地震的研究主要有以下几各方面：

(1) 区域地壳稳定性研究；

(2) 全球性地震震例研究和对比分析，水库地震评价判据研究；

(3) 库区地质、水文地质条件和结构面特征的研究；

(4) 库区微震活动研究和监测手段设置；

(5) 库区诱震环境地质分区；

(6) 库（区）段诱震类型，最大震级对建筑物和环境危害的评价；

(7) 对策研究。它是在查明库坝区地震地质情况和大坝实际抗震能力的基础上，决定对库坝应否采取加固措施，对控制蓄水进程和速度等问题，提出建设性意见。

五、水库下游河道演化问题

(一) 概述

由于水库蓄水使河流从上游挟带的泥沙在库内沉积，因而水库下泄清水会使水库下游河道水流含沙条件改变，河流会产生重新建立平衡的问题。

水库下游河道的变迁是千差万别的，有的河流筑坝以后下游河道演化强烈，有的甚微。如欧美一些河流由于修筑水坝，使下泄流量均匀化。在水库下游有泥沙补给的条件下，河槽的容积会减小。在我国一些河流由于清水作用，河槽反而向加宽加深趋势发展。

总之，水库下游河道的变化，关键在于下游河道挟沙能力与水库下泄和支流入汇沙量的对比关系，以及水流冲刷能力与河床抗冲刷能力的对比关系。

(二) 含沙量的变化

水库建成以后，下游河流含沙量一般会明显降低，如我国的官厅水库、三门峡水库和丹江口水库（见表6-25）。

表 6-25　修建水库后下游河道含沙量占建库前的百分比（%）

官厅水库下游			三门峡水库下游			丹江口水库下游				
年份＼测站	金门闸	石佛寺	测站＼流量(m³/s)	花园口	高村	年份＼测站	黄家港	襄阳	碾盘山	仙桃
1956	21.0	24.0	1 000~2 000	36.0	44.0	1974	1.2	8.0	22.7	44.3
1957	10.0	12.0								
1958	8.3	10.0	3 000	18.0	24.0	1975	1.1	14.6	35.4	52.5
1959	5.3	7.8								

导致这种情况的原因，一是由于水库落淤，下游河道缺乏泥沙补给，二是由于建库以后流量减小，洪峰调平，水流挟沙能力不如建库前。如汉江由于丹江口水库修建使下游输沙能力减少约41%。如图6-19，建库后下游6 km的黄家港站含沙量几乎为零；到1967年皇庄和仙桃站（距坝分别240 km和465 km）含沙量降低到建库前的29.7%和39.6%。

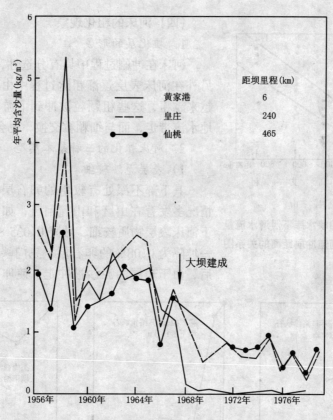

图 6-19 丹江口水库建库前后汉江含沙量的沿程变化曲线图

（三）水库下游河道的冲刷

1．冲刷河段的长度

水库下泄清水以后，下游河道将发生冲刷，冲刷的范围可达很长的距离，而且随着上段泥沙补给减少，冲刷长度会不断下延。

冲刷距离与下泄流量大小有关，流量大冲刷能力愈强，其冲刷距离就愈长。如三门峡水库在伊洛沁河河口以下以海平面为侵蚀基准面，在该水库下泄流量达 2 500 m³/s 清水时，只要有足够的历时，冲刷可发展到整个黄河下游长 800 km（见图 6-20）。

2．冲刷侵蚀基准面

冲刷侵蚀基准面一般受河流地形、地貌条件的控制。如美国德克萨斯州内切斯（Neches）河上汤布拉夫（Town-Bluff）坝下游的冲刷止于海平面。俄克拉何马州北加拿大（North Canadian）河上萨普莱堡（Fort-Supply）坝下游有支流来汇，支流泥沙在来汇处淤积对干流上游河段起到局部侵蚀基准面的作用。玻波布利肯（Pepublican）河哈兰坝提（Harlcm County）坝下游河段裸露基岩，对河段冲刷起到控制作用。

3．冲刷深度的绝对值

Williams 和 Wolman 对美国 12 座水库下游河道冲刷深度的绝对值（见图 6-21）的研究结果表明，一般不超过 2～3 m，最大为 7 m 左右。

我国黄河河床冲刷深度可达 20 m 左右。

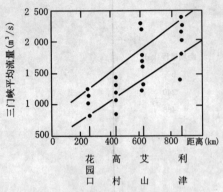

图 6-20 黄河三门峡水库下泄清水流量与下游河道冲刷距离的关系图

（四）河床的粗化现象

1．粗化层的形成

河床在冲刷过程中具有分选性，导致河床粗化。另外在河床表层逐渐粗化过程中由水流冲起的泥沙越来越粗，这些粗颗粒被冲到下游，但不一定被当地水流带走，而与细颗粒交换，也会导致河床粗化。

2．河床粗化的三种基本类型

1）表层泥沙较细

其下部不深处有较粗的卵石层和岩屑锥。这种情况多发育在山区和山麓河流，如黄河下游孟津以下河床表层物质较细，坡降 0.035 8%，但在其下有一坡降为 0.08% 的卵石层。三门峡水库下泄清水以后，由于表层的泥沙被冲走，使卵石层和岩屑锥出

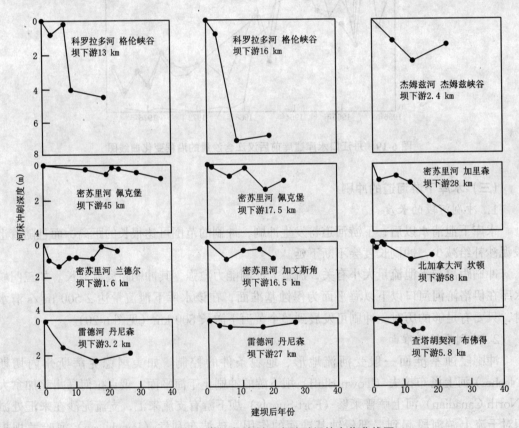

图 6-21　坝下游河段冲刷深度随时间的变化曲线图

露，河床发生粗化，河床下切受到遏制，见图6-22(a)。

2）河床组成物质较粗

沙子中夹有卵石。在水库调节作用削弱洪峰以后，由于部分卵石不再被水流带走，聚集表面形成抗冲层，如官厅水库下游永定河粗化，大于 5 mm 卵石不再被水流带走，见图

6-22(b)。

3）由沙粒组成的河床

经过水库调节的水流因挟带细沙能力比粗沙能力强，经过长期的冲刷，河床表面粗化。科罗拉多河帝国坝下游 25 km 处经过 6 a 的时间床沙由 0.125 mm 增加到 0.32 mm，见图 6-22(c)。

3. 卵石夹沙河段的粗化

按爱因斯坦泥沙运动理论，河流泥沙运动强度决定于水流参数

$$\Psi_* = C \frac{\gamma_s - \gamma}{\gamma} \frac{D}{R'_b J} \qquad (6-3)$$

式中　Ψ_*——河流泥沙运动强度；

C——大小颗粒之间相互作用参数；

γ_s、γ——泥沙和水的重度；

D——泥沙粒径；

R'_b—— 与泥沙阻力有关的水力半径；

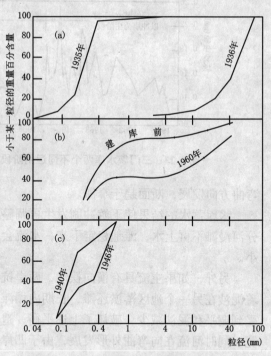

图 6-22　河床粗化现象的三种类型

J——水力坡降。

当 $\Psi_* \geqslant 27$ 以后，泥沙颗粒不再运动，故抗冲刷铺盖层最小粒径（D_0）按下式决定

$$D_0 = \frac{27}{C} \frac{\gamma}{\gamma_s - \gamma} R'_b J \qquad (6-4)$$

式中的 $R'_b J$ 为建库后下游特大洪水情况下沙粒阻力水力半径与坡降的乘积。当符合式（6-4）条件时，抗冲刷层不冲重量百分比 $P_1 = 100\%$，但实际情况是 $\Psi_* = 27 \sim 40$，$P_1 = 50\%$，即抗冲层中有一半可带动的颗粒，河床基本稳定。抗冲极限深度（h_c）为

$$h_c = \left(\frac{P_1}{P} - 1 \right) D_m \qquad (6-5)$$

式中　P_1——在冲刷深度内原始沙床不冲颗粒重量百分数（%）；

P——在冲刷深度内原始沙床被冲颗粒重量百分数（%）；

D_m——覆盖层厚度，m。

4. 细沙河段的粗化

三门峡水库清水下泄后，花园口断面明显粗化（见图 6-23）。随着水库运用方式改变和泥沙下排，下游河道回淤，河床又逐渐细化，恢复到建库前。

（五）纵剖面的调整和河宽变化

1. 调整机理

河道的冲刷包括纵向下切和横向展宽两个方面。这两种不同的发展趋势，将使断面形态发生不同的变化。

水流纵向侵蚀使断面趋于窄深，苏联学者 Н.И.Макавееь 等通过模型试验，证明在含沙量不变而流量变化得到调整或径流过程不变而下泄泥沙量减少的条件下，游荡性河流朝

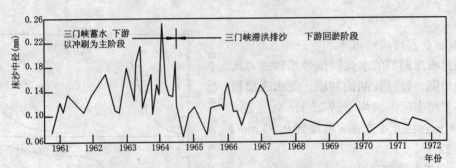

图 6-23　三门峡水库两个不同运用阶段黄河下游花园口断面库沙中径的变化过程

弯曲方向发展，断面趋于窄深。

水库蓄水的结果使下游冲刷发生再调整。由于蓄水使下泄流量趋于均匀且减小，一部分河漫滩不再上水，滩地稳定下来，水流会塑造出新的平滩河槽，其平滩宽度要比建库前小。

另外，如果主流具有横向摆动，两岸抗冲刷性又小，建库前一个地区滩地坍塌会伴随着泥沙在另一个地区落淤还滩，长期内塌滩和成滩保持平衡，河宽变化不大。建库后洪峰受到调平和泥沙减少，破坏了上述平衡，造成坍倒高滩，淤出低滩，使滩坎后退和主槽展宽，同时河流在向弯曲外形发展，由于凹岸淘刷也引起滩地后退。

总之，在纵向，河流下切，河床粗化，降比调平，起到阻止或减小下切作用。在横向，主流摆动和河弯的发展引起河槽展宽。

2. 影响河槽断面形态发展过程的因素

（1）河道基本性质。两岸具有较好的抗冲刷性，中水期流量大，持续时间长，在挟沙能力强的河道上，河床会受到下切。相反，在中水期冲刷很小，水流漫滩后，主流摆动会引起滩地坍塌，河身加宽。

（2）水库运用方式。下泄流量控制在平滩流量以下，河道会下切。反之，如泄水漫滩溢流，河床拓宽。

（3）河段位置。在其上段以下切河流为主，到了轻微冲刷段后河道出现展宽。到下游平衡和堆积河段，冲泻质来量大量减少，河道以展宽为主。

3. 河槽容积变化

河槽的容积建库前和建库后相比会引起一些变化。例如我国永定河在官厅水库建成后，下游平滩河槽的容积有所扩大。美国雷德河建成丹泥孙坝后，下游平滩河槽的容积平均增加近 25%。北普拉特河在修建根西（Guernsey）水库以后，坝下游 5 km 河段河槽容积增加近一倍。

河槽容积减小的例子有很多，如表 6-26 所示，河槽容积减小达 35%～84%。表 6-27 为英美一些水库下游河段变化情况，在 8 座水库中有 6 座体积减小达 50%。由图 6-24 可知，英国通河（Tone）水库建成后，容积减小主要发生在平滩以下。

河槽容积减小和建库后洪峰调平有关，另外与支流所挟带泥沙在干流河道所造成的淤积也有很大的关系。

表 6-26　英国水库下游河道河宽和水深的变化情况

水　库	坝址附近		弯曲型河段		支流汇口下游	
	河宽	水深	河宽	水深	河宽	水深
Avon	0	－	0	0	0	－
Blagdon	－	－	0	0	－	0
Camps	＋	＋	－	0	0	－
Catclengh	0	0	－	0	－	－
Chew Valley	－	－	－	－	－	－
Cowgill	－	－	－	0	－	0
Daer	0	－	－	0	0	－
Fernworfhy	0	－	－	0	0	－
Ladybower	0	0	0	0	－	－
Leadhills	＋	0	－	0	－	－
Melden	0	0	0	0	－	－
Stocks	0	＋	－	0	0	－
Stutton Bigham	－	0	0	0	－	－
Vyrnwy	0	－	－	－	－	－
增大（＋）的情况占百分比	14.3	14.3	0	0	0	0
减小（－）的情况占百分比	28.6	42.85	64.3	14.3	64.3	85.7
不变（0）的情况占百分比	57.1	42.85	35.7	85.7	35.7	14.3

表 6-27　水库下游河道槽容积减小实例

国　别	河　　流	坝　　名	河槽容积减小百分比	年平均洪峰流量减小百分比
美国	瑞玻布利肯河	哈兰坝提	66	－
美国	阿肯色（Arkansas）	约翰马丁（John Martin）	50	25
美国	里奥格兰德河	埃尔芬布特	50	25
英国	通河	克莱特沃斯（Clatworfhy）	54	60
英国	末威（Meavy）河	布雷特（Burrator）	73	－
英国	尼德河（Nidd）	安格兰姆（Angram）	60	－
英国	伯恩（Burn）河	伯恩（Burn）	34	－
英国	德文特河	莱迪保尔	40	－

六、泥石流问题

一般来说，建坝兴库对泥石流的发育无直接影响或影响不大，但在某些水库存在一定的间接影响。主要表现在以下几个方面：城镇迁建、人口密度增大、道桥工程的改造与发展，促使各种开挖弃石量大增，人类其他经济活动强度加剧；面上移民，就地后靠之后，地质环境载入量猛增，常强化山区陡坡垦殖和砍伐活动，生态环境趋于恶化，水土流失、泥石流活动加剧。

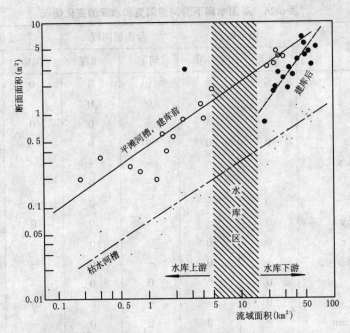

图 6-24 英国通河在修建水库以后下游平滩河槽和枯水河槽过水面积的变化

另外，还发现由于库区环境水热条件的变化，污染作用加重，改变了斜坡土石的理化性状，促进了泥石流沟的活动。主要的防治措施是，调控人类活动这个主导环境因素。由于情况相差悬殊，泥石流问题并非水库环境工程地质的普遍性问题，对其研究要视需要而定。

七、移民工程的环境工程地质问题

水库移民工程，属于水库工程的有机组成部分，是一个十分重要的子系统。移民工程的环境工程地质问题，同样属于水库环境工程地质问题的内容。提出这一新概念的主要依据是，这些问题是因建库而引起的。移民工程地质作用，是水库地质作用的重要有机组成部分，解决这些问题与水库的兴建与运行密切相关。

移民工程是一个内容十分丰富的广义概念，凡是由于建库移民而引起的库区经济地理结构的调整所涉及的工程，均包含在移民工程的定义之中。移民工程的结果是，人口向库岸附近地域集中，库区单位地质环境负荷量增大，人类地质作用对地质环境的改造迅猛增强、加深等。对于水库，移民环境工程地质包括了城市环境工程地质、交通环境工程地质、旅游环境工程地质以至矿山环境工程地质等研究的内容。有时还涉及农业工程、水土保持、古文化遗址的保护、小气候变迁影响等诸多方面。由于这些问题的产生与解决，都和水库的兴建和运行密切相关，因而又带上"水库"特色而与一般的这类问题有所区别。

移民工程本身，是一个十分宏伟、复杂的系统工程。如三峡工程的水库移民，在贫困山区，涉及 10 多个县近 100 万人口的规模，在一个时间相对短暂、空间相对狭小集中的环境里实施，必将多方面、大规模地急剧影响着地质环境，使之迅速大幅度进行调整，难免与地质环境的质量和容量发生尖锐矛盾。

移民环境工程地质研究尚属一个比较新的课题，长江三峡、黄河小浪底等大中型水利枢纽工程均全面开展了这方面的研究。研究中涉及到的环境工程地质问题主要包括滑坡、崩塌、泥石流、黄土塌岸、岩溶、采空区地表变形及塌陷、地震及地震效应、建筑物基础等诸多方面。但总体而言，上述研究均是围绕着库区移民城镇选址这一中心目的进行的。

（一）与移民城镇有关的地质环境要素

地质灾害的类型及严重程度与该地区的地质环境关系密切。因此，在移民城镇新址选择时，必须首先调查新址所处地质环境，查明已经存在的或今后可能出现的环境工程地质问题。与城镇选址有关的地质环境要素主要包括以下几个方面：

1. 地形地貌

地形地貌是块定城镇选址的首要因素。一般而言，新建城镇不宜大规模地改变地表形态，而应尽可能地充分利用自然地形考虑建筑物结构类型及布置。

2. 地层岩性

地层岩性是研究区工程地质环境的基本要素。在考虑移民城镇选址时，应研究规划区岩土的性质、成因类型、形成年代、分布范围及厚度、接触关系等内容。对黄土、红土、膨胀土、淤泥土及冻土等特殊类型土的工程地质特性尤应予以重视。

3. 地质构造

包括移民城镇规划区控制性构造及小构造系统两个方面。对前者的研究主要用于分析规划区各类地质灾害的发育及分布规律，对后者的研究主要用来了解局部地质灾害的形成原因，评价移民城镇地基、边坡稳定性等工程地质条件。

4. 地表水和地下水

地表水和地下水与移民城镇的供水、排沙、防洪等问题有关。因此，应对移民城镇规划区内的地表水系水文特征、地下水资源的分布特征与开采条件等进行调查评价。

5. 边坡稳定性

库区移民城镇选址及迁建实施过程中将涉及大量边坡问题，如库岸边坡、沟谷边坡及人工边坡等。在新址选择时，应重点注意天然边坡的稳定状况，尽可能避开存在稳定问题的地段，并应对城镇规划区各类边坡的稳定性进行综合评价。

滑坡、崩塌、泥石流以及黄土塌岸是边坡失稳破坏的主要形式，其危害程度也是评价移民城镇新址地质环境条件好坏的重要标志。如长江新滩滑坡、鸡扒子滑坡及巴东城关泥石流均曾造成严重的地质灾害，黄河三门峡水库及小浪底水库存在的黄土塌岸问题也给移民工程带来了严重影响，其中小浪底的水库黄土塌岸影响到约 20 个村、镇。所以，在移民区城镇新址选择时应尽量避开滑坡、崩塌、泥石流和黄土坍岸地段及其易发区。如难以完全避开，则应详细评价其稳定程度、演化趋势及可利用性。

6. 地震

在移民城镇新址选择时，应依据规划区地震地质背景、地震基本烈度及水库诱发地震危险性分析结果，针对不同情况考虑规划区场地和地基的抗震条件。

（二）建筑适宜程度分区

在对移民城镇规划区地质环境详细研究的基础上进行建筑适宜程度分区，可为城市规划设计服务提供综合性的评价成果。

建筑适宜程度分区主要应包括两方面内容，一是建筑场地的稳定性，二是场地的建设条件。

一般来说，可在场地工程地质条件及地质环境要素研究的基础上将建筑场地划分为稳定区、基本稳定区、潜在不稳定区、不稳定区和特殊地质的问题等几种类型。如长江水利委员会在评价三峡库区移民城镇规划区建筑场地稳定性时，具体采用了以下划分标准：

A（稳定区）：地层岩性相对均匀，产状稳定且地层近水平；地层倾向山体且反倾向裂隙不发育；地层倾向坡外，但坡脚没有临空面；地层走向同坡面走向夹角大。

B（基本稳定区）：地层岩性比较复杂，但不含不利地层；地层产状变化明显且地层倾向山体，但反倾向裂隙较发育；地层倾向坡外而坡脚一些部位出现临空面；地层走向与坡面走向夹角小于30°。

C（潜在不稳定区）：地质背景与基本稳定区相同，存在不确定因素较多，今后的人类活动容易使边坡稳态条件恶化的地段。

D（不稳定区）：岩体因构造、风化作用破碎甚剧，地层产状混乱，顺河向张裂隙发育且延伸长，地层倾向山体但反倾向裂隙成为主要的控制界面，地层倾向坡外且坡脚已临空；陡倾基岸面上的冲洪积层或古崩坡积层等。

E（特殊地质问题区）：古滑体、近代滑坡体、近代有形变迹象的崩坡积层或冲洪积层，近代崩塌错落体，全新世岩溶塌陷、落水洞、暗河、胀缩土、液化层、采空区及旧煤洞（窑）、碎石流、泥石流等。

场地建设条件主要包括地形坡度、交通条件、供排水条件等。

在建筑场地稳定性分区的基础上，可结合建设条件及移民城镇具体情况，对场地进行建筑适宜程度分区。长江水利委员会对三峡库区移民城镇场地建筑适宜程度分区标准见表6-28。

表 6-28   三峡库区移民城镇建筑适宜程度分区简表

分 区		场地稳定性	地形地貌	地基土	其他建设条件
I	优良建筑场地区	属 稳 定 区（A），不存在崩塌、滑坡、泥石流等问题	地形平缓，坡度一般小于10°	能满足各类建筑物要求，处理工程量小	城市建筑群易于布置，供排水、道路、建港条件良好
II	良好建筑场地区	属于基本稳定区（B），部分为稳定区（A），不存 在 崩塌、滑坡、泥石流	地形较平缓，坡度 10～25°，部分小于10°	能满足各类建筑物要求，处理工程量较小	城市建筑群较易布置，供排水、道路及建港条件一般较好
III	一般建筑场地区	属于基本稳定区（B）和部分潜 在 不 稳 定 区（C）	地形起伏明显，坡度 20～30°	有沿结构面滑动和不同土类的不均匀变形问题	建筑群布置困难，道路及建港条件较差。这类场地应限制性利用
IV	不宜建筑场地区	以不稳定区（D）为主，有崩塌、滑坡等不良地质现象发育	地形复杂，起伏差大，坡度大于30°	地基土条件复杂，需区别对待	建筑群难于布置，建筑时易引发新的崩塌、滑坡等问题
V	特殊地质场地区	主要指古崩塌滑堆积体、古滑体、近代有变形迹象的崩坡积层、冲洪积层、胀缩土、液化土、采空区及煤洞分布区。对经过充分勘察论证确实稳定的古崩塌堆积体、古滑体可限制利用。对近代有变形迹象的崩、滑体严格禁止使用。对胀缩土、液化土等需经工程处理后利用			

复习思考题

6-1 坝址环境的基本特征是什么？

6-2 坝址环境工程地质中常见哪些问题？

6-3 坝前库水、坝基地下水和岸坡地下水的基本特征各是什么？

6-4 坝址环境水作用主要表现在哪几个方面？

6-5 水库塌岸可分为几种类型？水库塌岸主要受哪些因素的影响？

6-6 水库淤积将给环境带来什么影响？

6-7 什么是水库诱发地震？水库诱发地震有哪些特征？

6-8 水库诱发地震预测调查的步骤和程序是什么？

6-9 水库的修建将对周围环境产生哪些影响？下淤河道将如何演化？

6-10 移民工程将对环境产生哪些影响？

6-11 与移民工程有关的地质环境要素是什么？

6-12 在移民城镇规划时，可将建筑场地的稳定性分为哪几个类型？

第七章 交通环境工程地质

第一节 概 述

我国幅员辽阔、物产丰富、人口众多，为了促进国民经济的发展，提高人们的物质文化生活水平，确保国防安全，现已建成一个四通八达、完善的交通运输体系。现代交通运输是由铁路、公路、水运、航空和管道等五种运输方式所组成的。其中以铁路、公路运输为主。

新中国成立以来，交通运输事业已有较快的发展。到 1991 年年底，全国公路通车里程达 105.6 万 km；等级公路占 76%，其中二级以上（含二级）公路 5.98 万 km，三级公路 18.9 万 km，四级公路 54 万 km，等外公路 26.7 万 km；修建各种桥梁达 17.72 万座，总长达 538 万 km。现在全国 2 200 多个县市全部通了公路，93% 以上的乡和 70% 以上的村通了公路和汽车，形成了一个以北京为中心，与各大城市、省会及沿海经济开发区之间四通八达的公路网。从 1984 年年底我国开始修建第一条高速公路：上海—嘉定高速公路（全长 16 km），随后，相继建成了北京—天津—塘沽（全长 143 km）、西安—临潼（全长 15 km）、济南—青岛（全长 318 km）、广州—深圳（全长 120 km）、沈阳—大连（全长 375 km）等一批高速公路。截至 1999 年年底我国共建成高速公路 3 830 km，预计到 2020 年建成高速公路 10 000 km，这标志着我国公路建设已进入一个新的阶段——高等级公路的建设阶段。

随着交通运输的发展，因修筑铁路和公路等交通线造成山体的崩滑坡现象也屡屡发生。我国铁路的宝成线、宝天线都是有名的"病害"线。在国外，这方面的报道则更多。如 1986 年 6 月 21 日哥伦比亚西南部一段山间公路发生大滑坡，正在这段公路上行驶的几十辆汽车被大量土石方吞没。长期以来，诸如此类崩滑现象不仅严重妨碍甚至中断交通，更严重的是破坏了工程地质环境，形成带状工程地质环境恶化区。目前，随着陆上交通线，特别是公路交通的普遍发达，交通线上尤其是山区公路上的重力崩滑破坏现象正向区域发展。因此，研究、评价、预测和控制这类人类活动参与的环境工程地质问题，不仅是保证运输畅通的需要，也是水土保持以及自然工程环境保护的客观需求。

公路与铁路在结构上虽各有其特点，但二者却有许多相同之处：

（1）它们均是线形工程，往往要穿过许多地质条件复杂的地区和不同的地貌单元，使道路的结构复杂化；

（2）在山区线路中，塌方、滑坡、泥石流等不良地质现象都是它们的主要威胁，而地形条件又是制约线路的纵向坡度和曲率半径的重要因素；

（3）两种线路的结构都是由三类建筑物所组成：第一类是路基工程，它是线路的主体建筑物（包括路堤和路堑）；第二类是桥隧工程（如桥梁、隧道、涵洞等），它们是为了使线路跨越河流、深谷、不良的地质和水文地质地段，穿越高山峻岭或使线路从河、湖、海

· 158 ·

底以下通过等；第三类是防护建（构）筑物（如明硐、挡土墙、护坡、排水盲沟等）。在不同线路中上述各类建筑物的比例也不同，主要取决于线路所经地区工程地质条件的复杂程度。

交通线路的修建和运营过程对地质环境的作用，称为交通线路的地质作用（工程地质作用）。在这种作用下引起（诱发）的环境地质问题，称为交通线路的环境工程地质问题。出现这类问题，是交通线路地质作用与其地质环境矛盾运动的结果。

交通线路环境工程地质学，就是研究交通线路环境工程地质问题的学科，研究问题产生的条件、形成机制，提出评价、预测和防治措施，以达到合理利用和保护交通线路地质环境的目的。

与交通环境相关的地质要素主要有：

（1）地形地貌。常在宏观上决定地质环境的大类型，控制交通线路地质作用的种类和强度，制约环境工程地质问题的类型和严重程度，例如山区和平原就是完全不同的两种情形。

（2）地层岩性。地层的年代、岩石的种类，决定着具体的环境工程地质问题的种类和性质，是重要的物质基础条件。

（3）地质构造、新构造运动。为线路地质作用提供动力基础和控制边界条件，制约环境工程地质问题的性质和发展方向。

（4）地下和地表水文条件。水是最活跃的动力因素，又是最易受人为活动影响的因素。水本身还是一种重要资源，是十分重要的环境因素，经常处于主导地位，或成为最重要的激发因素。

（5）气候。气候直接地影响地表地下水文条件、岩性，间接影响地貌等，是不可忽视的环境因素，常制约环境工程地质问题的性质、类型、发展方向和程度。

（6）人类活动。人类在线路修建和运行中所进行的开挖、填筑、弃石堆积、车辆运行等活动，既是人类施加给地质环境的交通线路地质作用，也可看做是产生环境工程地质问题或地质灾害的环境因素。它既是破坏地质环境的最重要的因素，常处于主导地位或激发地位，又可以是改善地质环境的因素，是可调控程度最高的因素，是研究的重点。

第二节　交通线路主要工程地质问题

道路的建设，必须开挖或回填土石方，改变原来的地貌，破坏自然环境。草率地修建会加重地形的破坏，而加强规划可使这些影响减少。除此以外，修筑道路还可导致以下一些环境变化：

1. 截断含水层

含水层被道路截断时，浅层地下水系统便被破坏，使地下水不能向下游流动，于是就会破坏那里的水井和泉水等供水系统。而在道路截割的山腰处，则出现一些地下水露头，因此必须建筑排水涵洞，以保护道路的稳定。

2. 地下水位下降

当道路开凿很深的路堑时，路基可能低于地下水位，于是使地下水水位下降，从而导致整个地区地下水位降低。这种下降，将随时扩展到邻近区域，影响到附近地下水的分水岭改变，影响邻区供水系统中的地下水补给量。当然，对于进入路堑中的地下水，还必须采取有效的排水予以排除。

3. 边坡稳定性的破坏

开挖山坡产生的边坡坍塌、岩崩、岩体滑动、滑塌等现象都十分常见。而当山坡的上部有地下渗流时，这种情况尤为普遍。边坡失去稳定还会导致坡面冲刷、沟状冲刷以及机械管涌等侵蚀作用。渗透压力同滑动力相叠加，便可形成潜在的滑动面，发生滑坡。

4. 淤积和侵蚀作用

在使侵蚀率加速并同时出现淤积问题方面，公路建设中出现问题更多。马里兰州1970年首先制定一些法律，要求在各类建设中和公路建筑中，采取严格控制沉积物的手段。沉积物来自公路新开的地段中的路堤和取土坑。在开挖与铺砌路面之前，淤积问题最为严重。公路路面及路堤排去越来越多的水，以及重新分布的地表径流，能促使邻区陆地和河流侵蚀作用，所产生的沉积物又被带入河流中，使河床沉积，渗透率降低；也可能使天然河道转变方向，洪水灾害增加，并使供水系统中的含沙量增高。当然设计不当时，公路也会受到河流的侵蚀或受到异常洪水的影响。

5. 排出酸性水体

如果沿公路出露含有黄铁矿和其他硫化物，尤其容易受到风化与淋滤作用损害。正如在露天矿采煤一样，能产生富含硫酸的水。在接受几乎没有予以淡化或中和水体的情况下，这样的酸水排入供水系统中，对环境的影响最为严重。

6. 人为污染物的影响

供水水源附近地带与植被的地带最易受到汽车废气的污染。为消灭昆虫和野草而喷射的杀虫剂和除草剂，为控制冰和雪的积累而投放到道路上的某些盐类等，都是污染环境的物质来源。

一、路基边坡稳定性问题

交通线路上的边坡稳定问题，除取决于岩体结构外，独具特色的影响因素是：开挖路堑破坏了斜坡的自然稳定休止角，长期而反复的车辆震动和地下水或降雨的作用则会促进边坡的疲劳破坏。

（一）路基的作用

路基是道路的主要组成部分之一，它既是道路的主体，又是路面的基础。一条公路质量的好坏，不仅与公路线形和路面质量有关，同时也与路基的质量有关。路基松软，不仅会引起路面不均匀沉陷，影响路面的平整度，车速降低，增加油料消耗和汽车修理费用，而且会招致路面的过早破坏；反之，路基坚固，不仅可以增强对路面的支撑，提高路面的使用品质，而且还可以减薄路面厚度，降低路面造价和维修费用。

路基工程在一条公路建设项目中，不仅工程数量和投资巨大，而且占地面积最大，使用的劳力最多，常是控制公路施工进度的关键。特别是公路通过不良地质和水文地带时，遇到的技术问题更多。如果设计和施工不当，容易产生各种病害，导致路面路基破坏，影响交通和行车安全。

（二）对路基的基本要求

由于路基在技术、经济方面具有重要的作用，因此，在路基设计中，必须使路基满足

下列要求:

1. 具有足够的整体稳定性

路基建成后,一般都改变了原地面的天然平衡状态,尤其是地质不良地段,甚至加剧了原地面的不平衡状态。例如:在挖方地段,由于两侧边坡失去了原土层的支撑,很可能失去稳定而发生塌方现象;修筑在天然斜坡上的填方路基,也可能因自重作用而下滑,使道路失去整体稳定性。在这些情况下,都必须采取一定的工程技术措施,如排水、支撑与加固等,确保路基的整体稳定性。

2. 具有足够的强度

公路上的行车荷载,通过路面传给路基一定的压力,路基自身及路面的重量,亦给路基下层和地基一定压力,这些压力都可能使路基产生一定的变形,直接影响路面的工作状况。因此,路基必须具有足够的抵抗变形的能力,在荷载作用下不发生超过允许的变形。

3. 具有足够的水—温稳定性

路基是敷设在地面上、暴露于大气之中的结构物,所以它受地形、地质、水文和气候等自然因素的影响极大。在地面水和地下水的作用下,路基的强度将显著降低。特别是在季节性冰冻地区,还会发生周期性的冻融作用,使路基内水分聚积,造成路基填土松软和翻浆,强度急剧下降。因此,对于土质路基不仅要求具有足够的强度,而且要保证在最不利的水—温情况下,强度不致显著降低,这就要求路基具有足够的水—温稳定性。

为了保证路基的强度和稳定性,在路基设计之前,必须做好沿线工程勘察工作,收集沿线的水文、地质、地形、地貌及气象等自然因素的资料,仔细地分析各种因素对路基的影响,并针对影响路基稳定性的主要因素采取相应的处理措施。

(三) 路基横断面的基本形式

由于地形的变化和填挖高度的不同,路基横断面也各不相同。路基按其断面的填挖情况,大致分为路堤(填方路基)、路堑(挖方路基)和填挖结合路基三种基本类型。路堤是指全部用岩土填筑而成的路基;路堑是指全部在原地面上开挖而成的路基,此二者是路基最基本的类型。当原地面横坡较大、且路基较宽时,需一侧开挖而另一侧填筑,这样的路基称为填挖结合路基,也称半填半挖路基。路基的横断面均可结合当地地形、地质情况,参照路基标准横断面进行设计。对于高路堤、深路堑及其他特殊路基,必须进行个别设计和稳定性验算。现将几种路基的标准横断面分述如下:

1. 路堤

图 7-1 所示的是路堤的几种常见的路堤断面形式,其中填土高度低于 1 m 者为矮路堤,1~18 m(土质)或 1~20 m(石质)为一般路堤,高于 18 m(或 20 m)者为高路堤。

确定路基边坡坡度,是路基设计的基本任务。公路路基边坡坡度,习惯用边坡高度 h 与边坡宽度 b 之比来表示。如图 7-2 所示。边坡坡度的大小关系到边坡稳定和工程造价,边坡愈陡,稳定性愈差;边坡愈缓,土石方数量愈大,受水冲刷面积愈大,甚至有时反而不利。因此,在确定边坡坡度时,要权衡利弊,力求合理。

路堤的边坡坡度,在路堤基底情况良好时,一般参照表 7-1 所列的数值,结合已成公路的实践经验采用。

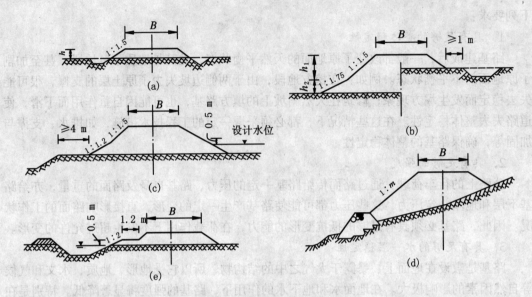

图 7-1 填方路基典型横断面

(a) 矮路堤；(b) 一般路堤；(c) 沿河路堤；(d) 护脚路堤；(e) 挖渠填筑路堤

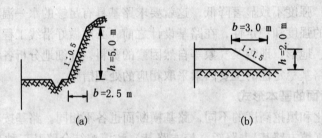

图 7-2 路基边坡坡度示意图

(a) 路堑；(b) 路堤

表 7-1 路堤边坡坡度表

填料种类	边坡最大高度（m）			边坡坡度		
	全部高度	上部高度	下部高度	全部坡度	上部坡度	下部坡度
一般粘性土	20	8	12		1:1.5	1:1.75
砾石土、粗砂、中砂	12			1:1.5		
碎石土、卵石土	20	12	8		1:1.5	1:1.75
不易风化的石块	20	8	12		1:1.3	1:1.5

注：用大于 25 cm 的石块填筑路堤，边坡采用干砌者，其边坡坡度应根据具体情况确定。粉土边坡可根据具体情况适当放缓。

填方高度大于 8~12 m 的一般路基，边坡坡度要相应放缓。地面横坡较陡时，填方有可能沿山坡下滑。为减少占地宽度，可设置石砌坡脚（见图 7-1d）。若路堤为开挖水渠填筑而成，则水渠与路堤之间设置 1~2 m 宽的平台作为护坡道（见图 7-1e）。护坡道应高出水渠的设计水位加浪高，再加 0.5 m。

沿河路堤受水浸淹部分的边坡应采用1:2，并视水流等情况采取边坡加固措施。

2. 路堑

如图7-3所示，由于路堑开挖破坏了原地层的天然平衡状态，因此，它的质量主要取决于地质条件与挖方深度，并且集中表现在边坡稳定性上。地质条件愈差，挖方愈深，则边坡宜愈缓，必要时还应予以加固。

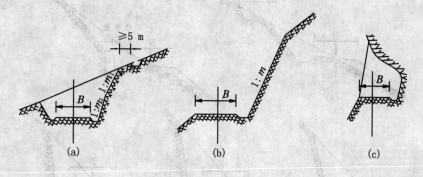

图 7-3 路堑横断面图

（a）路堑；（b）台口式路基；（c）半山洞路基

挖方边坡坡度，应根据边坡高度、土石种类与性质（密实程度、风化程度等）、地面水、地下水情况及施工方法等因素，综合分析确定。当地质条件良好且土质均匀时，可参照表7-2所列数值范围，结合已成公路的实践经验采用。

表 7-2 路堑边坡坡度表

土石种类		边坡最大高度（m）	边坡坡度
一般土		20	1:0.5～1:1.5
黄土及类黄土		20	1:0.1～1:1.25
碎石和卵石（砾石）土	胶结和密实	20	1:0.3～1:0.75
	中密	20	1:0.75～1:1.0
风化岩石		20	1:0.5～1:1.25
一般岩石			1:0.1～1:0.5
坚石			直立～1:0.1

注：详见路基设计规范 JTJ013—86。

当开挖深路堑岩性发生变化时，边坡可采用适应于各土层稳定的折线形状（见图7-3a）。陡峭山坡上的半路堑，可挖成台口式路基（见图7-3b）或半山洞路基（见图7-3c），力求避免少量的局部填方。整体性的坚硬岩层，为节省石方工程，有时可采用半山洞路基，但要确保安全可靠，切勿滥用。路堑边坡的稳定性，除地质条件外，还同时取决于水文地质情况。当地质条件差、水的破坏作用明显时，要特别做好路堑的排水工作。

3. 填挖结合路基

填挖结合路基是路堑与路堤的综合形式，此类路基横断面的形式及其稳定性与地面的横坡度有密切关系。其中填方部分在自重作用下有可能沿地面下滑。因此，要求在填筑之前清除松土和杂草，拉毛地面以增强填方与原地面的抗滑能力。当原地面坡度大于1:5时，填方部分的土质地面应挖成台阶，每个台阶宽度不小于1 m，台阶底有2%~4%的内倾坡度。如果原地面坡度大于1:2，以致无法填筑或占地太宽，填方数量太大，则可根据实际情况，利用废石方，修筑护肩、护墙、砌石及挡土墙等支挡建筑物（见图7-4）。

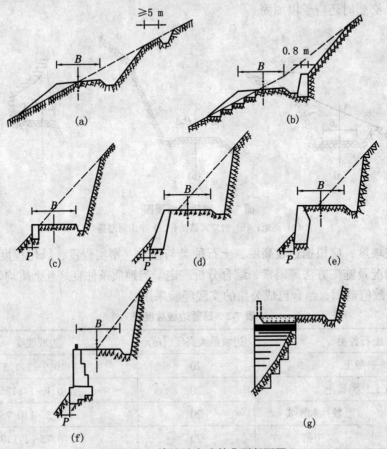

图7-4　填挖结合路基典型断面图

(a) 一般填挖结合路基；(b) 矮挡墙路基；(c) 护肩路基；(d) 砌石路基；
(e) 护墙路基；(f) 挡土墙路基；(g) 半山桥

（四）路基的变形、破坏及其原因与措施

整个路基及其各部分都处在自重、行车荷载及许多自然因素的作用之下。行车荷载与路堤自重相比，一般较小。

对路基稳定性起主要作用的有水（流动的和不流动的）、温度（特别是从正温度过渡到负温度，以及从负温度过渡到正温度）以及风蚀等。由于这些因素的作用，路基及其各部分将产生弹性变形和残余变形。

路基自重、土的干缩以及车轮的重复作用可使土的密实度和强度有所增加，但若作用过于激烈和变形很大，则可能引起危害路基稳定性的后果。

在正确设计、修建和养护的路基中，变形不应危及路基及其各部分的完整性和稳定性。

路基及其各部分的变形主要有以下几种。

1. 路堤的变形、破坏

1）路堤沉陷

路堤沉陷的特征是路基表面产生竖向位移。但应将路堤的沉陷和由于逐渐密实而产生的沉缩（见图7-5）区别开来。高而松软的路堤，未经压实，其沉缩可能达到危险的程度。不过路基表面的大量沉陷，主要由于软弱地基的沉陷引起，并且可能同时引起地基土从路堤两旁隆起。

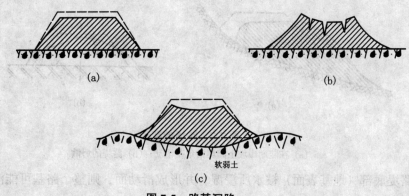

图 7-5　路基沉陷
(a) 路基的沉缩；(b)、(c) 路基的沉陷

路基表面的沉陷，也可能由于堤身内部形成过饱和水区（泥泞窝）而引起。当用透水性不同的土杂乱无次序地堆成路堤，以及冬季填筑路堤采用饱水的冻结土或混有雪的土时，均可产生饱和水区。易被水所饱和的砂土，能在堤身中积蓄水分，从而使路堤中的粉土和粘性土过度潮湿。

2）边坡溜方、滑坡及风蚀

溜方是由于被水饱和的少量土体沿边坡向下移动所形成。溜方通常指的是边坡上薄的表层土的下溜，它可能由于流动水冲刷边坡而引起（见图7-6）。

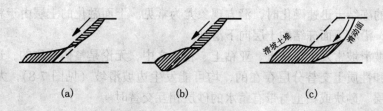

图 7-6　路基边坡的破坏
(a)、(b) 溜方；(c) 滑坡

边坡处大量土体的位移就形成了滑坡（见图7-6c），即路堤的一部分土体与堤身分离，在重力作用下沿某一滑动面滑动。

滑坡是由于下列几种原因破坏了土体稳定性而引起的：

（1）边坡过陡；

（2）土过于潮湿，降低了粘聚力和内摩擦力；

（3）不正确地用倾斜层次的方法填筑路堤；

（4）边坡被水冲刷。

路堤边坡的允许坡度，应根据土的性质、路堤高度和含水情况，以计算方法来确定。

3）路堤沿地基滑动

在陡峭的山坡上，路堤整体或其一部分可能沿地基滑动（见图 7-7a）。滑动也可能仅限于边坡下部一部分路堤土的位移。

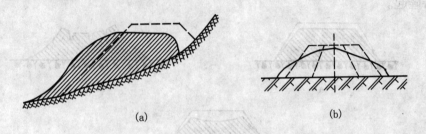

图 7-7　路堤的变形

(a) 在陡峭山坡上路堤沿地基滑动；(b) 路堤的坍散

若路堤底部（地基表面）被水所浸湿，并形成滑动面，则整个路基可能沿该斜坡面向下滑动。

陡坡路堤的稳定性，也必须通过计算来核验，并须设计防治路堤基底浸湿的措施。

4）路堤坍塌

路堤坍塌（见图 7-7b）的特征是边坡失去其正确的形状，以及边坡表面下沉。路堤坍塌的主要原因是土方施工不正确——用斜层法堆填含水量较大的土或用各类不同性质的杂土堆填。

2. 路堑变形、破坏及其原因

路堑的主要变形是边坡变形。

1）边坡的溜方和滑坡

路堑边坡溜方与路堤边坡一样，溜下的土将堵塞边沟，有时也侵占路基。当朝南边坡中过度饱和的冻结土迅速融化时，溜方现象尤为常见。上面融化的土层由于粘聚力及内摩擦力的减小，沿着下面冻结的土层向下滑动。

路堑边坡滑坡常发生在粘土、亚粘土、粉土之中，无论是整体均质的，还是各土层在地质年代上和性质上交替分层存在的，均可能发生边坡滑坡（见图 7-8），尤其是土中夹有蓄水的砂层、砂块或粘土与带有蓄水的砂层相互交替时。

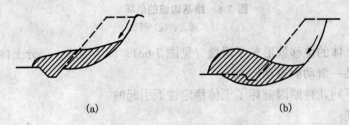

图 7-8　路堑边坡的滑坡

粘土等不透水层，如有倾向路堑方面的斜坡面，其表面被水浸湿后，就可能成为上面土层的滑动面。如果土体的滑动面位于路基之下，则变形可能蔓延到整个路基而使之破坏。

引起边坡滑坡的主要原因是土的含水量过大。过度浸湿可能是由于大气降水浸入土内，并聚积在不透水土层的表面所引起的。地面水和地下水也可能从排水沟，特别是截水沟渗入土内。

为了使路堑边坡避免滑坡，必须根据水文地质调查资料，正确设计地面排水和地下排水措施。如果路堑穿过蓄水层（湿路堑），应首先设法绕过该地区，并避免开挖路堑，因为要保证这种路堑的稳定性耗资较大。

路堑滑坡亦可能是弃土堆距路堑边坡顶部边缘太近，致使路堑边坡超载。

2）边坡崩塌和碎落

碎落和崩塌，亦属于路堑和半路堑的变形。碎落是软弱石质土经风化而成碎块，大量沿边坡向下移动。碎落的堆积可能堵塞边沟和侵占部分路基。崩塌是大的石块或土块脱离原有的岩石或土体而沿边坡倾落下来。崩塌是修筑路堑使岩石个别地段的稳定性遭受破坏，特别是当各岩层向着路堑方向倾斜，并随后有水或地震的破坏作用所引起的。

从以上路堤和路堑的主要变形、破坏可以看出，影响土体稳定性的主要因素是水。所以保证路基稳定性最重要的措施是设计综合的排水系统，尽可能使路基湿度保持在安全范围内。同时按正确次序填筑路堤和合理组织土方工程施工也很重要。若填筑路堤时用侧面培添的方法来增大路堤，则在路堤内部会造成各层分界的倾斜面，这些倾斜面在湿润时即变为滑动面。

综上所述，路基发生变形、破坏的主要原因可归纳如下：

（1）路基整个土体或其中一部分不稳定；

（2）路基以下的地基土体不稳定；

（3）行车荷载作用；

（4）填筑方法不正确与压实不足；

（5）季节性交替地发生含水量变化及温度变化的物理作用，使土体发生膨胀、收缩以及冬季冻胀和春季融化，强度减弱。

因此，在路基设计与修建时，必须采取结构上和技术上的措施（一般标准设计或典型设计，也须结合具体情况加以修改），使路基土的含水量和温度变化减至最小，以保证路基具有足够的强度和稳定性。

3. 保证路基稳定性的措施

保证路基稳定性主要是限制水分浸入路基，或使水分迅速从路基排出，保持干燥，提高强度与稳定性。具体措施如下：

（1）正确设计路基横断面；

（2）选择良好的土填筑路基，并采取正确的填筑方法（如分层填筑与不同土质的层次组合）；

（3）充分压实土基，保证达到规定的压实度，提高路基的稳定性；

（4）适当抬高路基，以防止地表水侧向渗入或受地下水位影响；

（5）正确地进行排水设计（包括地面排水与地下排水以及地基的特殊排水）；

（6）设置隔离层（用以隔绝毛细水上升）、隔温层（用以减少路基冰冻深度和水分积累）及砂垫层（用于疏干土基）；

(7) 采取边坡加固与防护措施，以及修筑挡土结构物。

二、路基基底稳定性问题

路基基底稳定性多发生于填方路堤地段，其主要表现形式为滑移、挤出和塌陷。一般路堤和高填路堤对路基基底要求是要有足够的承载力，它不仅承受汽车或列车在运行中产生的动荷载，而且还承受很大的填土压力，因此，基底土的变形性质和变形量的大小主要取决于基底土的力学性质、基底面的倾斜程度、软弱层和软弱结构面的性质与产状等。此外，水文地质条件也是基底不稳定的因素，它往往使基底产生巨大的塑性变形而造成路基的破坏。

如路基基底由软粘土、淤泥、泥炭、粉砂、风化泥岩和软弱夹层所组成，应结合岩土体的地质特征和水文地质条件进行稳定性分析。若不稳定时，可按选用下列措施进行处理：

(1) 放缓路堤边坡，扩大基底面积，使基底压力小于岩土体的允许承载力；

(2) 在通过淤泥土地区时，路堤两侧修筑反压护道；

(3) 将基底软弱土层部分换填或在其上加垫层；

(4) 采用砂井（桩）排除软土中的水分，提高其强度；

(5) 架桥通过或改线绕避等。

三、道路冻害问题

道路冻害包括冬季路基土体因冻结作用而引起路面冻胀和春季因融化作用而使路基翻浆。结果都会使路基产生变形破坏，甚至形成显著的不均匀冻胀和路基土强度发生极大改变，危害道路的安全和正常使用。

道路冻害具有季节性。冬季，在负气温长期作用下，路基土中水的冻结和水的牵移作用，使土体中的水分重新分布，并平行于冻结界面而形成数层冰冻层，局部地段尚有冰透镜体或冰块，因而使土体体积增大（约9%）而产生路基隆起现象；春季，地表冰层融化较早，而下层尚未冻结解冻，融化层的水分难以下渗，致使上层土的含水量增大而软化，强度显著降低，在外荷载作用下，路基出现翻浆现象。翻浆是道路严重冻害的一种特殊现象，它不仅与动荷载有密切关系，而且与运输量的发展有关。在冻胀量相同的条件下，交通频繁的地区，其翻浆现象更为严重。翻浆对铁路影响较小，但对公路的危害比较明显。

影响道路冻害的主要因素是：负气温的高低、冻结期的长短、路基土层性质和含水情况、土体的成因类型及其层状结构、水文地质条件、地形特征和植被情况等。

（一）道路冻害对环境的影响

人们为了公路等交通道路的冬季防冻常采取防冻材料。这些材料如炉渣和沙子等。但都带来了难以清除的问题，因为这类物质能堵塞排水水管、下水道和集水池。盐常被用于防止沙堆的冻结，公路上的使用日益增多。因为使用盐可以：①减少昂贵的冬季清除工作，盐可以溶解冰雪并自然扫除掉；②降低液体的冰点，阻止结冰；③减少滑溜等公路事故。美国用于防冻目的的盐，占用盐总产量的20%。但是，公路的防冻盐对环境有以下几方面的影响：

1．对土壤的影响

当钠构成土中离子交换能力的 15% 以上时，土的结构就开始变坏，如渗透性和保持水分的能力降低，而这又使地表径流增加、渗透性降低，植物生长不良。

2．对植物的影响

土中盐浓度增大，会阻止植物对水分的吸收。因为水是向着浓度较大的方向运动的。消弱根的吸水能力，会导致缺水和营养物的不平衡。其效应为生长衰减、叶片灼坏、幼芽枯萎，以致死亡。

3．对野生生物的影响

动物在摄取栖息地中的过量的盐以后，会使渗透平衡受到干扰，扰乱正常的机体作用过程，影响动物正常的生长发育。

4．对地下水的影响

饮用受钠污染的水，受害最深的是为控制高血压而需要吃低钠饮食的、肾功能紊乱及肥胖症的人们。

5．对湖泊的影响

含盐水的进入使得湖泊中盐在底层水中积累，阻止了泉水循环。湖底静水层（湖中的下层，夏季保持恒温）缺氧，并导致底栖生物消灭和鱼类死亡。

6．对车辆的腐蚀

盐使车辆易于生锈。在盐和水的参与下，会产生铁氧化的电化学反应。活动的氯化物离子会使溶液的导电性增加，使行驶在撒盐的公路上的车辆维修费用增加。

7．对路面的破坏

由于盐晶体的生长和盐化合物的热膨胀，使撒了盐的路面受到破坏。盐晶体在裂隙中的生长及膨胀，特别是在昼夜温度变化很大的地方，加速了路面的破坏。

（二）防治冻害的措施

防治道路冻害的措施有：

（1）铺设毛细割断层，以断绝补给水源；

（2）把粉粘粒含量较高的冻胀性土换为粗分散的砂砾石抗冻胀性土；

（3）采用纵横盲沟和竖井，排除地表水，降低地下水位，减少路基土的含水量；

（4）提高路基标高；

（5）修筑隔热层，防止冻结向路基深处发展。

四、建筑材料问题

路基工程需要天然建筑材料的种类较多，包括道渣、土料、片石、砂和碎石等。它不仅在数量上需要量较大，而且要求各种建材产地沿线两侧零散分布。但在山区修筑高路堤时却常遇土料缺乏；在平原区和软岩山区，常常找不到强度符合要求的护坡片石和道渣，因此，寻找符合需要的天然建材有时成为铁路选线的关键性问题，常常被迫采用高桥代替高路堤的设计方案，甚至"移线就土"，提高线路的造价。

五、桥、隧洞稳定性问题

桥梁基坑开挖，会引发以边坡坍滑为主的变形破坏，有时甚至牵动山体滑移，除地质环境条件外，设计临时边坡坡角（率）不合理，是重要的激发因素。

隧洞施工中引发的环境工程地质问题主要有：岩溶隧道发生塌陷、涌水和突泥；第四纪松散层、断层带、破坏岩层以及由于各种不利结构面造成的拱顶或边墙岩土体坍塌引发的泥屑流。

隧洞洞口位置、坡角、坡高确定不当，或其他人为因素影响，可引起洞口坍塌甚至牵引上部山体产生大规模的滑坡。

六、弃土、取土引起的环境工程地质问题

弃土：深挖集中地段或长隧洞洞口，常有大量弃土需要处理，有时会十分困难或需耗费巨资。处理不当，可出现一系列问题，遇集中暴雨形成泥石流，破坏良田，冲毁道路；沿河线路，弃土于河中，堵塞河道，影响排洪，形成洪灾；弃土于古滑坡之上，使之复活，危及山体稳定。

第三节　高速公路的环境工程问题

一、概述

我国现行《公路工程技术标准（JTJ1—88）》中规定："高速公路，一般能适应按各种汽车（包括摩托车）折合成小客车的年平均昼夜交通量 25 000 辆以上，为具有重要的政治意义、经济意义、专供汽车分道高速行驶并全部控制出入的公路。"

1962 年 11 月，在日内瓦召开的联合国欧洲经济委员会运输部会议，对高速公路作了如下定义："所谓高速公路（Freeway），是利用分离的行车道往返行驶交通的道路。它的两个车行道用中央分隔带分开，与其他铁路、公路不允许有平面交叉；禁止从路侧的任何地方直接进入公路；禁止汽车以外的任何交通工具出入。"

从以上定义和解释不难看出，高速公路一般应符合以下四个条件：

（1）高速公路是供汽车行驶的汽车专用公路，不允许非机动车辆及行人使用；

（2）高速公路设有中央分隔带，并将往返交通完全隔开；

（3）高速公路与任何铁路、公路都是立体交叉的，不存在一般公路平面交叉口的横向干扰；

（4）高速公路沿线控制出入，是封闭式的。

二、高速公路的工程技术标准

（一）线形

一般公路现行路线设计，主要是以满足汽车运动的力学特性和保证行车安全为目的，同时兼顾工程的经济合理性和营运经济效益。高速公路由于汽车的速度高，还须考虑乘车人（驾驶员和乘客）的心理状态和生理状态。总的来说，高速公路应该有开阔的视野和美化的环境，并尽量减少因道路条件而引起的车速突变和车辆起伏颠簸所造成的不舒适和不安全感觉。此外，还应充分利用地形、地物搞好环境保护，同时注意生态平衡，遵守国家政策法令。这都是修建和设计高速公路应考虑的重要因素。

高速公路的计算行车速度,平原微丘区为 120 km/h,山岭重丘区为 80 km/h。但是高速公路的实际行车速度大于计算行车速度的现象国内外都存在,有时可高达 150～200 km/h。

公路建筑限界在平面上应包括公路横断面设计所要求的总宽度;在立面上为行车净高,我国规定应大于 5 m。

为保证高速行驶车辆的平稳、舒适,在设计高速公路的平面线形状时,绝大多数国家都采用以圆曲线和缓和曲线为主,并配合短直线所组成的圆滑线形。这在客观环境上有利于利用地形、地物和自然景观;在工程上可以避免高填深挖,减少工程投资和养护费用。

我国现行标准规定,平原微丘区和山岭重丘区的高速公路的平曲线半径,不设超高时应分别不小于 5 500 m 和 2 500 m,一般最小半径分别不小于 1 000 m 和 400 m,极限最小半径应分别不小于 650 m 和 250 m。在平原微丘区,高速公路的最短视距为 210 m。

高速公路的纵面线形,应与自然地形相适应,并为桥涵等构造物留有足够的高度。高速公路的最大纵坡限制在 5% 以下。

公路中线的空间形状应连贯、均匀、协调、舒畅,并具有良好视野和美观的外表;为满足某些要求,在某些特殊路段有时还须绘制透视图,以检验公路线型是否与周围环境和谐相称。

公路横断面可分为:

(1)行车道。高速公路的行车道,一般为 4 车道,有的国家可达 10～16 条车道,用来负担巨大的高峰交通量。供小客车行驶的每一条车道宽度,一般在 3～3.5 m 之间,供载重车行驶的每一条车道宽度约 4 m,最宽 4.25 m。

(2)中间带。在高速公路上设置中间带的作用是:有利于内侧车道上的小客车高速行驶,杜绝对向行驶汽车碰撞的可能性;夜间可避免车头灯眩目。此外还可阻拦驾驶员任意调头回行。为了便于车辆"U"形(调头)转弯,中间带每隔 2～3 km 都留有长约 20 m 的豁口,将断开的中间带两头做成圆弧形,以便车辆调头行驶。中间带和路肩一样,还可为公路标志、夜间照明设施和绿化等提供空间。

(3)路肩。路肩在工程上起着巩固路面结构层的作用,同时又为外侧车道提供必要的侧向余宽。假如将路肩内侧铺筑次高级或中级路面加固成硬路肩,还可作为高速公路的临时停车道。硬路肩宽度应不小于 2.5 m,外侧还有 0.5 m 宽的土路肩。

(4)路缘带。高速公路车道的左侧和右侧都设有路缘带。左侧路缘带宽 0.5～0.75 m,包含在中间带宽度内,可做成平缓的倾斜面;右侧路缘带宽 0.5 m,包含在路肩宽度内,一般与行车道平齐。

(二)路基工程

高速公路的路基顶面宽度比一般公路横面要宽一些。我国 4 车道高速公路路基宽度,规定为 20～26 m。路基的环境工程地质问题与一般公路、铁路相同。

路基宽度在受河流洪水或洼地积水影响的路段,由设计洪水频率和积水位高程决定。我国规定高速公路设计洪水频率为 1/100。不受洪水影响的路段,其路堤填土高度未作特别规定,可按一般公路路堤的填土高度进行设计;在受地面积水或地下水影响的路段,其路堤的填土高度应高出自然地面的 0.8 m 以上。这样既有利于防止人畜横穿公路,又有利于设置地下道或与拖拉机道立交。由于高速公路采用多层次的路面结构,毛细水对路面的危害比较小，如果采用稍复杂的截排地下水或地面水的技术措施，效果会更好。

高速公路对路堤的工程质量要求很高，路堤的下层要求填筑稳定性较好的粗粒土，上层填土的压实度要求达到98%。对软土地基础处理，有的采用加密砂桩和钻孔法将石灰、水泥或化学试剂压入深层，使软土固结；有的在软土层上铺设土工织布作垫层。在土坡稳定方面，广泛采用加筋挡土墙代替重力式挡土墙，以减少路堤的填方数量。加筋挡土墙在法国、德国、美国和日本等国都有较广泛的应用。

（三）路面工程

高速公路承担的交通量大，行车速度高，轮胎与路面的磨损剧烈。路面的力学强度、耐磨强度、水和温度稳定性、使用寿命和养护难易以及摩阻系数大小，都是工程技术人员主要研究的课题。目前高速公路采用的路面类型可分为两大类：沥青混凝土路面和水泥混凝土路面。

1. 沥青混凝土路面

沥青混凝土路面是用沥青、石粉、砂及砾石（或碎石）四种材料按一定的比例配合，经机械或人工拌和，使砂子及砾石敷满沥青，铺砌在坚实的基层上，经压实而成的坚实平整、密不透水的高级路面。具有造价低、路面连续性好（无接缝）、施工完毕即可开放通车，又有较好的平整度以及损坏后便于局部修补等特点。目前工程技术人员正在研制使沥青混凝土路面在使用寿命延长、与轮胎的摩擦系数稳定的沥青混凝土路面。

当前，各国高速公路的沥青混凝土路面结构一般采用多层次组合，其中面层采用热拌热铺沥青混凝土，用耐磨和摩阻系数高的坚硬砂石作骨料，沥青用量偏多，厚度一般为30～70 mm；结合层多采用沥青碎（砾）石混合料，厚度40～90 mm，沥青含量较少；基层采用碎（砾）石、沥青贯入碎（砾）石或低标号混凝土，厚度为150～200 mm；底基层一般采用100～300 mm厚的沥青、水泥或石灰稳定砂土，或者采用级配好的碎（砾）石或矿渣。

2. 水泥混凝土路面

水泥混凝土路面是用水泥、砂子及碎石（或砾石）三种材料按一定比例配合，加适量的水，用机械或人工拌和而修筑的路面。它具有很多优点，但是由于它的接缝太多及接缝间的平整度处理得不够完善，以致严重影响高速行车的舒适。现在普遍将水泥混凝土路面的胀缝和缩缝采用不同的方法处理。如缩缝采用切缝机，按不同间距将路面切成与路中线呈80°的斜交缝，既可消除等距离缩缝使车轮产生周期性跳动，可减轻在高温季节因路面板膨胀而产生的顶推作用。

（四）立体交叉

高速公路与一般线路交叉都必须采用立体交叉，而且高速公路多采用互通式立体交叉或上跨。在山岭和丘陵地区，是上跨还是下穿由地形、地质等自然条件、工程大小及景观优劣等技术经济指标因素决定。一般地，高速公路的路堤高度在自然地面以上3 m左右，如果路堤比较低，争取上跨需有接线纵坡，则可选择下穿通过的分离式立体交叉，以减少填土工程量。

（五）桥涵及其他

高速公路的桥涵与一般公路的桥涵基本相同，但横向要宽得多，一般采用多车道双向行驶的宽桥，在中间带宽度变宽的路段，常常修建分离式的单向桥梁。在建材方面，一般中小型桥梁多采用钢筋混凝土和预应力钢筋混凝土等材料建造。近年来有不少国家采用预应力钢筋与非预应力钢筋混合配筋的钢筋混凝土结构设计，桥梁跨度已达 100 m。另外，还大量采用强度高的低合金钢材和抗锈蚀的钢材。同时研究试配高标号水泥混凝土和轻质混凝土，目前已取得实用价值的混凝土密度为 1.8 g/cm³ 以下，混凝土标号则达 C60 以上，试验工作正向 C100 方向探索。

（六）高速公路环境的美化

高速公路在线形设计和工程设计时，应注意有良好的景观和优美的环境。一条设计成功的道路，无论是平面曲线或竖曲线的线形变化，应该逐渐地协调发展，不出现突变。最好将平、纵线型的变化结合考虑，保持平衡，组合成良好的立体线型。在路基工程上尽可能减少土方量，路堤边坡尽可能用近似等高线的弧形坡面形成流线型，在排水沟和涵洞口形成漏斗形坡面，在挖方起点或挖方止点的挖方边坡应较缓，向挖方较大的最高边坡处逐渐变陡，这样也可以在纵向形成弧形坡面。高程不同的公路边坡之间，应该注意坡面的平缓和美观，保护植物生长。平原微丘区地下水位比较高的路段，可考虑用取土坑建湖塘，植莲或养鱼，路堤兼作湖堤有助于美化公路环境。

道路所经过的自然地面，工程竣工时应立即种植宜于当地土质、气候条件的草皮和树木，以防止水土流失，保护边坡和自然环境。

三、高速公路的环境工程问题

高速公路对环境的影响包括大气环境、声学环境、生态环境、水环境和工程环境。目前，在高速公路的设计、施工和管理中越来越重视高速公路沿线的水土保持、绿化等生态环境保护措施。高速公路项目的直接生态影响来自于施工、保养和交通，即施工噪音、植被的破坏、车辆尾气、路边垃圾、车辆溢漏物的污染等方面。

由于高速公路线型、路面要求较高，所以路基防护措施十分重要。人工边坡的保护主要有以下措施：

（1）根据不同的地形、地质条件选择合适的挡土支护措施，如各种挡土墙或进一步削方。

（2）防止冲刷、保护道路路坡自身的稳定，防治水土流失。一般采用块石浆砌、水泥预制块铺盖、台阶式开挖设计等。

（3）充分做好排水措施，排水井与排水沟相结合，提高土体的抗剪强度，从而使边坡的稳定性增强。

（4）岩质边坡的开挖可采取喷浆覆盖、锚固、修筑排水沟等措施。

（5）对于块石崩落型水土流失的防止方法是加强坡脚支撑、坡面喷浆防风化工程等。

第四节　交通线路工程地质问题的研究方法及防治对策

一、条件研究

通过收集资料、实地勘察、资料的整理和综合分析，找出具体的地质环境因素，进行分析排队，划分"主"、"从"、"激"三种因素，根据各线段三种因素组合关系，对线路地质环境因素组合进行分类，对线路进行分段，同时编制相应的条件图系。

二、评价预测研究

对交通线路环境工程地质问题出现的可能性、具体条件、发展演化趋势、危害程度等进行预测和评价。

对拟建交通线路，要在不同勘测阶段，逐步深化预测和评价。在前期勘测中，要结合区域稳定性研究，根据地质环境条件确定可能发生的环境工程地质问题及其性质、规模和危害程度，以求在设计中最大限度地避免问题的出现；在后期勘测中，特别在施工中，仍要重视并且要不断深入，具体预测评价。预测评价的对象是那些无法回避或尚认识不清的具体环境工程地质问题。例如，在地质条件复杂的遂道施工中采用超前导坑、超前水平钻探等方法进行超前预测，并通过一定的形式预报。如在日本的青函隧道中，施工使用了超前导坑，超前水平钻孔（202孔，单孔最深达 2 150 m，共进尺 88 562 m），预报地质构造、断层位置等，对施工起了很大作用。对已建交通线路，应设立长期观测网，掌握发展趋势，进行预测和评价。

同时，编制相应的预测、评价图系。

三、防治与对策

对于交通线路环境工程地质问题及灾害，应特别强调以防为主、防治结合、重点预控的防治方针。以防为主，是因为交通线路一旦出现严重环境工程地质问题或地质灾害，损失巨大，治理十分艰巨或耗资甚巨。因此，一定要防患于未然。其间最根本的是提出科学合理设计。

在设计中要完全回避不利因素是不可能的，因此，还要进行治理。治理就是确定调控地质环境因素，选择适当的调控手段，使地质环境因素综合作用，向有利方面发展。调控可分主动调控（预先调控）和被动调控（事后应付调控）。在工作中，要以预控为主。

具体防治方法，可分为绕避、加固、保护、综合治理等。

绕避是指选线中尽量减少与恶劣地质环境相遇的机会，或者改变施工方案，例如在山势险峻、地形狭窄地段，尽量避免高边坡出现，而采用隧道形式通过。

加固是指对无法绕避的恶劣地质环境进行改造，例如对路基土质改良，对岩质高边坡进行喷锚、固化等。

保护指在施工和运营中尽量减少对自然地质环境的破坏。保护的具体方法很多，例如采用先进爆破技术（包括合理装药量、设计最小抵抗线、光面和减震爆破、微差或分段爆破等），修筑挡护工程，尽量少填少挖，合理设计坡角、坡高和排土场位置，植树（灌木、草），限制沿线抽汲地下水量、采矿、地下工程，整平夯实自然山坡坡面，设置截渗和排渗沟，对老滑坡体上部减载、坡脚加重，合理安排施工程序，等等。

复 习 思 考 题

7-1 公路的路基有什么作用？在设计路基中，一般的要求是什么？

7-2 路基的横断面有哪几种基本形式？各种形式的适用条件是什么？

7-3　路基存在哪些变形、破坏形式？产生的原因是什么？

7-4　保证地基稳定性可采取哪些措施？

7-5　什么是高速公路？其基本条件是什么？

7-6　高速公路的工程技术标准与一般公路相比有什么特点？

7-7　高速公路的环境工程问题是什么？如何防治？

7-8　交通线路工程地质问题可采用哪些研究方法？

7-9　交通线路工程中具体有哪些防治对策？

7-10　公路、铁路等线形工程的施工对环境将产生什么影响？

第八章 文物性地质景观的环境工程地质问题

景观包括自然的、人为的和兼具二者特征的（历史上人类改造的，即文物性地质景观）三类，它们都是珍贵的旅游和文化资源。自然景观是指具有人文欣赏价值的地理、地貌和地质现象，如山水、溶洞和自然造型等。人为景观，如人造园林、楼台亭榭和假山等。文物性地质景观是在人类历史上人工修饰自然景观而成的石窟、石雕、岩画以及古矿冶遗址等。文物性地质景观的环境地质研究主要包括两方面：一是研究其病害，保护已有的文物资源；二是研究其分布规律及历史渊源，为新景观的合理开发提供科学指导。

第一节 文物性地质景观的研究动态

早在 20 世纪 50～60 年代，苏良赫、王大纯等曾先后对云岗石窟、龙门石窟、敦煌莫高窟、大足摩崖石刻等文物地质景观进行过考察，初步注意到文物保护方面的地质研究问题。

目前从环境地质角度研究文物的破坏与保护问题已受到普遍重视。1988 年 9 月，曾在希腊雅典召开了古代文物保护有关的国际工程地质学术会议，讨论的专题包括：

(1) 历史遗迹和建筑名胜的工程地质维护；

(2) 历史建筑名胜的工程地质与建筑石料；

(3) 工程地质与考古学勘察；

(4) 工程地质和历史过程中的灾害；

(5) 环境地质和历史足迹：古代环境地质、古地理、古水文、古构造等；

(6) 古代工程活动中的工程地质：古代建筑中的地基条件和稳定性，古人类的水文工程地质观念、史例等。

近年来，欧美学者研究了空气污染和酸雨对露天大理石雕刻品的损害；埃及学者研究了干旱地区各种盐类，特别是可溶盐的结晶作用造成石雕的破坏；印度及东南亚地区的学者研究了生物风化对石质文物的危害及防治对策；一些地震多发区的学者研究了石雕的减震措施；许多石质文物实验室正在进行各种保护性化学材料对保护石质文物耐久性、透气性、透水性和粘接牢固性等性能的研究。

在我国，1992 年潘别桐、黄克忠等曾对文物性地质景观（尤其是石窟）问题作过系统的研究。下面作一简单介绍。

第二节 我国文物地质景观的类型及工程地质环境

文物性地质景观是指历史上人工修饰的石质景观或人类活动过的地区，且目前无明显的移位者。这个概念范围较广，具代表性的有石窟、石雕、石刻、岩画和文化遗迹（如古采矿、冶炼遗址、宗教圣地及名人旧居等）。

一、石质文物的类型

我国的石窟寺多数开凿在依山傍水的崖壁上，组成崖壁的地层大都未经过强烈构造变动，岩体的完整性较好，地层产状多为近水平或缓倾斜。按照岩性可把我国石窟寺分为四种类型。

（一）砂岩型石窟

开凿在砂岩或砂岩夹薄层泥岩、页岩中的石窟。这类石窟约占总数的80%以上。如新疆拜城克孜尔石窟就开凿在新第三系的砂岩夹泥岩地层中，砂岩疏松，成岩程度差；甘肃永靖炳灵寺石窟也开凿在砂岩夹泥岩中；陕西彬县大佛寺石窟开凿在早白垩系洛河组紫红色中粗粒砂岩夹砾岩或薄层页岩中，岩石疏松，孔隙率高达20%~25%，成岩程度较好；著名的云岗石窟开凿在侏罗纪砂岩夹泥质、粉砂质页岩中；四川大足龙岗山和宝顶山石窟均开凿在早、晚侏罗纪蓬莱镇组和遂宁组的红色砂岩夹泥岩地层中。属于这一岩石类型的石窟还有新疆的库车森木塞姆石窟、玛札伯哈石窟、吐鲁番伯孜克里石窟，甘肃固原须弥山石窟、凉州天梯山石窟，河南巩县石窟、渑池鸿庆寺石窟，四川乐山凌云寺大佛造像、江西通天岩石窟等。

（二）砾岩型石窟

闻名中外的甘肃敦煌莫高窟就是开凿在鸣沙山东麓的老第四纪酒泉砾岩中；天水麦积山石窟开凿在老第三纪紫红色砂砾岩夹薄层泥岩中。这类砾岩较疏松，成岩程度差，地层产状呈水平，岩体完整性好。

（三）灰岩型石窟

著名的龙门石窟群开凿在中、晚寒武纪的白云岩和鲕状灰岩、泥质条带灰岩中，岩体受轻微构造变动，地层产状为NW350°∠25°，无构造断裂，岩体完整性好。属于灰岩型石窟的还有山西太原天龙山石窟、晋祠龙山道教石窟，河北邯郸响堂山石窟等。

（四）结晶岩型摩崖造像

江苏连云港孔望山摩崖造像修建于汉代，距今有1 600多年历史，开凿在前震旦系胸山组钾长均质混合花岗岩中，岩石坚硬，开凿困难；泉州老君岩造像为伟晶花岗岩。属此类石窟或造像的较少。

上述石窟寺的岩性类型表明，我们的祖先在建造石窟寺时，是经过地质选址考察的，选择在完整性好、岩层厚度大而又较均一的岩体中开凿或雕刻。此外，岩性又相对较软，易开凿，且具较好的自稳能力。未经构造变动，岩层厚度大而又较均一的砂岩、灰岩、砾岩等最适合于石窟的开凿和修建。这表明，我们的祖先在当时生产力水平下，已经自发地采用了工程地质的观点来指导石窟寺的选址和修建。

由于石窟寺的岩性类型和所处的自然环境的不同，经过千年以上的自然地质营力和人类工程活动的作用，诱生环境地质病害类型、机理和防治也各不相同。因此，在实际研究工作中，首先应查明石窟寺的岩石类型和赋存的地质环境。

二、石质文物的工程地质环境

以我国为例，石质文物的分布有一定的规律，从西向东有千佛洞（新疆）——莫高窟（敦煌）——须弥山（固原）——大佛寺（彬县）——云岗（大同）；自北向南有须弥山

——麦积山（天水）——斗团山（江油）——青城山（都江堰）——乐山大佛等。这两条线主要是陆相碎屑岩沉积区，是新构造活动带，新第三系或老第四系呈带状分布，成岩尚不完全，易于开凿和雕刻，且具有较好的自稳性。这就是石窟艺术在这两条线分布的工程地质环境学基础，尽管当时古人类未必自觉认识到这个规律。

敦煌莫高窟的工程地质环境表明，之所以在那里修建一个举世闻名的石窟，是因为玉门砾石层的下部是最古老的第四系地层，呈半固结状态，成岩作用尚未完成，但自持力又较强，以致几千年不倒。西边的千佛洞，东边的天水麦积山石窟、大同云岗石窟，乃至四川的大足石刻都反映了类似的规律。

目前这方面工作做得较少，将来会成为旅游地学的一个重要研究方向。因为东西线反映了祁连山—南西华山—六盘山等构造带影响，而南线则反映了六盘山—龙门山等构造带影响。

第三节　石质文物的主要环境地质灾害

引起石窟寺破坏的主要环境地质病害（或问题）涉及范围很广，类型很多，成因也很复杂。石窟环境地质病害的主要原因，可分为两大类：一类是由于自然地质作用引起的地质病害，如由于裂隙交切及风化地质营力作用，引起雕刻产品坍塌脱落、岩石风化、渗水病害、岩石溶蚀、地震坍塌、冲沟切割、沙漠粉尘以及风蚀掩埋等。这类病害称为第一类环境地质病害。另一类是由于人类生产或工程活动引起自然环境改变，在改变后的自然环境营力作用下，引起原有（第一类）地质病害的加剧或诱生新的环境地质病害。如：爆破震动及采矿引起地面和边坡岩体的变形破坏；兴建水库引起小气候环境改变而诱生的岩石风化加剧；酸雨、煤尘引起的岩石蚀变；改变河道引起洪水淹没等。这类病害称为第二类环境地质病害。

我国石窟寺常见的几种环境地质病害主要有以下几种：

一、降水、河水、地下水造成的石窟漏水、渗水和积水

这是石窟最常见、危害最大的病害。由于大气降水通过石窟顶部渗入到石窟内，导致石窟漏水、岩石软化、浸蚀石雕的病害最为普遍。如山西大同云岗石窟，虽地处半干旱地区，由于裂隙发育，大气降水很容易沿裂隙渗入窟内，软化岩体，侵蚀石雕。类似的受危害严重的还有陕西彬县大佛寺石窟、巩县石窟、大足北山石刻等。受地下水侵蚀最典型的石窟是彬县大佛寺石窟。该石窟后壁切穿了一个砂岩含水层，地下水呈条带状向洞窟内渗流，造成洞壁冲蚀悬空，石雕严重风化。大同云岗石窟第二窟的寒泉洞也揭露了地下水，地下水以下降泉的形式向洞内排泄，因受泉水长期浸泡，致使窟底基础岩体全部碎裂成小块，严重危及洞窟稳定。对于开凿在碳酸盐类岩体（石灰岩、白云岩、白云质灰岩）中的石窟而言，降水和地下水的入渗，还将溶蚀岩体，造成石窟壁面灰华凝浆积聚，掩盖石雕，损坏石刻。闻名于世的龙门石窟以及邯郸响堂寺石窟、太原天龙山石窟等均已出现类似地质病害。

由于大部分石窟寺是依山傍水修建的，洪水倒灌窟内，会导致石窟积水，浸没石雕，损坏石窟文物。这种洪水倒灌窟内危害石窟寺的现象，不仅在大同云岗石窟、巩县石窟发

生过，甚至连地处干旱地区的甘肃敦煌莫高窟，近年也发生过。如图 8-1 给出了泾河洪水倒灌危害大佛的一个例子。该大佛寺石窟底板比地面约低 5 m 左右。据调查，泾河历史上特大洪水位高程为 850 m，而石窟洞口标高为 845 m，低于历史上的最高洪水。历史上，泾河洪水曾几次倒灌入窟。洪水倒灌引起了窟底淤积，目前石窟底部淤积层厚度达 2 m，已将大佛莲台淹没。

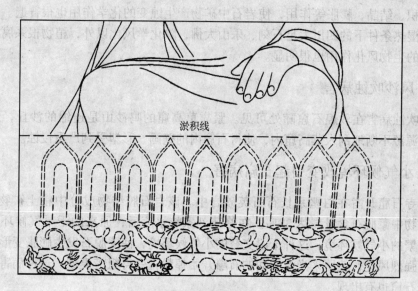

淤积线

图 8-1　敦煌石窟底部淤积层将大佛莲台淹没

二、边坡岩体失稳

由于多数石窟寺依山傍水，开凿于河谷一侧或两侧的陡崖上，陡峻的边坡岩体，因河流冲蚀卸荷，常常发育岸边卸荷裂隙，这类裂隙走向平行于边坡走向，倾向与坡向近一致，倾角等于或略大于坡角，常常构成石窟寺所在边坡岩体失稳的滑移面或崩落破坏面。岩体中的构造裂隙、风化裂隙、层面、断裂面或剪切带、软弱夹层等结构面，常构成边坡岩体失稳的各种切割面。各种不同成因的岩体裂隙的相互切割，使石窟寺所在边坡岩体形成了可能变形、滑移、崩塌、错落的分离体，导致石窟寺边坡岩体的失稳。此外，石窟寺边坡岩体中各类裂隙发育和交切，还为水的入渗和渗流、盐类的运移和积聚提供了良好的通道，危害石窟寺。我国一些大型石窟寺，诸如洛阳龙门石窟、大同云岗石窟、河南巩县石窟、甘肃的麦积山石窟及炳灵寺石窟、新疆的克孜尔石窟以及四川的乐山大佛等，均普遍出现边坡岩体失稳问题。

三、天然地震危害

因地震造成石窟的大面积崩坍，对一个石窟寺来说往往是致命的。如甘肃凉州的天梯山石窟就因当地频繁强烈的地震，使得它无法保存而于 20 世纪 50 年代进行了搬迁，把该石窟寺全部搬出强震区。敦煌的莫高窟和天水的麦积山石窟都在历史上多次遭受强烈地震，引起大面积洞窟倒塌，造成大量珍贵石窟艺术品的损坏。

四、岩石风化病害

岩石的物理、化学和生物风化作用，时刻在侵蚀石雕，危害石窟寺的保存。地处干旱、半干旱气候区的云岗、克孜尔、炳灵寺等石窟的岩石风化是以冻融、巨大温差、干湿交替作用而引起的物理风化为主。但是，含有盐类的地下水渗入石雕岩石中的孔隙里，产生盐类沉积、结晶、膨胀等作用，使岩石中矿物产生蚀变的化学作用也很普遍。而位于雨量充沛、湿热条件下的四川大足石刻、乐山大佛，除化学风化以外，植物根系腐植酸损害石雕岩石的生物风化作用也很明显。

五、风沙吹蚀病害

风沙吹蚀病害在敦煌石窟随处可见。紧靠莫高窟的鸣沙山是连绵的沙丘，遇到大风时，沙石源源不断地刮入莫高窟内，使得石窟内的壁画、彩塑受到严重侵蚀。

六、小气候环境改变引起石窟病害

炳灵寺石窟开凿在白垩系长石石英砂岩中。该岩石胶结物成分中粘土矿物占15%，而粘土矿物中蒙脱石含量高达38%。在修建刘家峡水库后，原来的干旱气候环境变为干湿交替频繁的小气候环境。这种干湿交替的小气候环境，使蒙脱石发生膨胀变形，加速了石雕表面强烈风化，使原来光滑圆润的石雕开始掉粉，变得粗糙模糊。这种病害在新疆的森木塞姆石窟也有出现。

七、环境污染引起石雕岩石的腐蚀病害

由于工业的发展，大气中的二氧化硫、硝酸根离子含量增加，导致酸雨。此外，某些地区大气中煤尘等微粒的含量也在增加。这些酸雨和煤尘降落在石雕表面，造成石雕岩石的腐蚀。最明显的是连云港的孔望山石刻和巩县石窟，因受酸雨作用，导致石刻岩石的腐蚀，使石雕表面出现麻点。孔望山汉代摩崖石刻雕刻在混合花岗岩的陡壁上，由于受酸雨作用，混合花岗岩中的长石矿物被风化，使石刻造像表面出现麻点，甚至小的孔洞。河北邯郸响堂山石窟寺，被附近的水泥厂、化工厂及煤矿包围，大气中超标的二氧化硫及由其形成的酸雨腐蚀着石灰岩质的石雕佛像。此外，大量的水泥粉尘已使石雕穿上了一件硬壳"外套"，破坏了石雕的原貌。

八、采矿引起地面坍塌导致文物破坏

连云港将军崖岩画是4 000 a以前的一幅星像图，有"东方天书"之美称。但由于岩画所在岩体位于锦屏磷矿矿床之顶板，磷矿的开采已经造成大面积的采空区。由于采空区的坍塌、崩落，导致地表岩体产生裂隙。这些裂隙已经切割星像图所在的岩体，危及岩画的安全。另一个典型的例子是湖北大冶铜绿山古矿遗址，也因采矿而威胁着该遗址的长期保存。这类问题还存在于江西的瑞昌、安徽的铜陵等矿区。

九、人工爆破震动对石窟寺保存的危害

人工爆破震动对石窟文物保存的危害也在某些文物保护区内发生。最典型的事例发生

在洛阳龙门石窟保护区内。在龙门石窟保护区内，洛阳水泥厂及乡镇企业连年放炮采石，焦枝铁路及穿越石窟中心区的临洛公路等的火车、汽车行驶时的振动，均是导致石窟体内因振动失稳的动力源。在这类动荷载的作用下，使石窟区内的岩体分离体渐趋失稳。这种因人工振动引起的动力稳定问题还出现在连云港将军崖和大冶铜绿山等文物保护区。位于河南安阳的小南海石窟由于附近石料场不断放炮崩山，引起地面振动直接危及文物安全，于是，于2000年1月采取整体搬迁，重达6.9万kg的东窟岩体被一个大型起重机吊起，迁移到500m以外与中窟"团聚"，石窟整体迁移一次成功。

第四节 石质文物病害的研究方法

石窟寺环境地质病害的研究方法主要是采用基础地质、工程地质和水文地质的一些勘察和研究方法。

一、查明石窟寺所处的地质环境

进行详细的地质—工程地质测绘，以查明石窟寺所处地区的地形、地貌、地层岩性、地质构造、物理地质现象、水文地质条件等；此外，还要收集水文气象等资料，详细调查由于人类工程引起环境条件演化及其对石窟寺危害的情况。

二、常规地球物理勘探的方法

在石窟寺环境地质病害研究中，地球物理勘探方法的应用越来越普遍。目前常用的有：直流电阻率法探查渗水途径、窟顶基岩埋深；声波法测定岩体风化强度、大裂隙位置、化学灌浆效果；微测深法探测风化层厚度、裂隙延伸方向、保护材料渗透深度；浅层地震法探测石窟寺岩体深部裂隙发育情况、石雕内部缺陷以及窟前考古；水声仪测定佛底座水下洞穴位置、形状、大小；地质雷达探测掩埋的洞窟和古墓位置、古矿遗址、浅埋的隐伏溶洞；核子水分密度仪可对石雕的密度与含水量等进行无损伤探测。此外，精测磁力仪也用于古墓、隐伏断裂、岩溶等探查，并取得了可喜的成果。

三、采用动测的方法

为评价石窟岩体及佛像附近爆破震动、火车及汽车振动等引起的动力稳定性，采用各类测震仪对各种动力源的振动效应进行实测，为石窟的动力稳定性评价提供可靠依据。位于地震区内的石窟寺，还应进行天然地震调查，评价地震对石窟岩体的影响程度。

石窟寺环境地质问题的分析、评价方法，目前也有新的进展。多数石窟寺开凿在陡立边坡内。因此，边坡岩体稳定性评价多为边坡与洞室相结合的三维空间问题。如对龙门石窟奉先寺内的高边坡岩体稳定性评价，德国汉诺威大学地下建筑研究所曾用三维空间有限元方法进行过分析、计算。为评价爆破震动对边坡岩体稳定性的影响，采用了动态离散元分析方法。为了建立岩体结构模型，分析渗漏通道和途径，在岩体节理裂隙的实测基础上，可进行结构面几何参数和统计分析，建立概率模型，进行岩体结构面网络的计算机模拟，得出岩体结构面发育的网络和联通网络系统，为石窟岩体稳定性分析、渗漏通道确定和防渗处理提供了依据。

复习思考题

8-1 目前，国内外对文物性地质景观进行了哪些研究？

8-2 石质文物可分为哪些类型？

8-3 我国的石质文物存在的工程地质环境问题是什么？

8-4 我国石窟寺有哪些常见的环境地质病害？

8-5 石质文物病害有哪些研究方法？其发展方向是什么？

第九章　人类活动对地质生态环境影响的评价

目前，世界各国都在研究人类与资源、生物共存的条件，即注意协调经济发展与生态系统的关系。经济与生态的依存关系不仅反映在人口、移居、能源、粮食、资本的转移与技术等方面，还涉及环境、可再生资源、海洋、大气、气候、土壤、宇宙空间、人类遗传资源和完成遗产开发的生态学基础等。对这种依存关系的认识，是关系到人类的未来的重要问题。因此，"在确定长期经济政策时，必须充分考虑保护地球的环境和资源基础"，它可以反映一个国家的综合水平，尽管生态问题已不是由一国政府所能处理的事情。总之，地球是一个脆弱的相互联系的体系———一个具有复杂联系的地球体系。

今天，环境的变化呼唤人们重新审视自己的行为，摒弃以牺牲环境为代价的黄色文明和黑色文明，建立一个人与大自然和谐相处的绿色文明。

第一节　人类发展对生态环境平衡的影响

早在 1920 年，法国伟大的地理学家让·布龙希斯(Jean Brunhes, 1920 年)，在他的《人类地理学(Human Geography)》中就认识到人类起源和发展引起环境变化所牵扯的内在联系，"……掠夺总是带来不是一个而是一系列灾难，因为在自然界里，事物是相互联系的。"

自从工业革命以来，人类对环境影响的总强度已经超出地球表面许多大面积地区的恢复能力，导致了不但是局部而且是区域性的不可逆变化。因此，出现"建设性地理学"、"人为景观科学"等不同观点但都关心人类对环境的影响的一些提法。

一、生态系统与生态平衡

生物及其生存环境构成一个生态系统。自然界由各种各样的生态系统所组成。在生态学研究中，通常划出一个特定的生态系统，如一片森林、一个湖泊、一条河流。它是具有一定结构和功能的独立体系，同时它又同外界具有一定的联系。在这个生态系统中，动物、植物与环境相互进行物质、能量的交换，随时因需要而调整，处于一种动态的平衡状态。

(一) 生态系统

在生态系统中，主要活动角色有生产者、消费者和分解者，它们和系统中各种无生命物质如水、大气和矿物质等构成一个综合整体。生产者主要是绿色植物，它们从太阳获得能量，同时从土壤吸取养分，通过光合作用，制造出高能量的物质，以化学形式贮藏于有机分子结构中，供自己生长发育之需或供食用植物的其他生物使用；消费者是食用植物的生物和相互食用的生物（主要是动物），它们直接从生产者摄取高能物质，转化为自己的能量，用于贮存和生命活动；分解者是有分解能力的微生物，主要是细菌和真菌，它们以生物系统中废物或死亡的动植物为食，把这些有机体转化为简单的无机体。

(二) 生态系统的物质循环

生态系统中每一种生物维持生命都需要多种化学元素。其中氧、氮、碳、氢、磷五种元素是构成生命有机体的主要物质，占全部原生质的97%，它们在生物与环境体系内进行循环。对人类生命和环境保护来说，最主要的是水、碳、氮、硫等物质循环。

下面简单介绍对环境污染影响较大的碳循环和硫循环。

1. 碳循环

碳在自然界中以有机和无机两种形式存在。无机形式主要有二氧化碳和碳酸盐。碳的循环如图9-1所示。大气中CO_2的含量虽然只有0.035%（体积比），但作用十分重要。绿色植物通过光合作用将CO_2和水合成为有机化合物，消费者呼吸过程中又分解成CO_2释放回大气。死亡的生物有机体被分解，蛋白质、脂肪、碳水化合物的有机碳又转化为CO_2和无机盐类，重返大气。化工燃料燃烧，生成CO_2，排向大气。火山爆发时，地下的碳酸岩浆迸发，向空中排放CO_2。反之，大气中的CO_2，一部分为江海、雨雪吸收，一部分用于植物光合作用。通常，这些循环保持了生态系统中的CO_2的物质平衡。

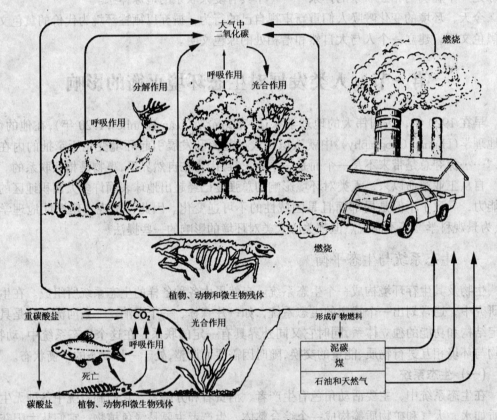

图 9-1　碳循环示意图

随着人类燃用化石燃料的增加，向大气排放的CO_2的气体量迅速增加，如果这种增加超过自然界中碳循环的吸收能力，CO_2的平衡就会被破坏。近年来的观察结果表明，大气中CO_2的浓度确实不断升高。过量排放的CO_2即为污染物，它对全球气候的潜在影响不可忽视。

2. 硫循环

硫的循环由自然作用和人类活动所推动。其基本过程是：陆地、海洋中的硫，通过生物分解、火山爆发等进入大气；矿物中含硫化石燃料和金属矿石，被人们燃烧、冶炼，氧化成 SO_2 或还原成 H_2S，排入大气；另外也会随酸性废水进入水体和土壤。大气中的硫，通过降水、沉降和表面吸收等，回落到陆地和海洋；地表径流将硫送入河流、海洋。硫的循环如图 9-2 所示。植物从大气、土壤、水分中吸收硫，构成植物机体。而后植物残体被微生物分解，生成 H_2S 逸入大气。地壳和岩石中的硫，随火山爆发、岩石风化，以 H_2S、SO_2 和硫酸盐的形式排入大气。海底火山爆发，产生的硫一部分溶于海水，一部分逸入大气；海洋中生物残体腐败，其生存时吸收的硫重新释放到海水中。海浪飞溅，使硫最终以硫酸盐的形式进入大气。大气中的 SO_2 和 SO_4^{2-}，降落到陆地和海洋后，或被土壤、植物和海水吸收，或随河水流入海洋，沉积海底。这种自然循环过程，在没有强烈的外界干扰时，硫的循环流动是平衡的，不会在大气中浓集 SO_2 危害人类及其他动植物。人类燃烧化石燃料，向大气排放 SO_2；炼制石油排放 H_2S，进入大气也氧化成 SO_2。这些对自然界硫循环的干预，超过了自然界的吸收转化平衡能力，从而造成环境污染。

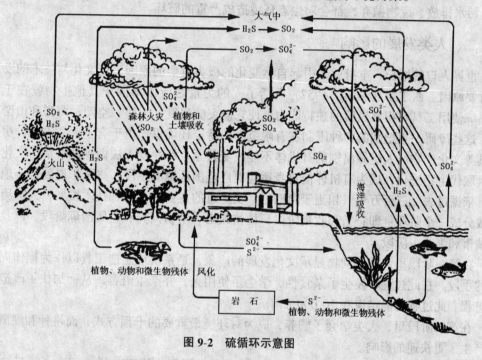

图 9-2　硫循环示意图

3. 生态平衡

生物同气候条件及周围其他生物通过能量流动和物质循环，调节大气圈的物质组成，保持某一平衡状态。生物系统受到一定程度的外来干扰时，具有恢复平衡状态的能力，即自我调节机制。一定的生态系统抵抗外部影响的性能，取决于该系统的生态适应能力。生态学家指出，在一个生态系统中，生物种类越多，与物种联系的食物链环越多，则该生态系统越稳定。例如丛林就是一个非常稳定的系统；而北极地区则非常脆弱，因为那里食物网简单，轻微的干扰就会引起严重的生态失调。

生态平衡就是在某些特定条件下，能适应环境的生物群体相互制约，是生物群体之间及生物环境之间，维持一种恒定状态。

虽然生态系统对外界干扰有自动调节能力，但是干扰超过其承受能力，达到破坏生态规律的程度，就会失去平衡造成灾难。破坏生态平衡的因素，有人为的，也有自然的。自然因素如火山爆发、地震、台风、洪水、干旱等，都可能引起生态平衡的破坏。

人类破坏生态环境的某些途径如图 9-3 所示。燃烧化石燃料等造成空气污染，危害植物生长，影响人类及其他动物的健康，腐蚀材料。砍伐森林、

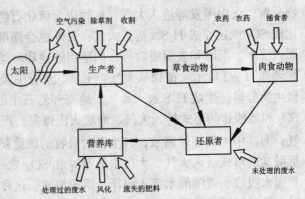

图 9-3　人类活动破坏生态平衡的途径

乱垦草原、缩小植被面积、扩大沙漠，严重限制了生态系统的调节能力。农药、化肥、捕猎、污水排放、废物抛弃，都会对生态环境造成严重的破坏。

二、人类发展的影响

世界人口的增长，本身就是引起自然变化的极为重要的原因，而文化与技术的发展也是重要原因。西尔斯（Sears，1957）概括了人的力量之所以不同于其他生物就在于：人类熟练使用工具和积累经验的独特能力，使它能突破温度、干旱、空间、海洋和山峦的障碍，这些障碍一直把别的物种限制在有限范围的特定环境里。由于有了火、衣着、房屋和工具等文化产物，人能做出别的有机体不能改变其原有特性就无法做到的事情。文化演变首次取代生物进化，成为有机体使自身适应更广范围环境的手段，终至扩展到整个地球。

依据过去二三百万年（相当于第四纪）发生过的主要的文化和技术发展，人类历史可大致分成三个阶段：即狩猎和收集阶段，植物栽培、动物饲养和金属冶炼阶段、以及现代化城市和工业人阶段。

在第一阶段里，类人动物显示文化发展的迹象，是系统地制造工具以作为操作周围环境的手段。在此过程中发生了杂食性，学会了使用火，并产生语言，从而加快了改造环境的进程。此过程可能结束在 10 000 a 前。

在第二阶段里，人类学会了驯养，成为对环境最重要的干预方式，而耕种和灌溉对环境产生了更快速的影响。

在第三阶段里，17 世纪以来，大工业的发展，同驯化驯养一样，缩小了维持个人生活而需要的空间，而且极大地强化了资源的利用。现代人类对环境起到了控制性的影响——人类影响方式、范围、复杂性、幅度和频度都是不同以往的。如埃及的阿斯旺巨型水库的影响与罗马帝国时代的小堤坝影响是不可比拟的。

另外，人口的加剧及人均消费的普遍增长也对环境产生了日益重大影响（见图 9-4）。

三、地质生态学——关于人地共存关系的科学

"地质生态学"一词是由苏联学者提出来的，目的是为研究和解决地质环境与人类社会经济发展之间日益严重的矛盾，建立和谐的人地和生态环境关系。它有些类同于 20 世纪 70 年代在西方国家兴起的"环境地质学"，只是后者作为地质学的一个分支提出的，而

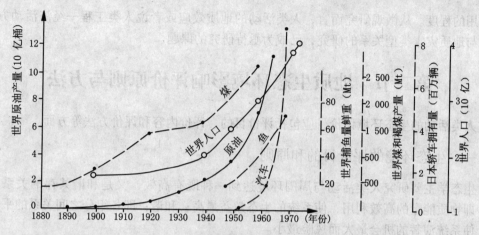

图 9-4 过去百年内人口增长以及一些技术和生产的发展指数

前者更强调了人类的作用和生态环境的变化。因此地质生态学是地质学与生态学交接处产生的跨科学的综合性研究领域。它研究地质环境与自然环境其他部分——大气圈、水圈、生物圈有规律的联系（正向的及逆向的），并对人类经济活动在地质环境各种现象中的作用作出评价。

根据苏联百余位专家讨论意见，苏联地质部于 1990 年提出，地质生态学是地质学的分支科学，是把地质环境的状态、成分和性质作为生态系统的组成部分进行研究的科学。地质生态学的主要任务是研究作为人类栖居环境和地质环境及其发展的地球化学、地球物理、水文地质及工程地质作用，其目的是保护和合理利用环境；同时，对划分特殊环境区域，如自然保护区、国家公园、禁猎区、含水层补给区、水源地、卫生保护带等进行地质生态论证。地质生态研究的成果是地质生态图，它是反映地质环境和在其中发生各种过程的图件，这些过程影响着生态系统和人类的生存环境，要求对环境的强度和动态作出总体评价。

地质生态学包括如下分支：生态地球化学、水文地质生态学、工程地质生态学、生物地球物理学、生态地球动力学及生态地貌学等。地质生态学中常用的概念如下：

地质环境（Geological Environment）：指经受了人类活动的岩石圈上部。地质生态学研究的地质环境的主要部分包括包气带及植物矿物质补给带在内的土壤层、地下水及含地球化学物质、生物物质和气体组分自由交替带的岩石，特别注意了危险地质作用的人为（人为技术工程系统）的诱发，如滑坡、泥石流、崩塌、岩层塌陷等。

地质生态系统（Geoecology Ecological System）：是地质生态学中划分出的一个功能单位，它包括地质环境、植物及包括人类在内的动物、各类建筑物及工程设施，它们是地质生态系统的组成部分，且相互影响、相互作用。

生物地理圈（Biology Geography）：与地球自然环境相互作用的所有生物统一体存在，并维持这一体系处于稳定平衡状态的区域。

生物地理群落：人类与自然、生物及具有景观、气候、土壤、水文、水文地质及工程地质条件的地质环境统一体。

人类活动的强度和广度已经发展到有可能对全球环境和生态系统产生不可忽视的影响

和作用的程度。从微观研究而言，人类活动的地质效应或者说人类工程—经济活动方式、强度与地质灾害类型关系的研究，已成为亟待研究的课题。

第二节　地质生态环境影响评价原则与方法

人类活动的生态环境评价，应包括评价目的、评价内容和评价方法等方面。

一、生态环境的评价目的和原则

生态学主要研究人类活动与周围环境达到一种既有高效，又是和谐共存的关系。高效：即物质能量的高效利用，使系统的生态效益最高；和谐：即各组分之间关系的平衡融洽，使系统演替的机会最大而风险最小。

（一）高效——生态环境发展的目标

它包含以下几条原则：

1. 循环原则

生态系统必须形成一套完善的生态工艺流程才能保证系统的稳定发展与循环。循环原则符合循环论的思想，它包括生态系统内物质的循环再生、能量的多重利用、时间上的生命周期等物理上的循环及信息反馈、关系网络、因果报应等事理上的循环。

2. 技巧原则

其基本思想是变对抗为利用，变征服为信服，变控制为调节，以退为进，顺其自然，化害为利。

3. 共生原则

共生是不同种的有机体或子系统合作共存、互惠互利的现象。共生的结果，所有共生者都大大节约了原材料、能量和运输，系统获得多重利益。从另一角度来说，共生导致有序，也符合协同学的思想。

（二）和谐——生态环境协调发展的基本保证

生态协调是指城市各项人类活动与周围环境间相互关系的动态平衡，包括城市的生产与生活、市区与郊区、城市的人类活动强度与环境负载能力、城市的眼前利益与长远利益、城市的局部利益与整体利益以及城市发展的效益、风险与机会之间的关系的动态平衡。维持城市生态平衡的关键在于增强城市的自我调节能力。其调控基本原则包括：

1. 相生与相克原则

生态系统中任何两个成分之间必定存在两种关系之一，一是相互促进、共生共长的关系，二是相互抑制、此消彼长的关系。事实上，完全共生共长关系是不存在或者说不长久的，因为同时无限制的增长或衰减最终将导致系统的崩溃或灭亡。

2. 最适功能原则

生态系统中自然、经济和社会等几方面逐渐走向和谐，它要求个体组织的增长服从整体的要求，生产的功能或服务是第一位的，而不是生产本身。

3. 最小风险原则

生态系统的发展是一种螺旋式上升的演替过程，而非简单的生与死的循环。它要求任何活动以整体风险最小的方式运行。具体地说，现存的物种（包括人）是与环境关系最融洽、世代风险最小的物种。

在达到高效和谐的前提下，城市走向生态城，各种工程（如水利水电）走向生态工程，农业向持续性的生态农业发展。

二、生态环境评价内容与方法

生态环境影响的内容首先涉及到所坚持的标准，同时考虑工程的规模和性质。一般情况下，科研人员要收集如下几方面的标准：一是与保护人体健康有关的标准（如预想的居民意见、环境标准及食品卫生标准等）；二是与保护生活环境（居住环境的保护）有关的标准（如国土、环境标准，农药等化学药品的使用标准，农林、渔业保护标准等）；三是适当保护自然环境的标准（如自然或人为文物景观、特殊鸟类、自然生态系统保护标准、国外标准及有关档案等）；第四方面还要考虑新的开发行为的特殊影响与对策，它包括基本对策、应急对策和预防对策。

（一）生态环境影响评价的内容

根据国内外对环境评价研究的结果，生态环境评价大致包括以下几方面：

（1）大气：它包括对污染源与大气运动规律（如风向、风速）的研究，为制定保护对策提供依据。

（2）水质：类似于大气，但同时要考虑温排水即废能的利用与处理。

（3）噪声与振动：这是一种能量污染，关键是控制发生时间，使之能与生活状态相适应。

（4）恶臭：在选址时就应注意，同时研究脱臭装置及可行性。

（5）土壤污染：主要以水质污染为媒介，是积蓄性的。

（6）地面下沉：由于抽汲地下水与油气等造成，关键在于控制用水量及时间。

（7）灾害：一般分为自然和人为灾害两类。一是自然灾害，包括自然环境短期异常，如地震、洪水等；自然环境长期异常，如旱灾、冰冻等。二是人为灾害，包括事故性的，如公伤、交通事故，主要是物理破坏（短期）；公害、文明灾害等（长期）。环境影响评价主要针对第四种（长期）。

（8）珍贵动植物、文化遗产和名胜：指具有历史、学术、艺术或观赏等方面价值的评价对象。

（9）生产方面的自然资源：主要是指水、矿物和燃料等非生物性资源。

（二）生态环境评价的方法——综合评价

研究总结各个阶段的环境评价，采用以下几个方面作为综合评价的方法论。

1. 定性评价与定量评价相结合

即对每一个评价因子和子系统，先作出定性的研究，分析利弊与影响程度，然后进行定量评分，力图使评价既有理论依据，又有定量的明确结论。

2. 质量评价与经济评价相结合

即在综合评价中，既分析工程对环境质量的影响，又分析这种影响的生态经济效果，使之能在工程决策中加以考虑应用。

3. 现状评价与影响评价相结合

在每个子系统和综合评价中，应做到先分析现状，再根据工程对其影响做预先评价，重点在于后者。

4．专家系统评价与数学模拟评价相结合

专家系统主要由参加课题研究的有直接实践经验的专家组成，并以课题专家顾问组为主要咨询系统，目的在于综合各专家的知识优势，形成系统，作为评价的智囊团和科学基础；并将专家评价结果进行统计学处理，得出有统计意义的评价值。运用模型、仿真计算机等进行定量、动态分析，使专家的经验与现代的数学定量和建模系统结合起来，更趋理论化、科学化。

以上几点概括如图9-5所示。

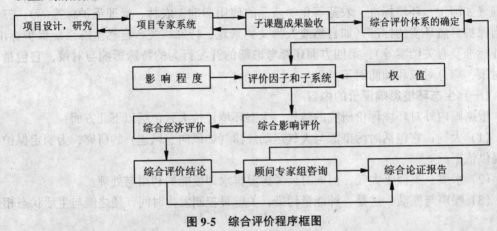

图9-5　综合评价程序框图

第三节　地质生态环境影响评价实例

这里以水库工程、城市发展和农业工程为例对生态环境影响评价予以研究，以加深对人类工程经济活动的认识。

一、水库工程

为发电或水利灌溉目的而修建的水库，为人类带来了巨大的效益。但由于处置不当，预想不周，也会造成多不可挽回的损失。埃及的阿斯旺水库对尼罗河下游造成极大的环境危害和我国的黄河三门峡水库出现严重淤积问题，使水库效率不能正常发挥都是惨痛的教训。

黄河三门峡水库是治黄规划中的战略性工程。当时部分专家认为，在黄河上、中游进行水土保持，在北干流两侧支流节节修筑"拦泥库"，在三门峡修建高坝大库，以此三道防线把黄河的洪水和泥沙全部拦截在中上游，以根本解除下游洪水威胁，并使下游黄河水变清。然而，实践表明：水土保持未能达到预期效果，拦泥库因代价太大，多数不能修建，三门峡水库淤积和严重程度远远超过预计，并形成"翘尾巴"而危害渭河，威胁西安，终于不得不被迫改建三门峡水库，并废弃已全部或部分建成的下游花园口、位山、洛口和王旺庄等水利枢纽，造成很大损失。假如当时对黄土高原水土流失的规律和水土保持的效果认识得更充分些，对三门峡水库的淤积和影响估计得更客观和富有预见些，"节节拦泥、层层蓄水"的治黄规划思想和由此导致的三门峡水库决策失误，是可以避免的。三门峡水库决策给了我们深刻的启示：对水库决策中涉及的问题的认识，必须力求符合决策对象的客观规律，必须有科学技术的充分论证。否则，即使在所选择项目正确的情况下，由于建设规模不适当、工程安全得不到保证、设计与施工达不到预期目的，以及对环境的负效应估计不足等，也会导致决策的重大失误。

正在建设中的长江三峡和南水北调工程已开始注意到对生态环境影响的评价。如通过论证，认识到南水北调中线工程除了众所周知的优点外，也存在淹没损失大，20多万人需搬迁，工程投资大于东线，干渠沿线工程地质及水文地质条件比较复杂等不利条件。

（一）国外水库工程的生态环境评价

由于国情不同和地区差异，对环境评价项目要求也不相同，它主要考虑水库的选址条件、自然条件及社会环境等的差异，不能生搬硬套。在美国，评价大的项目，主要涉及物理化学、生物学、人文要素和生态学等内容；而在日本，则主要研究公害和自然环境。

在水库工程方面，美国的水库环境评价项目主要有土地条件、土壤与土质、一般水文、地下水、气象、生物学条件、植物、动物、鱼类和人文要素等。

日本对水库建设环境评价主要包括如下八项：

（1）基础项目：包括气象、自然地理、土地利用状况及环境保护法的完善和执行情况。

（2）水质：主要调查影响流域的生物化学需氧量（BOD）、溶解氧（DO）、大肠杆菌数等生活环境项目和实地观测等。

（3）地形与地质：地形的分区分类、地质结构及特殊地质现象等。

（4）水文：不同情况下河水流量及相应水位，历史变化及受水库工程的影响。

（5）植物：包括陆生植物和水生植物两类，前者如乔木层、亚乔木层、灌木层、草本层；后者如附着蓝藻类、附着藻类和附着绿藻类。

（6）动物：包括鱼类、哺乳类、鸟类、昆虫等，它们分别包含更详细的项目，如鱼类可以分为陆对型、溯河型和降海型三类，而鸟类按习性则包括留鸟、标鸟和候鸟（夏鸟、冬鸟）。

（7）自然景观：自然景观指主要由自然物构成的景观，即指天空、山岳、岩石、河流、湖泊、森林等。人文景观主要指人为的构筑物，诸如桥梁、水库、寺庙、村落、庭院等构成的景观。

（8）文物：指《文物保护法》所规定的有形、无形（指戏剧、音乐、工艺等）、民间风俗等，还包括纪念物和传统的建筑物群等。

（二）我国水库工程的生态环境影响评价

我国水库工程的生态环境影响，近十年来才引起广泛的注意，特别是针对一些大型、巨型水库工程的建设进行了较慎重全面的生态环境影响评价与论证，现以长江三峡为例简要说明。

1. 综合评价系统

长江三峡水库建设生态环境影响评价包括两大类共17个项目。其中，自然方面11项，社会方面6项，每项中包括一些代表性评价因子，现简列如下：

1）自然方面

（1）库区气候：气温、湿度、风速、降水量、雾、伏旱；

（2）库区水环境：水质、岸边污染、自净能力、底质、营养盐、水温、地下水；

（3）库区环境地质：滑坡岩崩、泥石流、水库诱发地震；

（4）库区陆生动植物：植被、野生植物、野生动物；

（5）库区土地与农业：土地资源、土壤侵蚀、农业生产、淹没土地再建可能性；

（6）库区洪渍：干流防洪、支流防洪、渍害；

（7）水生生物与渔业：水库内饵料生物、四大家鱼产卵场、通江湖泊鱼类资源、鱼病病原体、水库渔业效益；

（8）中游江段湖区环境：坝下冲刷（荆江段）、排涝（荆江段）、抗旱、渍害、湖泊冲淤；

（9）河口盐水入侵和侵蚀与堆积：盐水入侵、三角洲海岸侵蚀与堆积、土壤盐渍化、河口航槽、河口污染、太湖水系水质；

（10）河口及邻近海域生态与环境：浮游植物初级生产力、浮游动物、鱼卵仔鱼、底栖生物、渔场、近海渔业资源、水文、水化学、沉积；

（11）物种资源：白鳍豚、白鲟和胭脂鱼、中华鲟、上游特有鱼类、荷叶铁线蕨、特有植物、陆生稀有脊椎动物。

2）社会方面

（1）库区移民与水库容量：土地承载能力、开发潜力和就业条件、环境质量；

（2）库区人群健康：血吸虫病、疟疾、其他自然疫源性疾病、化学因素疾病；

（3）库区城镇居民点：城市、县城、集镇、工业；

（4）库区文化背景：三峡峡区自然景观、支流自然景观、石器时代遗迹、历史文化遗迹与墓群、石建筑与其他名胜、标准地质剖面；

（5）库区工业与交通：水利电力设施、陆上交通、通讯广播线路、乡镇企业；

（6）施工与环境：施工对大气与水体的影响、施工噪声、景观破坏。

2. 评价方法

第一步，综合评价系统的确定：按生态系统的结构和功能及其地域分异规律，利用递阶结构分析法，建立综合评价的整体系统及环境要素的层次结构体系。第一层次，分解为自然环境和社会环境两个系统；第二层次，将自然环境分解为上述 11 个子系统，社会环境分解为上述 6 个子系统；第三层次，把每个子系统又分解成若干个评价因子，如库区气候子系统就分解为气温、湿度、风速、降水量、雾和伏旱等 6 个因子，总计 83 个评价因子。

第二步，环境与生态因子影响程度的评价：根据工程对生态与环境未来的影响程度作出预测评价。

（1）确定影响程度的等级标准和等级划分，可划分为 6 个等级：极端影响、巨大影响、中度影响、轻度影响、微弱影响和无影响。

根据生态与环境变化对人类活动影响的利弊，将影响分为两类：有利影响和不利影响。有利影响主要指工程引起的环境后果能促进生态良性循环，提高环境质量，或提供人们利用资源、提高经济效益等客观条件。不利影响主要是指对自然资源、物种资源、自然和文物景观的丧失或破坏，环境质量的降低，引起生态环境恶性循环，影响人们对资源的利用，降低经济效益和对人体健康的不利影响等。

（2）影响程度的量化：在划分了影响程度和影响性质的基础上，将影响程度加以量化，用正负各 10 级和 0 表示，有利影响为正，不利影响为负，无影响为 0。各等级的量化值如表 9-1 所示。

表 9-1　综合评价影响级别划分表

量化值　级别	极端影响		巨大影响		中度影响		轻度影响		微弱影响		无影响
利	+10	+9	+8	+7	+6	+5	+4	+3	+2	+1	0
弊	−10	−9	−8	−7	−6	−5	−4	−3	−2	−1	0

第三步，权值的确定：权值是确定各生态或环境因素在总评价中的相对重要性的数量特征。在综合考虑各种评价因子在人类生活、生产和生态环境中的作用、价值和地位的前提下，确定各被评价环境因子的相对重要性。采用二元转换、重要性排队等专家系统定值法进行权值的分级和定值。结果各子系统权值依次大小顺序为（括号内数值为权值）：移民与环境容量[12]、库区土地与农业[11]、物种资源[8]、库区文化景观[7]、中游江段与湖区环境[7]、水生生物与渔业[7]、库区环境地质[7]、库区城镇与居民点[6]、库区水环境[6]、库区工业与交通[5]、人群健康[5]、库区动植物[4]、库区洪渍[4]、河口盐水入侵和侵蚀与堆积[4]、河口及临近海域生态与环境[4]、库区气候[2]、施工与环境[1]。

第四步，评价的结果：各子系统及其大系统综合评价表明：

（1）工程对生态与环境影响有正有负，正的影响总分为：150 m 方案为 +25.35，180 m 方案为 +41.10；负的影响总分为：150 m 方案为 −422.79，180 m 方案为 −585.05。由此可见，仅就工程的生态和环境的效应而言，弊远大于利。其中，150 m 方案属中轻度不利效应，180 m 方案属中重度不利效应。

（2）虽然工程对生态与环境的总影响仅为中度不利效应，但库区移民与环境容量和库区土地与农业两项为极度严重的不利效应，即在评价因子中出现"死点"。

（3）从综合大系统评价到子系统评价都是弊大于利。

（4）三峡工程对生态与环境影响范围广、因素多，但受到有利影响仅占少数（11%），受到不利影响的因素占主导地位（82%）。

应说明的是，本例是生态与环境效应的评价，未包括防洪、发电和航运等重大效益方面。同时，工程建成以后，整个生态环境系统将会逐渐调整，适应工程带来的变化。

3．综合动态数学模型

为了进一步识别不同蓄水位与未来生态及环境影响效应之间的关系和变化势态，在各级子课题的研究和专家评价系统的基础上，利用已掌握的定量和定性材料，从系统分析的角度，通过计算机信息处理和模型仿真，就不同蓄水位对生态与环境影响这两者间的关系以及变化动态趋势进行了综合分析和预测，得出较清晰和较完整的趋势性结论。

鉴于三峡水库对生态和环境影响的复杂性、多样性和不确定性，建模数据基础是半定量（即影响程度）模糊综合评价的数学结果，建模采用灰色系统建模方法和曲线拟合方法。灰色预测模型的优点在于对不完全信息的外推，曲线拟合的特点是回归逼近研究的结果。这两种方法分别独立建模、独立计算，然后相互比较、验证，得到了较好的效果。

二、现代城市的发展方向——生态城

(一) 城市生态学

生态学是研究有机体与周围天然环境相互关系的科学。从这一意义上讲，城市生态学可以看做研究人口（居民）的生产和生活与资源和环境的关系的科学。按照研究性质，城市生态学可分为理性生态学（包括城市动力学、城市系统学和城市控制论）与应用生态学（包括城市生态规划、城市生态管理和城市生态开发）。从城市功能来考虑，又可分为工矿生态、住宅生态、街市生态和郊野生态等。

总之，城市生态研究应包括以下几方面：以城市人口为研究中心，以城市能流、物流为研究主线和以城市生物（动物、植物、微生物）及非生物环境（土地、气候、水文、大气等）的演变过程为研究主线等。国际生态学会从 1975 年起出版了季刊《城市生态学》，研究城市各种生态过程，城市各组分间以及与腹地之间的关系；尤其注重研究人的生活条件，人类的健康、福利。

(二) 城市生态演替动力学

1. 边缘效应

世界上最早的城市出现在尼罗河流域的埃及（如卡宏城）、底格里斯河和幼发拉底河流域的美索不达维亚（如吴尔、亚述、巴比伦等城）、恒河、印度河流域的印度（如莫亨约达罗城）以及黄河中下游的中国诸古城。这些城市多是在一些河口、主流与支流交叉处或海湾处发展起来的。那里既是各类水陆自然生态系统的交接处，也是各类人工生态系统通过水路交通网络及政治经济文化关系联系起来的边缘地带，具有密集的人类活动和较高的生态经济效率。或者说，具有较强的边缘效应。

"边缘效应"一词最早是由生态学家比切尔（Beecher，1942 年）提出的。他发现在两个或两个不同生物地理群落的交界处，往往结构复杂，出现不同环境的种类共生，种群密度变化较大，某些物种特别活跃，生产也相应较高。实际上，城市发生和发展的过程就是人类自觉利用边缘效应的过程。

例如，上海市位于东海之滨，北临长江口，南至杭州湾，黄浦江、苏州河穿市而过，沪宁、沪杭两条干线在此交叉，是华东海、陆、空枢纽；北京市位于华北大平原北端，与山西、内蒙古两高原相接，后倚燕山，前抱低阜，众溪汇流，是历史京都，全国铁路交汇于此；天津市位于华北平原东部，襟河枕海，处漳河、南运、子牙、大清、永定、北运等九河下梢，是沟通西北、东北、华东、中南各地区的交通枢纽。

2. 城市生态位势

边缘效应只是城市兴衰的表面原因，其作用的机理在于地区间生态位势的差异。

理论上，每种生物在多维生态空间中都有最佳的生态位；而客观环境，由于各种因素制约，只能提供现实的生态位。这种理想生态位与现实生态位之间的差被称为生态位势。生态位势的存在使生物一方面去能动地改造环境，争取最佳生态位，另一方面也迫使它调节自己的理想生态位，使其与现实生态位之差尽量缩小，也就是尽可能适应环境的问题。

城市生态位反映一个城市的现状对于人类各种经济活动和生活活动的适宜程度，反映一个城市的性质、功能、地位、作用及其人口、资源、环境的优劣势，从而决定了它对不同类型的经济活动以及不同职业、年龄人群的吸引力和离心力。它可以分为两类，一类是资源利用、生产条件的生态位——生产位；另一类是环境质量、生活水平的生态位——生活位。

利用生态位理论比较容易解释城市人口的集聚、城市的膨胀、城市规模的控制及城市与外部关系调节的机理。它自然反映出城市生态位的趋势原则、开拓原则、竞争原则和平衡原则等作用的结果。显然，一个生态位势大的城市是一个不稳定的城市。

3. 生态库

为便于研究和调控生态系统与其外部环境的相互依赖关系，1986年刘建国提出生态库（Ecopool）的概念。生态库是指能够为生态系统贮存、提供或运输物质、能量和信息，并与生态系统的存在、发展和演替密切相关的系统。生态库理论提供了寻找不同生态系统的外部环境共性的途径以及研究和调控生态系统与外部环境系统相互作用的思想，同时也提供了一种解决生态系统边界通常难以确定的方法。

（三）城市生态研究概况与生态城

1. 城市生态研究概况

城市生态学的思想自城市一出现就萌芽了，最早见于古希腊哲学家柏拉图的《理想国》、16世纪英国的 T·莫尔的《乌托邦》、19世纪 E.Howard 的《花园城》。但真正从理性上进行研究和认识，仍是20世纪初的事情。1904年和1915年，赫胥黎的学生、英国生物学家 P.Gedds 分别发表了《城市开发》和《进化中的城市》两篇奠基性的著作；而 R.Park 的《城市环境中人类行为的研究》（1916年）和《城市和人类生态学》（1952年）则建立了现代城市生态学的完整体系。

20世纪70年代以来，罗马俱乐部提出了《增长的极限》，英国的 E.Goldsmith 发表了《生命的蓝图》，特别是联合国教科文组织开展的"人与生物圈"计划，提出了开展城市生态系统研究的宏伟计划，并已初见成效（见表9-2）。

2. 香港——人类居住区的生态学

香港城市生态研究属于"人与生物圈计划"的第11项内容，项目名称为"城市及其居民的生态学"。该研究由澳大利亚国立大学 Stephen.Boyden 教授等主持，香港大学和香港中文大学协助完成。1972年开始调研工作，1978年列入"人与生物圈计划"，1979年完成报告，1981年以《城市及其居民的生态学》命名的专著出版，随后产生了广泛国际影响。

1）研究内容

该研究始终以人为中心，探讨人与人、人与自然之间的各种交互作用的格局及其发展动态，研究人类社会中社会与自然之间各种文化的、自然的过程交织网络是怎样形成和逐渐发展起来的。研究的重点是人的需要、环境、社会三者之间的人类生态学关系中的一些重要原则。研究的目标是使一个未来的多中心人类社会得以稳定和持续发展。因而，该研究的主要内容明显地划分为三个方面：第一，环境状况及其改善途径和对策；第二，环境对人的影响（包括个人和不同层次的人群）；第三，社会文化因素在环境—人相互作用过程中所起的作用以及环境与人的变化对社会的影响。

2）主要研究方法

该研究所用的方法可分为四种类型：

（1）宏观经济分析法：这种方法是西方经济学中较为成熟的方法，为许多研究者广泛采用。该研究在处理香港能源供给与消费问题时，便使用了这种方法。该方法以系统思想和数学模型为特色。

表9-2　20世纪70年代以来国外一些城市生态研究简介

研究对象	研究的侧重点	周期(a)	主要研究人员	承担国家
香港（Hong Kong）	城市代谢，生活质量	4	S.Boyden	澳大利亚
城市能量模型	城市交通，土地利用	10	R.Sharp	澳大利亚
维也纳（Vienna）	城市生物	6	K.Burian	奥地利
法兰克福(Frankfurt)	大气，城市规划	3	A.Von Hesler	西德
布达佩斯(Budapest)	布达佩斯城市群的生态与开发问题	10	A.Borhidi	匈牙利
罗马（Rome）	综合研究（交通、能源、环境、生物、城市、规划等）	10	V.Giacomini	意大利
东京（Tokyo）	城市生物，土地利用，人口	15	M.Numata	日本
墨西哥（Mexico）	与周围地区的相互联系(生产布局、供应、废物循环、环境恢复)	3	L.S.Carmona	墨西哥
德黑兰（Turan）	综合研究	10	H.Mohammadi	伊朗
戈特兰德岛(Gotland)	能流和物流系统分析	3	A.Jansson	瑞典
德尔夫特（Delft）	噪音对人的影响	6	C.Bitter	荷兰
什切青（Szcrecin）	环境价值，工业化对人类栖境的影响	5	P.Zaremba	波兰
曼谷地区（Bangkok）	环境，土地利用，城郊关系	5	S.Sudara	泰国
渥太华（Ottawa）	社会生态	10	B.Little	加拿大
莫斯科（Moscow）	环境保护，城市规划	5	Y.V.Medvedkow	苏联

（2）宏观历史分析法：这种方法常用于社会发展研究。该研究在讨论香港能源与环境发展途径和对策问题以及工业化进程等问题时，不是就事论事，而是将具体问题置于一个广阔的时空背景中，从社会历史发展的角度予以分析，这有助于从整体上把握发展的主脉。

（3）社区调查法：此方法是社会学（特别是功能主义学派）研究中使用的典型方法。它着眼于一定的空间范围的社区中社会组织的结构与功能。该研究在处理环境、生活方式和健康福利相互关系时，巧妙地运用了社区调查法。

（4）心理—行为分析法：这种方法是社会心理学和组织行为学中最常用的方法。该研究在探讨环境、社区条件对个人的影响时，即运用了这种方法。

在我国，王如松博士（1987年）选用10个社会环境质量因子，把天津市与全国18个百万以上人口的城市进行了初步对比分析，发现天津市社会环境质量在19个百万人口以上大城市中处于中下等，排名第十五位。各项社会环境中较差的因子依次为交通、安全（仅指火灾和交通事故）、土地利用强度、生活物质、医疗、居住等环境。其中安全、土地利用强度及居民环境与城市规模呈一定的负相关，教育、文娱人口指数等呈正相关；而交通环境自 1983 年以来已有较大的改观，物质生活指数则已成为天津市显著落后于全国 12 个大城市的关键因子。

3．是乌托邦？还是生态城？

长期以来，人们一直在争取得到一个与大自然和谐相处的，免除一切人间烦恼的理想环境。托马斯·摩尔（T.more）提出的乌托邦（即乌有之城，理想之邦），是世界上最早被系统提出来的人与自然的关系完美而和谐的理想城。类似的理想城还有安得累雅的"基督徒之城"、康帕内拉的"太阳城"。这些思想一直激励着社会学者和自然学者向前探索。

当 18 世纪末 19 世纪初，由于工业革命给城市带来了严重的问题，傅立叶（1772～1837 年）提出了"法郎基"（一种类似于公社的社会单位，人数约 1 500～2 000 人，实行公有制，进行有组织的大生产；罗伯特·欧文（R.Owen，1771～1858 年）主张建立"新协和村"，其基本运行方式是"劳动交换银行"与"农业合作社"，并进行了一次虽然失败了但对后世意义仍很深远的试验。霍华德（E.Howard）于 1898 年发表了《明天———条通向真正改革的和平道路》一文，提出建立"花园城"的设想，并在英国进行了试验。随后还出现了"健康城"、"道德城"、"工业城"和"光明城"等各种设想。

以上诸设想虽未能推广开来，但却闪烁着将来一定能够实现的真理的火花。目前，人类的科技水平已达到了前所未有的境界，同时对自然界的干扰也成为一种不可忽视的作用，探索与自然条件、社会经济条件与科技文化水平相适应的城市规划之路——生态城之路已经提到日程上来。

生态城（Ecological City）就是社会、经济、自然协调发展，物质、能量、信息高效利用、生态良性循环的人类聚居住地，也即满足高效与和谐的人类栖境。苏联学者亚尼茨基（O.Yanistky，1981 年）曾将生态城的设计与实施分成三种知识层次和五个行动阶段（如图 9-6），即时—空层次、社会—功能层次和文化—历史层次，以及基础研究、应用研究、规划设计、建设实施和有机的组织结构的形成。

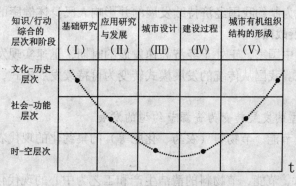

图 9-6 "生态城"的设计与实施矩阵

时—空层次即自然地理层次或称物理层次。它是人类活动的自发层次，是城市生态位的趋势、开拓、竞争和平衡的过程，最终达到地尽其能、物尽其用。社会—功能层次重在解决城市的社会经济发展与自然环境之间的矛盾关系，增强城市这个有机体的自组织能力。文化—历史（意识）层次或情理层次是针对城市生态关系中只能解决物理和事理关系而忽视人际关系的状况，从更高的层次研究人与环境关系的历史渊源、社会渊源和文化意识渊源，旨在增强人的生存意识，变外在控制为内在调节，变自发为自为。由此，生态城的规划从自然地理层次发展了社会—功能层次和文化意识层次，也就将社会学、生态学、行为学和心理学等渗入到城市规划中，变单一的建筑规划为文化、社会、经济和自然多方面的综合规划，也就完善了城市的功能，向着高效、和谐的理想境界——生态城迈进！

第四节　可持续发展农业的问题

一、持续发展概要

纵观人类在地球上栖息生存且不断发展的漫长历史，可以看出：人类、环境和发展三者之间，存在着密切而不可分割的相互关系，它们之间既相互依存，又相互作用。1992年在巴西里约热内卢召开了具有里程碑意义的"联合国环境与发展大会"，通过了《里约环境与发展宣言》等重要文件，一致提出了要遵循可持续发展的模式，反映了关于环境和发展的全球共识和最高级别100多个国家首脑的政治承诺。所谓"可持续发展"，就是既符合当代人类的利益，又不损害未来人类利益的发展，只有这种发展才能长久持续，才可能保持人类在地球上世世代代繁衍生存并创造更加文明昌盛的未来。

（一）传统的发展模式

纵观发达国家的现代化发展过程，可以看到：对资源高消耗的生产体系和对生活资源高消费的生活体系构成了这些发达国家发展的基本特征。这就是我们所说的传统的现代化发展模式，该模式的前提就是资源条件，许多国家并不存在这种条件。

在我国现代化国家发展的道路上，受到种种因素的限制：①中国是个人口大国，预计到2020年人口将达到十四亿；②中国自然资源总量占世界第七位，仅次于俄罗斯、加拿大、美国等国家，但人均自然资源占有量仅列为世界第80位，因此，在人均占有量方面不是大国；③中国只能依靠自身资源发展，即使"外购"，其数量也极为有限。因此资源与环境问题已逐渐成为制约我国经济持续发展的并影响人民身体健康的重要因素。

（二）可持续发展战略

我国是一个发展中国家，正处于经济高速发展的时期，迅速实现发展战略的转变具有极其重要的现实意义。我国从传统的发展模式转变为可持续发展模式，意味着已实现以下的转变：

1）从资源消耗型的发展转变为资源节约型的发展

（1）建立节水、节能、节物料（农药、化肥等）的集约化的现代农业生产体系（包括生态农业）；

（2）建立以节水、节能、节物料的清洁生产和工艺为中心的现代化工业生产体系；

（3）建立适度的、优质的、节俭的生活消费体系，既能满足人们的需要，又体现公平合理、消除巨大差异的消费模式。

2）从损害环境型发展转变为与环境相谐调型的发展

长期以来，很多人认为"先污染后治理"是发展的必由之路。这种观点是错误的。根据自然规律，按环境容量而统筹规划的发展，应是不损害环境和资源的。既然环境和资源是发展的重要支撑和保证，损害环境的发展也正是损害发展本身。只有与环境利益相谐调的发展，才有可能持续不断。

3）从技术落后型发展转化为为科技先进型的发展

工业革命是以科技进步为先导的，但工业化现代化生产了不少环境问题。可持续发展的新模式在呼唤新的工业革命，也在呼唤科技的新进步。例如清洁生产，即对环境"友好"的生产技术，正是当前迫切需要的先进科学技术。从传统的生产技术转变为先进的清洁生产技术，就是向可持续发展道路迈出的重要步骤。

4）从经营粗放型的发展转变为科学管理型的发展

粗放的经营管理导致资源浪费和生产效率的低下，必然会对环境造成更多的污染。严格地科学地进行生产和消费的管理，既有利于促进生产，又有利于保护环境，符合可持续发展的管理模式。

1992年联合国环境与发展大会以后，我国制定了《中国21世纪议程》，这是我国实现发展战略转变的重要具体步骤。可持续发展理论内容丰富，主要包括：

（1）可持续发展总体战略。包括战略与对策、立法与实施、费用与机制、能力建设、团体与公众参与等。

（2）社会与人口可持续发展。包括人口、消费与社会服务、消除贫困、卫生与健康、人类居住可持续发展、减灾防灾等。

（3）经济可持续发展。包括经济政策、工业交通与通讯、能源生产与消费、农业与农村的发展等。

（4）资源、环境保护和可持续利用。包括自然资源保护与可持续利用、生物多样性保护、水土流失和沙漠化防治、保护大气层、固体废弃物的无害化处理等。

由此可以看出，实施《中国21世纪议程》，建设具有中国特色的社会主义的资源节约型的生产体系和消费体系是中国长期的、根本的战略性发展方向，是协调我国人口、资源、环境、发展的基本战略，也是我国从人口、资源和环境危机中摆脱出来，走可持续发展道路的惟一途经。

二、持续发展理论在农业问题上的应用

（一）持续农业的概念

从根本上讲，生态环境的评价与研究是以人类的持续发展为目的的。农业工程自然是人类发展的充分而必要的条件之一。由于常规农业和高投入、高产出的现代化农业技术引起了一系列资源、环境和经济方面的弊端，如环境污染、资源退化等生态与环境问题。人类逐渐意识到，现行的农作方式是不可持久的和不可持续的。现行农业能否持续发展，取决于农业生产和支持系统是否稳定，以及它能否尽可能地利用可再生资源。因此，国际社会提出了持续农业、轮种农业、再生农业、生态农业和低投入农业及节水农业等。

"持续农业"一词是80年代中期才广泛引用的。1987年"世界环境与发展委员会"提出："要保持食物体系的必要的生态协调"。联合国环境规划署等则认为："持续发展"是我们社会经济发展的指导原则。

最早的持续农业概念是针对资源的持久利用而提出的。1986年，Poincelot定义持续农业为"通过对可更新资源的利用达到农业的持续发展"；1988年，"发展中国家农业持续性委员会"认为，持续农业是"一种能满足人类需要而不破坏只是改善自然资源的农业

系统"。

1989 年，美国生态农业专家 Harwood 教授提出了持续农业的全面论述，特别强调了持续农业不仅要持久地保持资源开发利用的潜力，还要考虑增加生产以供应更多的粮食。否则，社会需求出现问题，就会使持续农业难以持续。

（二）我国农业现状

由于我国耕地面积日益减少和人口继续增长，能否利用有限的土地资源为我国人民提供足够的食品和经济作物，已成为对我国实施可持续发展战略的严峻挑战，也是令世人瞩目的大事。由此可见，我国的多数农业还不是持续农业。

最突出的实例是水资源过度开发所引起的生态环境问题。在我国华北平原的山前平原地带，约有 2 000 万 hm^2 以上的高产粮田。20 世纪 50 年代，这里的浅层地下水位一般埋深 4~6 m，到了 80 年代下降到十几米，到了 90 年代下降到二十几米。这一带地下水位平均以 50 cm/a 的速度不断下降。以往认为，这里是水源充足的华北山前平原地带，现在出现了大面积的浅层地下水漏斗，使地下水提取的代价不断提高。这样的情况长期下去，就很难保证水资源的持续供应。而实现农业需要一个持久的水资源支持系统。因此，这一带的农业将不会是持久的。对于华北地区，南水北调工程可以起到支持作用；同时，南水北调工程本身也需要持续农业技术的支持，以避免水资源的再度浪费，二者是相辅相成的。这也是我国南水北调大系统的开发研究中心应特别引起注意的。

1. 耕地

1999 年，国家环保总局公布：中国土地总面积居世界第 3 位，人均土地面积为 0.777 hm^2，相当于世界人均水平的 1/3；人均耕地面积为 0.106 hm^2，是世界人均数的 43%。我国耕地总体质量不高，全国大于 25° 的陡坡耕地近 600 万 hm^2，有水源保证和灌溉设施的耕地只占 40%，中低产田占耕地面积的 79%。不少地方重用轻养，造成耕地质量下降，地力衰退，农业生产系统失调，灾害面积增加。每年因灾毁地约 13.3 万 hm^2。农药、化肥施用不当，固体废物任意堆放等造成土地污染。违法征地、非农业征地及地方政府越权批地现象严重，造成土地资源的滥用和浪费。

2. 植被

我国曾经历过几次大面积的植被破坏，对森林的乱砍滥伐屡禁不止。据全国第四次（1989~1993 年）森林资源清查结果，全国林业用地面积为 2.6 亿 hm^2，森林面积 1.3 亿 hm^2。

中国人均占有森林面积 0.11 hm^2，相当于世界人均水平的 17.2%，居世界第 119 位；中国人均森林蓄积量为 8.6 m^3，相当于世界人均水平的 12.0%，是人均占有森林蓄积量较低的国家之一；森林覆盖率 13.9%，明显低于世界森林覆盖率 26.0% 的水平。全国林木年均净生长量 3.99 亿 m^3，年实际消耗量 3.44 亿 m^3，人均木材消耗量 0.12 m^3。

我国是草地资源大国，1999 年拥有各类天然草地 3.9 亿 hm^2，约占国土面积的 40%，但人均草地面积仅 0.33 hm^2，约为世界人均草地面积的 1/2。

我国大部分草地已经或正在退化，其中，中度退化程度以上（包括沙化、碱化）的草地达 1.3 亿 hm^2。

3. 水土流失和土地沙漠化

土壤侵蚀是当前世界土地资源保护所面临的一个重要问题。土壤侵蚀一般指在水和风作用下，土壤被剥蚀、迁移或沉积的过程，可以分为风蚀和水蚀，水蚀即水土流失。

毁林、毁草开荒和不适当的樵采、放牧，破坏了植被；工矿、交通及其他大型工程建设中不注意水土保持，均是造成水土流失严重的原因。

我国是世界上水土流失最严重的国家之一。目前，我国水土流失日益严重，水土流失总的情况是点上有治理、面上在扩大、治理赶不上破坏。水土流失面积约占国土面积的1/6，主要集中在西北黄土高原、南方山地丘陵地带、北方土石区和东北黑土地区。

土地沙漠化不断扩大。土地沙漠化是指由于植物遭到破坏，地面失去覆盖后，在干旱和多风的条件下，土地出现活动和类似沙漠景观的现象。土地沙漠化在扩展，土地沙化在西北、华北北部和东北部地区最严重。"三北"地区土地沙化面积约17.6万 km²。土地沙漠化以后，生产力下降，甚至生产力完全丧失，环境更趋恶化，造成许多地方的农田和村庄被流沙所吞没。土地沙化主要是由于盲目开垦、过度樵采及放牧、工矿及交通建设中破坏植被以及水源变化的沙丘本身的移动造成的。据调查，沙化面积的95%是由各种人为活动引起的。

新中国成立初期，全国水土流失面积为153万 km²，占国土面积的1/6。50 a 来，虽然治理了50余万 km²。但是，大量的采荒、采掘业及修路作业等开发活动，使水土流失面积逐年扩大，导致耕地贫瘠化和荒漠化、河道淤塞、水库使用寿命缩短。近十年来，我国每年约有2 100 km² 的土地沦为荒漠。现在全国沙漠、戈壁、荒漠化土地面积之和已达168.9万 km²，占全国土地面积的17.6%，主要分布于北纬35～50°之间，形成一条西起塔里木盆地，东至松嫩平原西部，东西长4 500 km，南北宽约600 km 的风沙带。土地的荒漠化加剧了我国某些地区的贫困化，并造成恶性循环。

4. 土壤污染

随着我国工业化发展，特别是乡镇工业的发展，在生产过程中排出大量的"三废"物质，通过大气、水、固体废渣的形式进入土壤。同时，农业生产技术的发展，人为地不断施入肥料、农药，并进行灌溉，使大量物质进入土壤并在其中积累，从而造成土壤污染。

土壤次生盐渍化是指由于人类不合理的灌溉和耕作引起的土壤盐渍化，它是人类对土地资源的破坏。自然过程中土壤的盐渍化称为原生盐渍化。次生盐渍化现象主要发生在干旱区。盐渍化耕地易溶盐分含量高，作物生长发育不良，产量低，如不治理，盐分越积越多，一旦超过作物耐盐的限度，作物无法生长，就不得不弃耕。

（三）发展可持续农业的措施

土地资源、水产资源、海洋资源、森林资源、矿产资源以及生物资源都是我国的宝贵财富，是实现可持续发展的物质基础。应当采取多种有效对策和措施切实保护好我国的自然资源，从保护农田资源做起，改变传统的农业发展模式，大力发展持续农业。

（1）应加强法制建设，加大执法力度，切实保护耕地资源，坚决禁止"与农争地"和乱占滥用耕地的现象，促进土地资源的高效持续利用。

（2）应加强农田水利基本建设，发展节水型农业，扩大农田灌溉面积，改善土地资源的质量。

（3）应开发利用无公害的化肥和农药，推广科学合理施肥技术，多用有机肥少用化学肥；推行生物防治虫害技术，防止化肥、农药对土壤及地下水和地面水的污染，防止土壤肥力降低。

（4）应改造传统农业，发展高产立体农业，提高单位面积的作物产量，改造低产田，加强农业商品基地的建设。应大力发展生态农业工程的建设，加强种植业和养殖业的有机结合，建立符合生态原理的物料、能源的良性循环系统，充分发挥系统内部自然资源的潜力及其循环利用。

（5）切实保护和合理开发利用森林资源，采取有效措施防止对森林的破坏，大力植树造林，提高森林覆盖率；应珍惜生物资源，大力保护生物的多样性，严禁乱捕滥猎珍禽奇兽，与捕猎濒危动物的现象作坚决斗争；应合理开发利用矿产资源，严禁滥挖乱采，大力提高矿产资源的利用率，加强对复合矿的综合利用。

（6）大力治理污染，恢复被污染的生态环境。开发利用高效、低耗的污染防治技术，诸如废水利用处理及利用技术、废气治理及利用技术、固体废物安全处置及利用技术等。大力治理并修复已污染的生态环境，诸如河流、湖泊、海洋、地下水、矿山、森林、草地、湿地、耕地等。

（四）西部大开发与可持续发展

1999年，中央提出西部大开发战略，这是继沿海开放战略之后，中国实施的又一重大发展战略。西部大开发首先应着眼于可持续发展，坚持资源开发与资源保护并重、污染治理与生态建设并举的方针，使西部经济能够稳定、健康地发展。

西北地区矿产资源丰富，但水资源短缺；土地资源广阔，但荒漠化严重；自然景观独具特色，但生态环境恶劣。这诸多矛盾决定了在西部开发中必须长期不懈地坚持可持续发展战略。具体原则是：

（1）合理开发利用水资源，建立节水型经济。

（2）加快生态环境建设，再造绿色大西北。坚持"退耕还林（草）、封山绿化、以粮代赈、个体承包"的16字方针。

（3）积极推行清洁生产和有机农业。

复习思考题

9-1　什么是生态系统？什么是生态平衡？

9-2　自然界中碳和硫是怎样循环的？如果循环平衡被破坏，将对自然界产生哪些影响？

9-3　什么是生态学？它包括哪些分支？

9-4　生态环境的评价目的和原则是什么？

9-5　生态环境评价的内容是什么？具体用什么方法？

9-6　以长江三峡水库为例，谈谈我国是如何进行水库工程的生态环境影响评价的？

9-7　什么是生态城？以香港为例，谈谈如何进行生态城的研究？

9-8　什么是可持续发展？我国从传统发展模式转变为可持续发展模式必须进行哪些转变？

9-9　什么是可持续农业？如何发展我国的持续农业？

9-10　我国传统农业的现状如何？发展持续农业应采取哪些措施？

9-11　西部大开发为什么要坚持可持续发展战略？

第十章　工程环境质量监测与环境信息系统

第一节　工程环境质量监测

一、工程环境监测的概念和意义

工程环境监测是在调查研究的基础上，监视检测代表工程环境质量的各种数据的全过程。

人类工程对生活环境造成污染引起公害以后，人们为了寻求环境质量变化的原因，着手研究污染物质的性质、来源、含量水平及其分布状态，这种研究是以基本化学物质的定性、定量分析为基础，这就是环境分析。环境分析的主要对象是各种污染物质，包括大气、水体、土壤和生物中的各种污染物。

随着环境分析科学的发展，将物理测定原理和测量工艺相结合，并实行装置设备的系统化，使测定连续化、自动化。环境监测就是在一段时间，间断地或者连续地测量环境中某种或几种污染物的浓度、跟踪其变化情况及其对环境产生影响的过程。简单地说，环境监测就是对环境质量的某些代表值进行长期的监测、测定的过程。

工程环境监测在环境管理中占有重要的地位，对人类生存和社会文明具有重要意义：

（1）评价环境质量，预测环境质量发展趋势。

（2）制定环境综合防治措施，全面监视环境管理。

（3）积累环境背景值资料，为掌握环境容量提供数据。

（4）揭示新的污染问题，探明污染原因，确定新的污染物质，为环境科研提供方向。

二、工程环境监测的内容

随着工业和科学的发展，监测的内容在日益扩展。由工业污染源的监测逐步发展到对大环境的监测，即监测对象不仅是影响环境质量的污染因子，还延伸到对生物、生态变化的监测。工程环境监测的主要内容有：

（一）建筑变形量监测

包括沉降量、沉降差、倾斜和局部倾斜四类特征变形值的监测。

（二）水质监测

水质监测可分为环境水体监测和水污染监测。环境水体包括地表水（江、河、湖、库、海水）和地下水；水污染源包括生活污水、医院污水及各种废水。对它们进行监测的目的可概括为以下几个方面：

（1）对进入江、河、湖泊、水库、海洋等地表水体的污染物质及渗透到地下水中的污染物质进行常性的监测，以掌握水质现状及其发展趋势。

（2）对生产过程、生活设施及其他排放源排放的各类废水进行监视性监测，为污染源管理和排污收费提供依据。

（3）对水环境污染事故进行应急监测，为分析判断事故原因、危害及采取对策提供依据。

（4）为国家政府部门制定环境保护法规、标准和规划，全面开展环境保护管理工作提供有关数据和资料。

（5）为开展水环境质量评价，预测预报及进行环境科学研究提供基础数据和手段。

（三）大气和废气监测

大气和废气监测主要是对人体健康危害极大的大气污染的监测。据中国社科院报告，1995 年全国因大气 TSP 和 SO_2 污染影响导致的人体健康损失估算达到 171 亿元。可见大气保护的任务还任重道远。

大气污染物的种类不下数千种，已发现有危害作用而被人们注意到的有 100 多种，其中大部分是有机物，依据大气污染物的形成过程，可将其分为一次污染物和二次污染物。

1．一次污染物监测

一次污染物是直接从各种污染源排放到大气中的有害物。常见的主要有二氧化硫、氮氧化物、一氧化碳、碳氢化合物、颗粒性物质等。颗粒性物质中含有苯并（a）芘等强致癌物质、有毒重金属、多种有机化合物等。

2．二次污染物监测

二次污染物是一次污染物在大气中相互作用或它们与大气中的正常组分发生反应所产生的新污染物。这些污染物与一次污染物的化学、物理性质完全不同，多为气溶胶，具有颗粒小、毒性一般比一次污染物低等特点。常见的二次污染物有硫酸盐、硝酸盐、臭氧、醛类（乙醛和丙烯醛等）、过氧乙酰硝酸（PAN）等。

通过对大气环境中主要污染物质进行定期或连续监测，达到以下目的：

（1）判断大气质量是否符合国家制定的大气质量标准，并为编写大气环境质量状况提供依据。

（2）为研究大气质量的变化规律和发展趋势，开展大气污染的预测预报工作提供依据。

（3）为政府部门执行有关环境保护法规，开展环境质量管理，环境科学研究及修订大气环境质量标准提供基础资料和依据。

（四）固体废物监测

1．急性毒性的初筛实验

有害废物中会有多种有害成分，组分分析难度较大，急性毒性的初筛实验可以简便地监测并表达其综合急性毒性。

2．易燃性的测定

鉴别易燃性是测定闪点，闪点较低的液态废物和燃烧剧烈而持续的非液态状废物，由于摩擦、吸湿、点燃等自发的化学变化会发热、着火，或者可能由于它的燃烧引起对人体或环境的危害。

3．腐蚀性的测定

腐蚀性指通过接触能损伤生物细胞组织，或腐蚀物体而引起危害。具体测定方法：一种是测定 pH 值；另一种指在 55.7 ℃以下对钢制品的腐蚀率。

4. 反应性的测定法

测定方法包括撞击感度测定、摩擦感度测定、差热分析测定、爆炸点测定和火焰感度测定等五种。

5. 浸出毒性测定

固体废物受到水的冲淋、浸泡，其中有害成分将会转移到水相而污染地面水、地下水，导致二次污染。浸出方法用规定办法浸出水溶液，然后对浸出液进行分析。我国规定的分析项目有：汞、镉、砷、铬、铅、铜、锌、镍、铍、氟化物、氰化物和硝基苯类化合物。

6. 城市垃圾的监测

城市垃圾是指城市居民在日常生活中抛弃的固体垃圾，它主要包括：生活垃圾、零散垃圾、医院垃圾、市场垃圾、建筑垃圾和街道扫集物等。生活垃圾是一种由多种物质组成的异质混合体，处理的方法大致有焚烧（包括热解、气化）、卫生填埋和堆肥，详见第四章第二节内容。不同的方法其监测的重点和项目也不一样。例如焚烧，垃圾的热值是决定性参数，而堆肥需测定生物降解度、堆肥的腐熟程度。至于填埋，渗沥水分析和堆场周围的苍蝇密度等成为监测的主要项目。

（五）土壤污染监测

环境是个整体，污染物进入任何部分都会影响整个环境。因此，土壤监测必须与大气、水体和生物监测相结合才能全面和客观地反映实际。土壤监测中确定土壤中优先监测的依据是国际学术联合会环境问题科学委员会（SCOPE）提出的"世界环境监测系统"草案，该草案规定：空气、水源、土壤以及生物界的物质都应与人群健康联系起来。土壤中优先监测物有以下两类：

第一类：汞、铅、镉、DDT 及其代谢与产物，多氯联苯（PCB）；

第二类：石油产品，DDT 以外的长效性有机氯，四氯化碳醋酸衍生物，氯化脂族、砷、锌、硒、铬、镍、锰、钒，有机磷化合物及其他活性物质（抗素、激素、致癌性物质和诱变物质）等。

我国土壤常规监测项目中，金属化合物有镉、铬、铜、汞、铅、锌；非金属无机化合物有砷、氯化物、氟化物、硫化物等；有机化合物有苯并（a）芘、三氯乙、油类、挥发酚、DDT、666 等。

由于土壤监测属衡量分析范畴，加之土壤环境的不均一性，故土壤监测结果的准确性是个十分令人关注的问题。土壤监测与大气、水质监测不同，大气、水体皆为流体，污染物进入后较易混合，在一定范围内污染物分布比较均匀，相对来说较易采集具有代表性的样品。土壤是固、气、液三相组成的分散体系，呈不均一状态，污染物进入土壤后流动、迁移、混合都较困难，如当污染物灌水流经农田时，污染物在各点的分布差别较大，即使多点采样，所收集的样品也往往具有局限性。由此可见，监测时所采集的样品应具有代表性，才能表示结果的可靠性。

（六）生物污染监测

随着现代工农业的飞速发展，三废大量排放，农药和化肥使用量迅速增加，使大气、水体、土壤受到污染，而生物再从这些环境要素中摄取营养物质和水分的同时，也摄入污染物质，并在体内蓄积，因此受到不同程度的污染和危害。进行生物污染监测的目的是通过对生物体内有害物质的检测，及时掌握和判断生物被污染的情况和程度，以采取措施保护和改善生物的生存环境。这对促进和维持生态平衡，保护人体健康具有十分重要的意义。

生物污染的监测内容与水体、土壤污染的监测内容大同小异，但根据生物受污染的途径可分为表面附着、生物吸收和生物积累三种形式。目前在实践中监测的内容如下：

(1) 粮食作物中几种有害金属及非金属，如铜、锌、镉、铅、汞、砷的测定。

(2) 植物中氟化物的测定。

(3) 鱼组织中有机汞和无机汞的测定。

(4) 粮食中石油烃的测定。

(5) 有机氯农药的测定。

(6) 作物中苯并（a）芘的测定。

（七）噪声监测

人类生活在有声音的环境中，通过声音进行交谈、表达思想感情以及开展各种活动。但有些声音也会给人类带来危害。例如，震耳欲聋的机器声、呼啸而过的飞机声等。这些为人们生活和工作所不需要的声音叫噪声。噪声干扰人们的睡眠和工作，强噪声下工作一天，只要噪声不是过强（120 dB 以下），事后只产生暂时性的听力损失，经过休息一段时间后，听力便可恢复；但是，如果噪声过强（120 dB 以上），就会产生永久性的听力损失，过强噪声还能杀伤人体。

环境噪声的来源有四种：一是交通噪声，包括汽车、火车和飞机等所产生的噪声；二是工厂噪声，如鼓风机、汽轮机、织布机和冲床等所产生的噪声；三是建筑施工噪声，像打桩机、挖土机和混凝土搅拌机等发出的声音；四是社会生活噪声，例如高音喇叭、收录机等发出的过强的声音。

关于噪声的测量方法，目前国际标准化组织和各国都有测量规范，除了一般方法外，对许多机器设备、车辆、船舶和城市环境等均有相应的测量方法和内容。

(1) 城市环境噪声监测。包括：城市区域环境噪声监测、城市交通噪声监测、城市环境噪声长期监测和城市环境中扰民噪声源的调查测试等。

(2) 工业企业噪声监测。

(3) 机动车辆噪声监测。机动车辆包括各类型汽车、摩托车、轮式拖拉机等。机动车辆所发出的噪声是流动声源，故影响面很广，在城市环境噪声中以交通运输噪声最突出。

(4) 机场周围飞机噪声监测。

（八）环境放射性监测

环境放射性监测是环境保护工作中的一项重要任务，尤其在当今世界，原子能工业迅速发展，核武器爆炸，核事故屡有发生，放射性物质在医学、国防、航天、科研、民用等领域的应用不断扩大，有可能使环境中的放射性水平高于自然值，甚至超过规定标准，构成放射性物质进行经常性的检测和监督。

放射性监测按照检测对象可分为：

(1) 现场监测，即对放射性物质生产或应用单位内部工作区域所作的监测。

(2) 个人剂量监测，即对放射性专业工作人员或公众作内照射和外照射的剂量监测。

(3) 环境监测，即对放射性生产和应用单位外部环境的监测，包括空气、水体、土壤、固体废物等的监测。

第二节　工程地质环境信息系统

信息系统的重要性已经逐渐为人们所认识，它是我们进行系统分析和系统管理的必要手段，详见第三章第二节。工程地质环境系统的多因素、多层次、多阶段的动态过程系统，没有一个灵活的信息系统来支持就谈不上工程地质环境的系统研究和应用。在数据库的基础上还可以增设评判系统，甚至辅助决策系统，有这样一个信息系统便可解决一般环境工程地质问题。以下着重介绍一个信息系统的构思、设计和建立。

一、系统的组成

整个的系统可由两个层次组成：第一层为数据管理层，提供通用的数据操作功能，包括数据表示、存取、增删和修改；第二层为数据应用层，完成用户可能提出的各种应用要求，如查询、统计、分类、综合评价及制图制表等。

二、关系数据模型及其管理

关系数据模型主要用于表示信息的物理属性。应用关系数据模型可建立关系数据库。在关系数据库中，信息以二维表格形式组成。这种模型关系由一个表名和若干属性名定义，表示为

$$R\ (A1,\ A2,\ \cdots,\ An) \tag{10-1}$$

式中　　R——关系名；

An——属性名。

关系数据库为关系模型的一个集合，其最大特点是由公共域的属性值建立数据之间的联系。

关系数据库的建立包括以下三个步骤：

(1) 建立概念模型；

(2) 将概念模型转化为关系数据模型；

(3) 将关系模型规范化。

关系数据模型的基本操作分为定义、存取和关系运算三类。

三、矢量数据模型及其管理

信息的空间属性需要采用矢量或点阵数据模型表示。

矢量图形的基本结构为：图由若干层组成；层由若干单元组成；单元由若干点或线段组成。其中单元作为实体的基本空间属性，其值由单元所在的层和层内序号表示。

矢量图形的基本操作包括：定义图形单元；存取图形单元；修改、删除图形单元；定义图形单元的基本拓扑属性（相交、相邻、包含）；存取单元的拓扑属性；图形的组合（并、交、差）及图形单元的查询。

图形信息系统是环境工程地质信息系统中最关键的部分，因为环境问题有空间属性，环境演化趋势和环境治理皆有待于在一定空间分布上解决问题。

四、不确定性因素的评判方法

在环境工程地质评判中，我们分析的对象系统是多系统的复杂系统，大部分因子具有很强的不确定性。对于不确定性因子所构成的系统要采用不确定性数学的方法加以描述和评判，以期得到定量的表征。常用的方法有综合评价、模糊评判和聚类分析等。

（一）综合评价

在综合评价中关键的步骤是根据系统目标，确定工程地质环境系统质量标志，建立总可协调度与各因素之间的关系，详见第三章第一节。

各因素的总可协调度，即工程地质环境质量的函数中的权重系数，是评价合理性的重要参数。它可以根据各因素的趋势分析，由其复杂度来确定，形成归一化的权重行矩阵。

综合评价可用于某选定场址的评价、多场址的比选及地区的区划。

（二）模糊评判

所谓模糊评判实质是一种关于决策因素的模糊分类。为此先进行单因素评价，得出每个因素关于决策因素的分类结果，然后确定各因素的权重。权重因素可由因素当前值对结论的支持程度来分析，将它归一化后作为该因素权的一个估计值。因素值 x 对结论 y 的支持程度，由下式计算：

$$W(x, y) = \frac{P(x/y)}{P(x/y) + P(x/\sim y)} + \frac{P(\sim x/\sim y)}{P(\sim x/\sim y) + P(\sim x/y)} \qquad (10\text{-}2)$$

式中　　P——概率函数（由计算频度求出）；

　　　　$\sim$——非。

（三）聚类分析

聚类分析是一种基于样本间相似性的定量分类方法，这里可采取优劣聚类分析。首先根据以往经验选定理想最佳区和最差区，然后确定二分类中心，并分为两类区。将待分析因子纳入分类，确定新的聚类中心，对取得的新聚类中心选择并归类，直到分得所需类数为止。

上述几种方法中，聚类分析的效果较差，原因在于未考虑多因素的权重差异。

复 习 思 考 题

10-1　工程环境监测的概念和意义是什么？

10-2　工程环境监测包括哪些内容？

10-3　什么是工程地质环境信息系统？

10-4　如何进行关系数据模型的建立和管理？

10-5　不确定性因素有哪些评判方法？

第十一章　环境工程地质评价与环境工程地质制图

人类利用和改造环境，取得了良好的效果，但也可能产生不良影响，甚至引起环境质量的下降，危害人们生产、生活和健康。就水利工程的兴建来说，如修建大中型水库、跨流域调水工程以及大中型灌溉、排水工程等，均会对周围环境产生各种不同的影响，特别是对生态环境产生影响。

如黄河三门峡水库，由于各种原因和条件限制，在 1960 年蓄水后出现了许多意想不到的环境问题，蓄水 4 a 竟在库区淤积泥沙达 44 亿 m^3，库容损失 43%，淤积末端延伸到 230 km 处，以致顶托渭河入口，并威胁西安市的安全。在这种情况下被迫放弃了高坝大库的方案，改为低水头运行，装机容量由原设计的 116 万 kW 降至 25 万 kW。为此，为了准确反映水利工程修建后，对其周围自然生态环境和人类社会环境的影响，需要进行环境影响评价。环境影响评价是对未来环境影响的预测性分析，是在一项工程建设之前，对该项工程建设可能带来的环境影响的评议。

在我国现代化建设中，保护和改善环境是国家的一项基本国策。在《中华人民共和国宪法》第 11 条中规定，"国家保护环境和自然资源，防治污染和其他危害"。在《中华人民共和国环境保护法》第 2 条中对环境保护的任务作了以下规定："保证在社会主义现代化建设中，合理地利用自然环境，防治环境污染和生态破坏，为人民创造清洁适宜的生活和劳动环境，保护人民健康，促进经济发展。"这些政策都是进行环境影响评价、分析环境问题的依据。

近年来，国内外均十分强调环境影响评价这项工作。美国于 1969 年率先提出环境影响评价，使环境保护工作由消极治理走向防患于未然阶段，并取得成效。我国 1979 年颁布的环境保护法中也规定了"在进行新建、改建、扩建工程时，必须提出环境影响报告书"。

第一节　环境工程地质调查

一、环境工程地质调查的内容

环境工程地质的调查内容主要包括以下几方面：

（1）岩土体的物质组成，包括岩土的粒度成分与矿物成分、成因类型与形成时代；

（2）岩土体结构与构造特征，包括岩土体分层、相变、岩石结构、工程地质岩组类型、岩体的裂隙化程度、所处构造部位及区域地质构造背景；

（3）地貌与第四纪方面，包括区域地貌单元划分、微地貌特征、第四纪以来的地壳运动特征及绝对年龄等；

（4）地表水、地下水特征，查清地下水补给—径流—排泄系统的特征、地下水的水化学特征及其侵蚀性和含水层的物理力学性质；

（5）物理地质现象或地质灾害，包括内外动力控制下的风化作用、地震作用、崩塌、滑坡及泥石流的发育规律；

（6）人类活动的敏感性，地质环境对人类工程的反应，调查是否产生地质环境恶化现象、程度及发展趋势；

（7）地壳与地表的长期稳定性，重点查明区域性大陆地壳或岩石圈的活动性，特别是活动断裂与地震作用；

（8）与地质环境相关的环境因素，如气候、生态等。

二、环境工程地质调查方法

调查方法包括地质测绘、勘探、现场试验、长期动态观测及地球物理探测等。

（1）工程地质测绘是基本的调查方法，主要用于初勘阶段，意在比较全面地反映评价区的环境工程地质条件。在情况允许的条件下，可以使用多时相、多波段遥感资料作为辅助。

（2）工程地质勘探包括钻探、槽探、竖井和硐探等几方面，通常勘探与物探方法相配合使用。

（3）野外现场试验主要是模拟岩土体的实际变形与强度特征，一般进行现场原位载荷试验、地应力测量、十字板剪切试验和流变试验等。

（4）长期动态观测，用于观测地震、活动断裂、地下水、危岩体或滑坡的发生发展，为环境工程地质问题的预报提供重要依据；这方面的技术方法有地面位移（三角控制测量、微震台网和短基线测量等）、深部位移（多层移动测量计、测斜仪和磁标志法等）、热红外跟踪摄影与现场声发射（AE）自动记录技术等。

（5）地球物理勘探方法，它包括航空物探、地面物探和测井（硐探）等；根据物理原理，可分为电法、地震法、重力法和磁法等。目前正在发展的 CT 成图成像在工程地质调查中已发挥重要作用。

（6）地球化学勘探在查明断裂的分布、活动性、地裂缝的存在等方面也发挥了重要作用，它主要是通过探测放射性或挥发性元素，如汞、钍、铀和氡等来达到显示工程地质条件差异的目的。

（7）室内试验方法非常丰富，它包括研究岩土成分方法，如 x 光、红外光谱和化学分析等；研究岩土结构、构造，如电子显微镜、粒度分析、超声波和荧光法等；研究岩土物理性质的方法，如体积—重量法、磁学方法和渗流方法；研究岩土物理化学性质的方法，如热动力学、吸附的、表面张力的方法等，以及研究岩土力学性质的方法，如土动三轴仪、点荷载仪、岩石压力机、流变仪和排水或不排水固结剪切等试验方法。

第二节　环境工程地质评价

一、环境工程地质评价目标

评价目标包括社会性的、经济性的和生态环境等三方面。

（1）社会性目标——工程的稳定性与安全性：工程的稳定性和安全性是工程成功的基

本要求，要在工程寿命期内保证工程的绝对安全，这是对社会公众负责的基准。自然，影响工程稳定性的因素是多方面的，这里强调的是地基以及地质环境条件。

（2）经济目标——工程效益：较好的工程效益是工程建设的功能目标，它应包括经济和使用价值的方面。

（3）生态学目标——生态环境的影响与协调：工程完成后应成为自然环境的组成部分，不能破坏原有的生态环境，甚至改善原生态环境，促使环境向和谐的方向发展。

事实上，上述三方面的目标是相互关联、相互制约的。应针对具体工程及其环境具体分析。

二、环境影响评价程序

建立环境影响评价的工作程序包括行政工作程序和技术工作程序。现介绍一些国内外的评价程序。

（1）美国环境影响评价程序（见图11-1）；

（2）日本环境影响评价程序（见图11-2）；

（3）我国的环境影响评价程序（见图11-3）。

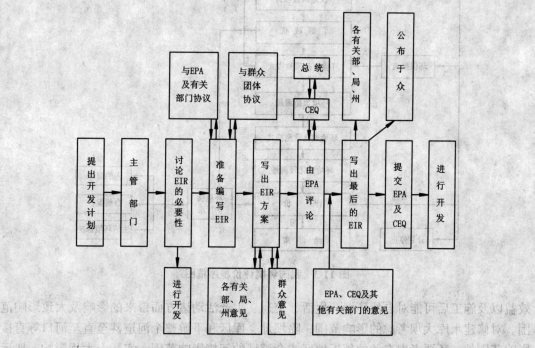

图11-1　美国环境影响评价程序框图

EPA—环境保护局（美）；CEQ—环境质量委员会（美）；EIR—环境影响调查报告（美）

三、环境影响评价的步骤与内容

环境工程评价的步骤一般可分为五个步骤（见图11-4）。

（一）基本工作

指要掌握国家环境保护法及有关规定、规程；了解水资源工程的类型、规模、方案、

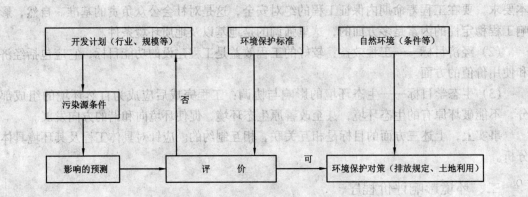

图 11-2 日本环境影响评价程序框图

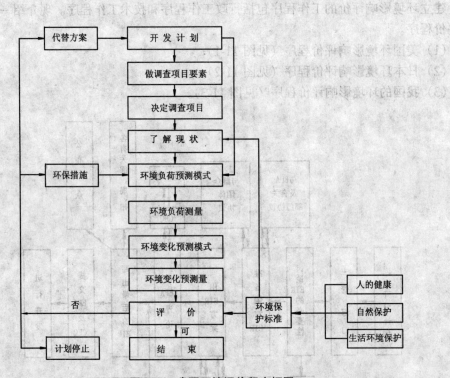

图 11-3 我国环境评价程序框图

效益以及施工后可能对自然环境、生活、交通、生产活动诸方面带来的影响及大致影响范围。对修建水库大坝考虑的影响范围，除坝址、库区和下游整个河道甚至直至河口等直接影响范围外，还要考虑有关的邻近地区或全流域的间接影响范围。实际上大坝影响一般远超过直接影响范围，而可能成为控制区域或流域发展的制约因素，因此往往需要从区域或全流域发展方向和目标来论证和比较大坝的利弊。

（二）环境影响的识别

主要通过环境现状分析入手，通过对建设地区及其影响范围的水文、地质、地貌、气候、动植物、文物景观、水质及人类生活和社会环境的现状调查与分析，从而确定环境保护应考虑的目标、范围和确定评价的环境参数。一般大型工程对环境影响面较广，对自然

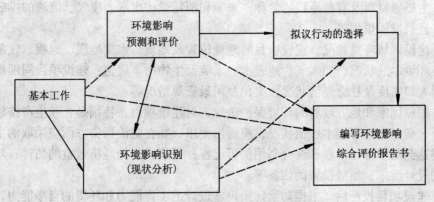

图 11-4 环境影响评价步骤框图

环境、人类生活环境都产生重大影响，选择的环境参数要适当多些，识别环境因素的最好方法是综合参考大量国内外工程的环境影响评价报告及选择类似工程进行类比。

（三）环境影响的预测与评价

环境影响的预测是环境影响评价的中心内容。首先应在总结大量已建工程的环境影响的基础上，选择条件类似的工程，对已确定的环境影响参数，建设项目的未来环境状况以及可能进行建设方案的物理、化学、生物和社会经济环境等方面的影响进行预测。

预测方法包括：

（1）物理模型法；

（2）在实地调查基础上进行对比和统计分析；

（3）数学模拟法；

（4）根据实践经验进行专业判断。

实际上较多采用对比和数学模拟的方法，如可用科学手段和数学模拟预测大气、水、噪声环境；用于预测各种方案对生物环境影响方法的定量分析虽然较差，但也有一定的规律性；预测文化环境影响主要进行现场调查，分析所在地区具体情况；社会经济环境的预测（如人口和人口分布）则主要根据历史趋势。

在影响预测的基础上，汇总每个比较方案的影响资料，要特别注意根据工程对大气、水和土壤等环境质量影响的程度和范围，找出影响环境质量的主要参数，进行重点研究和分析，并结合自然生态保护、环境保护、人类健康等方面进行全面评价。评价工作由于环境影响参数不同而有不同路径。例如，根据环境质量标准能评价所预测的大气和水质的变化，然而对预测土地利用的变化及对动物、植物影响的后果较难。

（四）决策方案的选择

在综合研究和比较各个可能方案的环境影响资料及其决策因素资料（包括工程效益、反映效益与费用的技术经济比较等）的基础上，可采用经验判断或按照某种原则取得综合指标，选择比较方案，选择方案应包含对环境不利影响的减免或改进措施。

（五）编写工程环境影响评价报告书

我国对工业企业环境影响评价报告书规定以下几方面内容：

（1）建设项目的基本情况。详细介绍建设项目的名称、地点及性质；产品的种类及生产规模；主要原材料及有毒原料的名称、来源和消耗量；废水、废气、废渣的排放量及排放方式；远景发展规划等。

（2）建设区域环境状况。建设项目的地理位置及地质、水文地质、地貌、气象、水文等状况；环境本底状况，如大气、地表水、土壤及生物的本底值；建设项目周围地区的情况，诸如人口密度及社会经济状况、文化及风景资源情况等。

（3）根据国家和地方政府的环境保护法规，对建设项目，特别是企业生产排放的有害有毒物质，参照当地环境本底值状况，应提出要求，如在防治污染方面应采取的主要工艺原则和要达到的标准；回收和综合利用的可能性；可能获得的经济效益的估计；环境绿化及美化的设计要求；所需投资的估算等。

（4）建设项目投产后，根据防治污染设施设计的工作能力和环境的自净能力，推断和估算它可能对周围环境质量的影响，预估它对当地社会经济产生的影响。

我国水利部《关于水利工程环境影响评价的若干规定（草案）》中规定的水利工程环境影响评价的步骤为：

（1）了解设计工程各不同方案的情况及其大致的影响方面和范围。

（2）研究确定各方案影响的环境范围。

（3）进行影响范围内的环境本底调查。

（4）了解各方案完成后的水量调节和分配情况。

（5）确定要研究的环境参数。

（6）选择对比、类比工程。

（7）分析设计工程与对比工程的环境特点，如地理位置、水库形状、调节特性、取水口与特征水位的关系、水库调度方式等。

（8）根据对比工程的环境改变，辅以部分理论计算，对已确定的环境参数进行定性和定量化范围的预报。

（9）找出主要影响的环境参数进行重点研究和分析计算，并提出对不利影响的减免措施或改进办法。

（10）分析估价各不同方案间存在问题的区别，并选择方案。

（11）编写本工程对环境影响的综合评价报告（草案）。

（12）进一步修正、补充报告书。

四、环境影响评价方法

（一）类比方法

类比方法又称地质比拟法，它是建立在工程地质比较和对比基础上的最基本方法。其实质是将被研究的作用和现象与已经研究过的、试验过的或与之相似的作用和现象进行类比。在某种意义上说，任何工程都是在一定工程条件下兴建起来的，都可看作一种宏伟的工程地质试验，工程地质学正是在不断总结这种宏伟试验的基础上发展起来的。

工程地质比拟法的优点是把多种因素综合起来考虑，而达到一种认识总体作用效果的目的。这种方法虽然定量化程度不高，但在拥有足够数量专门观测和调查资料的基础上，具有丰富的建筑经验和高深造诣的工程地质专家能够作出非常切实的结论。

（二）工程地质模拟方法

在对研究对象调查的基础上，为了更深刻地认识地质体发展的过程规律，常采用物理模拟的方法进行研究，它包括光学模拟、等效材料的模拟、变形力学的离心机模拟、水力模拟、水化学模拟和物理化学模拟等。

（三）动态系统分析方法

环境是一个大动态系统，它由系列的中、小系统组成。首先对整个环境作粗略的、宏观的分析，找出其关键问题，决定评价主要目标。大型水库的评价在于研究由于沿河筑坝引起水生生态系统的变化以及沿岸陆生生态系统的影响。围绕着评价主要目标进行中、小系统分析，即对自然、社会、经济环境等及其组成要素进行具体分析和评价。然后根据大量资料和实测数据，进行综合分析和评价，利用系统论、控制论和信息论等理论，从物质和能量输入、转化以及输出和反馈等作用，确定物质和能量在环境中的来龙去脉，建立各种模式，分析环境质量现状及其可能变化的趋势，从而提出对策。

（四）随机分析和统计处理

进行环境质量研究，需从各个方面收集资料。这些资料往往杂乱无章，从中清理出需要的材料，宛如"沙里淘金"，要经过筛选、精选才能获得系列的、有用的资料，且需对这些资料加以校正和规一化。有条件应将这些资料输入计算机储存，以便调用。清理资料是环境质量评价的一种手段，不是目的。重要的是寻找各种资料之间的关系。例如气象资料和大气中污染物浓度间；水文资料和水体中污染物浓度间；环境中污染物浓度时、空变化与生态系统和人群健康间等方面的关系。每种资料在时间序列上、空间分布上，均具随机性，至于他们之间关系更是复杂了，有的是线性关系，有的是非线性关系。随机分析特别是动态随机分析、概率统计、模糊数学在处理环境问题上都显得特别重要。

（五）模式和分析

1．相关分析和随机模式

从大量现有实测的资料，经过概率统计分析，找出组成环境要素间及其与环境质量的关系和内在联系。这些关系中有偶然性和必然性的联系，有线性和非线性的关系。例如，输入环境中的信息是线性，输出往往是非线性。如何建立其间的关系，在线性系统中常用相关法研究随机过程，他们在输入和输出的一阶距（平均值）和二阶距（相关函数）间的关系含有确定性。将相关法应用于非线性系统，只有基本方程线性化后才有可能。

谱稳定过程的相关法也可用于非稳定过程的相关和谱分析。

在问题的概率性质中，引入线性化方法，将非解析函数线性化，与常用的最小二乘法有些类似。

随机线性化在下列假定下进行：假定非线性的平均值和方差和它线性相似。从环境各要素相关分析，可建立随机模式。

2．模糊数学法及其模式

环境质量高低、好坏，不是绝对、肯定的概念，而是相对模糊的概念，尤其是在它决定于环境要素变化（如大气污染、水体污染等），在生态系统和人群健康上的反应，是十分复杂的。因此，在环境质量评价中，可引入模糊数学方法。

（六）清单法

这是一种应用最早，至今仍广泛应用的一种方法，它是把某项工程的各种环境影响列入表格中，有的还附有定量的计算和环境参数的解释和说明。采用的清单有简单、有复杂，因此又分简单、描述、尺度和加权等清单。

1. 简单清单

只是将应该评价的环境质量项目列成清单，以免有所遗漏，起着"备忘录"的作用。

2. 描述清单

描述清单所列的内容作为评价的导向，对影响环境因素提供适当的测量和预测的技术。此清单特别之处在于给出了环境要素变化对人群的影响，也说明在社会功能区之间分布的差异。

在清单中，将影响大小用符号或数字表示，可反映不同方案影响的相对差异，如表11-1所示。

表 11-1　不同开发方案对环境质量影响程度比较

影　响	方案 1	方案 2	方案 3
对湿地	C②	E③	E③
噪　声	E③	C②	A①
对水质	B②	A①	B②

注：A：没有影响；B：稍有影响；C：明显影响；D：严重影响；E：十分严重影响
　　①影响最小；②中等影响；③影响最大

描述清单只能指明进行环境质量评价应做的前期工作和供选择的粗略比较，并不能由此提出明确的评价意见和确定方案。

3. 尺度清单

尺度清单中包括评价项目和经济损益分析的评价标准（或阈值）和标准对比值以及影响时段。由此可对评价项目和评价区域作出明确定量的评价，并确定方案和对策。

4. 提问清单

在清单中提出系统的有关问题，以及给出有关人群的回答。

（七）距阵法

距阵法是由清单法发展而来的，是将清单中所列的内容，按其间因果关系，系统加以排列。通常将环境要素列在纵轴上，影响环境因素列在横轴上。每种因素对每种环境要素影响的大小可分等级（如分5级和10级），用阿拉伯数字表示。由于各个要素在环境中重要性不同，各个因素影响的程度不一，为了求各个因素对整个环境影响的总和，常用加权的办法。假设 m_{ij} 表示环境因素 j 对环境要素 i 的影响，ω_{ij} 表示环境因素 j 对环境要素 i 的权重。所有因素对环境要素 i 总的影响，则为 $\sum_i m_{ij}\omega_{ij}$；因素 j 对整个环境总的影响，则为 $\sum_j m_{ij}\omega_{ij}$；所有因素对整个环境影响，则为 $\sum_i \sum_j m_{ij}\omega_{ij}$，如表11-2所示。

（八）网络法

环境是一个复杂的系统，受一种因素影响后，常发生连锁反应。例如，修建公路会引起土壤冲刷，土壤进入河流会使河水变混浊，河床变浅，河流改道，导致洪水泛滥可能性增大，也可能成为阻挡水生生物群的通道，或者使水生生物群生活区变坏等。这样由一极影响导出二级、三级等影响，用网络法表示比较切合实际。网络法的基本表示方法如图

11-5 所示。

表 11-2　环境因素对环境要素的影响按矩阵法排列

环境要素 ＼ 环境因素	居住区改变	水文和排水的变更	修路	噪声的震动	城市化	平整土地	侵蚀控制	园林化	汽车环行	因素总影响
地形	8(3)	−2(7)	3(3)	1(1)	9(3)	−8(7)	−3(7)	−3(10)	1(3)	3
水循环使用	1(1)	1(3)	4(3)			5(3)	6(1)	1(10)		47
气候	1(1)				1(1)					2
洪水稳定度	−3(7)	−5(7)	4(3)			7(3)	8(1)	2(10)		5
地震	2(3)	−1(7)			1(1)	8(3)	2(1)			26
空旷地	8(10)		6(10)	2(3)	−10(7)			1(10)	1(3)	89
居住区	6(10)				9(10)					150
健康和安全	2(10)	1(3)	3(3)		1(3)	5(3)	2(1)		−1(7)	45
人口密度	1(3)			4(1)	4(3)					22
建筑	1(3)	1(3)	1(3)		3(3)	4(3)	1(1)		1(3)	34
交通	1(3)		−9(7)		7(3)				−10(7)	−109
总影响	180	−47	42	11	97	31	−2	70	−68	314

注： 表中数字表示影响大小：1 表示没有影响，10 表示影响最大，其间数字表示影响程度增大，负号表示坏影响。
括号内数字表示权重，数值愈大，权愈重。

从上图可以看出，网络分布有似树干分枝一样，因此称之为影响树。

其计算方法如下：设

$P_i = i$ 枝上事件出现的频率

$(i = 1, 2, \cdots, 10)$

每个影响 x 定义为

$M(x) = (+ 或 -)$ 影响 x 的大小

$I(x) = $ 影响 x 的权重。

影响树分支的影响计算值定义为 $\sum M(x)I(x)$，即为分支上所有影响（事件）x 的总和。预计（期望）环境影响计算值定义为 $\sum_{i=1}^{10} P_i$（i 分支的影响计算值）。

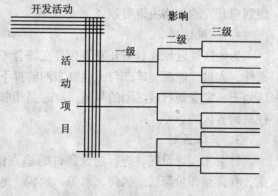

图 11-5　影响网络的基本图式

（九）经济损益分析方法

上述各种方法对环境质量评价结果，表示环境质量变化的大小，是相对的概念。即使以数值表示，含义也不明确，不易为非专业从事环境工作者，特别是广大人民所理解。自 20 世纪 80 年代提出经济损益分析法，以货币作为衡量环境质量所受的影响进行经济估算。环境和生态工作者正从各种途径探索，如由于森林破坏引起环境质量下降，便可以进行经济估算。它给人们以明确的概念，估算表明，破坏森林，在环境上会造成巨大的经济损失，其损失价值为林产品的 4~10 倍。

因此，在进行经济损益分析时，可对环境质量影响等级求出经济参数，然后按照上述方法进行经济损失分析，最后对环境质量作出综合评价。

第三节　环境工程地质区划

一、环境工程地质区划的原则

环境工程地质区划的原则是根据所研究问题的空间尺度与时间尺度来制定区划的级序。对于大区域（全国性）的区划，地壳构造及其活动性是其控制因素，而对小范围（一个工程区），则主要考虑岩土类型、微地貌、地下水的分布和断裂活动。显然，宏观区划为整个国家乃至国际性的土地开发利用提供依据，而微观区划则主要涉及具体工程场址的具体参数的取得。

二、环境工程地质区划分级

区划的分级可以根据所研究的对象确定，至于每级中划分多少区合适，更要有针对性地进行。一般区划分级如下：

1. 一级区划

针对全国性国土整治与经济开发的战略布局进行。开展工作时，要有战略性的持续发展的观念；在综合考虑资源、环境与人口的现状及潜力的基础上进行分区，为国家级国土规划与开发的战略决策服务。

2. 二级区划

为地区性区域规划与开发服务。在综合考虑所在的大地构造位置、区域工程地质环境条件、人口、能源、矿产与土地分布的前提下，为制定较具体的建设规划提供依据。这种区划不一定受到行政区划的限制，有时是相邻省区的联合区划和建设布局，如水电工程往往是跨省区的。

3. 三级区划

针对工程建设区，进行建设条件的适宜性分区，为具体工程各个单元的布置提供依据，在详细评价降雨、风向、水源、地貌、地基承载力以及生态环境等方面的前提下进行区划。

4. 四级区划

针对工程建设地段进行区划，也就是选择最优地段的问题，为更详细的勘察和研究建立基础，为可行性论证和初步设计提供更有针对性的依据。

应说明，具体工程地基，如楼房地基和大坝坝基的地质力学属性已不属于一般区划的内容，它要求更详尽具体的力学参数和稳定性研究结论，为具体工程设计和施工提供依据。

第四节　环境工程地质图系的编制

新中国成立以来，地质、水利、城建、冶金等部门结合工程建设和资源情况对我国地质环境做过不少研究并取得一些有益的成果。到了 20 世纪 70 年代，我国的科技工作者更重视从生态角度去研究地质环境问题。80 年代开展了区域环境地质的研究，为我国经济建设和规划、环境保护、国土开发与治理提供了宝贵资料。

在上述环境地质研究中，环境地质图应是反映环境问题的一种直观形式，故编制环境地质图应是环境地质研究的一个重要组成部分。

一、编制环境工程地质图的目的

通过图件的形式（平面、剖面、立体）表达出一个地区所有环境工程地质问题，或与其相关的或未来可能产生的环境工程地质问题的条件，表达组成这些条件的一切工程地质因素，以实现对一个地区综合的或单因子性的环境工程地质问题的评价、预测及防治。即：

（1）作为我国经济建设和国土开发利用、规划和决策的依据；

（2）作为我国工程地质环境管理和保护的依据；

（3）成果资料可用于教学、科研和生产；

（4）用于环境工程地质科学的国际交流，便于改善生存和发展的自然条件，尽可能避免或减轻人类活动对地质环境的破坏。

按上述目的，环境工程地质图的任务是利用图系来概括我国工程地质环境特征，地质环境与人类工程经济活动相互关系，区域性或全国性环境地质问题。主要包括：环境工程地质条件、环境工程地质分区，环境工程地质保护和资源开发对策等。

二、环境工程地质编图原则

环境工程地质编图就是以环境工程地质学的最新成就为理论指南，以客观的环境工程地质问题为研究对象，以与环境工程地质问题密切相关的工程地质条件为基础，最终以适宜的方法、步骤和图例在图上综合表达出来，最后形成包括基础工程地质条件、环境工程地质问题现状评价和对未来的预测等几方面的一个图系。

为满足应急工程的需要，单因子图件或单张图件也必不可少。如某地区的滑坡分布图、某地区的环境工程地质问题现状图或某地区的建筑适宜程度图等。

应说明的是，目前环境工程地质图与环境地质图的界限尚不十分清楚。

三、环境工程地质图系的内容

环境工程地质图系应反映自然工程地质环境和人为活动，即社会—经济—工程条件影响等方面因素。意大利曾出版了《环境地质制图法》（1980 年），我国也先后开展了长江流域、黄河流域和西北地区环境工程地质图系的编制工作。

环境工程地质图的内容大致分成以下两方面：

（1）人类生存环境有着潜在危胁的环境地质问题：

①内外动力地质作用及其引发的地质灾害与环境地质问题；

②水资源开发利用的环境地质问题和地质灾害；

③各类工程建设与环境的关系及其可能引发的环境工程地质问题或灾害；

④矿产等资源开发利用可能引发的环境工程地质问题或灾害；

⑤废弃物的存放、处理及对地质环境的污染。

（2）环境工程地质图的内容：

①基本环境条件（包括地质资源）；

②地质环境对人类生存和发展的影响；

③人类开发利用地质环境和地质资源状况；

④人类一些工程经济活动对地质环境和人类本身带来的影响；

⑤在各种地质营力（包括人类活动）作用下工程地质环境质量状况；

⑥开发利用和保护工程地质环境的对策措施。

因此，环境工程地质图可划分为三个图组，各图组的图件包括以下内容：

（1）区域环境工程地质图组。编图的目的，是为了地区性的生产力布局、资源开发，特别是进行大型工程建设规划的同时，能够合理地利用资源和保护环境，使地区性的经济与环境协调发展。

区域环境工程地质图的图幅范围和比例尺，可根据地区经济建设规划的需要而定。一般可分为三种：全国性的；大行政区的；省、市区的环境工程地质图，等等。全国性的图件比例尺最小的为 1∶400 万，省、市性的，最大的比例尺为 1∶2 万。

区域环境工程地质图的主要内容有：

①地形地质背景值：地貌、水文、气象、植被、岩性、构造、历史地震震源及活动性地质构造等。

②资源背景值：地下水资源、能源、矿产资源、土地资源、地下水化学性质、岩土体工程地质类型、特殊土的分布等。

③工程状况：工程类别、性质、规模、城市及人口分布。

④环境工程地质分区：根据区内的工程与环境相互影响和相互作用所产生的环境问题，如生态恶化、环境污染、不良工程地质现象等问题进行工程地质环境分区。

（2）大型工程区域的环境工程地质图组。编图的目的，主要是为了专门治理和保护环境。治理因大型工程建设所产生的环境问题或免受大型工程建设影响，保护良好的生态环境。

大型工程区域，主要是指：水利工程；矿山工程；交通工程；城市工程等所涉及到的区域性的环境工程地质问题。按工程类型，分别编各自的区域性环境工程地质图。如水利工程环境工程地质图；矿山工程环境工程地质图；交通工程环境工程地质图；城市工程环境工程地质图。图幅的比例只可以根据工程类型和它对环境的影响范围而确定。一般是从 1∶2 万到 1∶10 万，最小的比例尺是 1∶20 万。

大型工程区域环境工程地质图的主要内容与前面所述的区域环境工程地质图的内容是一致的，但侧重点是不同的。在这里要更加突出工程与环境相互影响和相互作用而产生的环境工程地质问题，如生态恶化问题、环境污染问题和不良工程地质问题。并根据问题性质和程度进行工程地质环境分区，为治理环境和保护环境提供科学依据。

（3）工程地质环境变化趋势图组。工程地质环境变化趋势图是一种专门性的图件，对一些比较重要的工程区域，又是环境变化明显的区域，需要更具体地反映工程与环境相互作用的问题，并预测未来环境发展的趋势。根据环境危害的类型，分别编制：工程地质生态变化趋势图；工程地质环境污染趋势图；工程地质不良现象发展图。

工程地质环境变化趋势图的主要内容有：

①引起环境危害的工程地质背景值。

②环境污染源、环境危害源的性质与分布。污染源分布图、开发地下水导致的灾害和特殊类型土的危害，包括崩塌、滑坡、泥石流的类型及分布，沙漠及土地沙化、水土流失、土地盐碱化和沼泽化、喀斯特地形塌陷等内容。

③环境危害的范围和时空的发展趋势。包括区域稳定性分区、地质灾害防治分区、地下水质评价、地下水污染防治分区、地下水资源合理开发与利用综合分区、国土整治环境地质分区等。

以上所述三种环境工程地质图，是根据环境工程地质学的特点提出的，有待于完善和提高，创造出有特色的环境工程地质图件，服务于工程和环境协调发展规划，并为利用环境、改造环境和保护环境提供科学依据。

例如，城建部门曾为海南省海口市编制了一套为城市综合规划用的工程地质环境质量和土地工程能力评价图系，共15张，包括：

①规划区土地工程能力与适宜性图；

②水资源规划图；

③场地地震灾害图；

④土地工程开发费用比率图；

⑤稳定性分区图；

⑥浅部松散层状况图；

⑦深层持力层承载图；

⑧天然浅基适宜性等级图；

⑨桩基适宜性等级图；

⑩箱基适宜性等级图；

⑪边坡与开挖难易程度图；

⑫场地土类别区划图；

⑬潜水等水位与埋深图；

⑭地下水过量开采与污染影响图；

⑮洪泛威胁程度图。

这套图超出了传统地质编图的框架，引进了工程规划和设计人员易懂的语言和需要的内容。因此，有人把环境工程地质图称为规划人员和工程地质学家的一种共同语言，是土地利用和区域规划的必要工具。

环境工程地质图的内容应视需要而定，主要以国土开发整治、土地的合理利用为目的的环境工程地质图，有关的自然因素、经济因素是图中要表达的内容。一些重要的文化因素也应作为图的内容。有些对环境没有重要影响的地质因素则不必表现出来。如地层的某些接触关系就可以不作为一个特殊的地质因素来考虑。而有特殊意义的非地质因素则应作为编图要素。地质环境中自然和经济的主导因素常成为确定环境工程地质图主题的根据。如工程特性、斜坡稳定性、矿产资源、水文地质和废物处置等。

四、编制环境工程地质图的方法步骤

编图的方法步骤与编制一般工程地质图的区别在于表达分析性因素和人类作用因素的次序上。一般的环境工程地质图的编制可遵循下述步骤：

1. 收集基础图件

在拟研究地区，常做大量地质工作，积累了较丰富的资料。因此可以而且必须首先收集基础性图件，包括收集各类地质图、地震图、构造图，尤其要注意收集区域工程地质图、航卫片等宏观地质图件。

2. 野外调查

单纯依靠收集已有地质资料，是不可能满足研究要求的，因此要安排专门性的野外调查，包括专门为解决环境工程地质问题所进行的地质测绘、物探、化探、钻探和试验等内容。

3. 室内分析

通过对所收集到的全部资料的整理、综合，进行针对解决环境工程地质问题的认真分析，包括进行分带、区划和分类。例如对人类作用的地区分带、强度分带；对现有环境工程地质问题分布进行划分；进行相应的分类等。

4. 计算工程地质数据

根据分析，进一步计算研究地区的最新工程或具有工程地质意义的数据。

5. 确定图的比例、图例

根据不同类型环境工程地质图确定比例，并按规范要求选择图例。

6. 填绘

按填绘原则，首先填绘分析性因素及其数据，随后按环境工程地质问题及相关条件的自然迭置顺序填绘，最后整饰成图。

以上是一般性的原则方法和步骤，实际编制图件时，还要做具体分析。

五、环境工程地质图系的特点

环境工程地质图的特点可初步归纳为以下几方面：

1. 系列性

环境工程地质图均由一个系列构成，如美国宾夕法尼亚州的环境地质图系由地势起伏图、地形坡度图、水系和洪水泛滥图、土壤图、地质矿产图、地下水利用可能性图和工程地质图等7张图构成。德克萨斯海岸带的环境地质图由9张图组成，西德下萨克森地区的环境地质图系为12张图。英国法夫地区的环境地质系列图则多达27张图。

2. 实用易读性

由于环境工程地质研究与制图不仅为工程技术人员服务，更主要的是为政府部门进行国土开发与土地利用规划服务，这就要求在表现内容与形式上应简明扼要，易于理解和实用。有时，为突出某一方面的问题，单因子的现状、评价或预测图常常是比较受欢迎的。

3. 广泛性

由于地球环境与资源的全球关联性，特别是人类活动的影响已远远超出行政区界或国界，有些重大问题必须从全球或洲际角度来考虑，方能求得战略性的正确认识，如目前已编制的全球构造活动图、全球地应力场图和东亚地质灾害图都是这方面的反应。

4．空间性

要求对地球一定深度的特点予以反映，以加深对地质环境深部稳定性的认识。

5．实时性与自动化趋势

要求及时把地质环境刚刚发生或正在发生的事实予以反映，以便实时作出预测或制定对策，这就要求建立地质环境因子的数据库，及时进行计算机网络分析或成图，以便综合分析与对比。

六、计算机辅助制图与辅助决策

1．计算机辅助制图

计算机辅助制图是利用计算机系统快速高效的原理及时地反映环境工程地质问题的现状及其实时变化，以便于及时决策和实施防治或整治措施。

利用数据库的可操作性，可以灵活地反映环境工程地质条件在人类工程—经济活动作用下的变化。它可以根据客观情况的变化增删数据的内容及其组合，也可通过预测可能发生的情况模拟其对人类可能产生的影响。大大地提高了工作效率。

计算机辅助制图的内容可分为以下三方面，即现状图、预测图和动态模拟图。

（1）现状图。利用计算机存取数据方便的特点，可随时对比不同地区或同一地区不同时间的实时状态。

（2）评价图的优化。利用多色可叠加性，可快速地给出一个地区的综合评价图和单因子评价图，并可根据条件的变化，方便地进行评价的更改。

（3）预测或模拟图。根据现状评价，以可变换参数进行风险预测。也可设想突然的重大工程地质条件改变来模拟工程预期的可能变化，制定应变对策，这实际上是一种演习过程。

另外，还可以进行辅助设计，以检验工作效果。

2．计算机辅助决策

它包含以下几方面：

（1）对一个地区的历史、现状、发展趋势与防治重点进行决策咨询；

（2）快速地查询工程地质环境问题的主要类型、分布、发育强度、危害与防治可行性，为调整国家或地方国土利用、经济开发与环境保护的战略决策服务；

（3）为制定整个国家的中长期的减灾防灾战略提供参考。

复 习 思 考 题

11-1　环境工程地质调查的内容有哪些？可采用什么方法进行调查？

11-2　环境工程地质评价的目的是什么？

11-3　环境影响评价的步骤与内容是什么？

11-4　环境工程地质区划的原则是什么？如何进行环境工程地质区划分级？

11-5　为什么要编制环境工程地质图系？其编图原则是什么？

11-6　环境工程地质图系应包括哪些内容？

11-7　如何进行环境工程地质图系的编制？

11-8　环境工程地质图系具有什么特点？为什么？

11-9　在计算机广泛应用的今天，如何利用计算机辅助制图和辅助决策？

11-10　以所在城市为例，说明城市环境图系应包括哪些内容？

附录一 我国水环境标准目录

表1 我国水环境标准

编 号	标 准 名 称	发布日期	实施日期
GBJ4—73	工业"三废"排放试行标准	1973-11-17	1974-01-01
GB3097—82	海水水质标准	1982-04-06	1982-08-01
GBJ48—83	医院污水综合排放标准	1983-01-03	1983-01-03
GB3545—83	甜菜制糖工业水污染物排放标准	1983-04-09	1983-10-01
GB3546—83	甘蔗制糖工业水污染物排放标准	1983-04-09	1983-10-01
GB3548—83	合成脂肪酸工业水污染物排放标准	1983-04-09	1983-10-01
GB3548—83	合成洗涤剂工业水污染物排放标准	1983-04-09	1983-10-01
GB3549—83	制革工业水污染排放标准	1983-04-09	1983-10-01
GB3550—83	陆上石油开发工业水污染物排放标准	1983-04-09	1983-10-01
GB3551—83	石油炼制工业水污染物排放标准	1983-04-09	1983-10-01
GB3553—83	电影制片厂水污染物排放标准	1983-04-09	1983-10-01
GB3839—83	制订地方水污染物排放标准的技术原则和方法	1983-04-14	1984-04-01
GB4274—84	梯恩体工业水污染物排放标准	1984-05-18	1985-03-01
GB4275—84	黑索金工业水污染物排放标准	1984-05-18	1985-03-01
GB4276—84	火炸药工业硫酸浓缩污染物排放标准	1984-05-18	1985-03-01
GB4277—84	雷汞工业污染物排放标准	1984-05-18	1985-03-01
GB4278—84	二硝基重氮酚工业水污染物排放标准	1984-05-18	1985-03-01
GB4279—84	叠氮化铅、三硝基苯二酚铅、D.S共晶工业水污染排放标准	1984-05-18	1985-03-01
GB4280—84	铬盐工业污染排放标准	1984-05-18	1985-03-01
GB4281—84	石油化工水污染物排放标准	1984-05-18	1985-03-01
GB4282—84	硫酸工业污染物排放标准	1984-05-18	1985-03-01
GB4283—84	黄磷工业污染物排放标准	1984-05-18	1985-03-01
GB4286—84	船舶工业污染物排放标准	1984-05-18	1985-03-01
GB4911—85	钢铁工业污染物排放标准	1984-01-18	1985-08-01
GB4912—85	轻金属工业污染物排放标准	1984-01-18	1985-08-01
GB4913—85	重有色金属工业污染物排放标准	1984-01-18	1985-08-01

注：引自《中国环境目录》，1973～1992。

表2 我国有关生活饮用水及水源水的卫生标准目录

编 号	标 准 名 称	实施年份
GB5749—88	生活饮用水卫生标准	1988
GB8161—87	生活饮用水源中铍卫生标准	1987
CJ	生活饮用水水源水质标准	

表3　关于城市污水的排放标准目录

编　　号	标　准　名　称	实　施　年　份
CJ18—86	污水排放城市下水道水质标准	1986
CJ	城市污水处理厂污水污泥排放标准	
CJ25.1—89	生活杂用水水质标准	1989

表4　有关给水排水及中水的设计规范目录

编　　号	规　范　名　称	实　施　年　份
GBJ14—87	室外给水排水设计规范	1987
CECS30.91	建筑中水设计规范	1991

表5　有关污泥、垃圾农用及污染物控制标准目录

编　号	标　准　名　称	发布日期	实施日期
GB4284—84	农用污泥中污染物控制标准	1984-05-18	1985-03-01
GB8172—87	城镇垃圾农用控制标准	1987-10-05	1988-02-01

1. 水域功能分类

我国地面水环境质量标准是基于对地面水水域功能的确定和分类来制定的，地面水水域依据其使用目的和保护目标划分为五类：

Ⅰ类 主要适用于源头水及国家自然保护区。

Ⅱ类 主要适用于集中式生活饮用水水源地一级保护区、珍贵鱼类保护区和鱼类产卵场等。

Ⅲ类 主要适用于集中式生活饮用水水源地二级保护区、一般鱼类保护区及游泳区。

Ⅳ类 主要适用于一般工业用水区及人体非直接接触的娱乐用水区。

Ⅴ类 主要适用于农业用水区及一般景观要求水域。

同一水域兼有多类功能的，依最高功能划分类别。有季节性功能的，可按季节划分类别。

2. 标准值

国家地面水环境质量标准的分类、参数与标准值列于表1中。

表 1 地面水环境质量标准　　　　　　　　　　（单位：mg/L）

序号	参　数	I类	II类	III类	IV类	V类
		基本要求 所有水体不应有非自然原因所导致的下述物质： a. 凡能沉淀而形成令人厌恶的沉积物； b. 漂浮物，诸如碎片、浮渣、油类或其他的一些引起感官不快的物质； c. 产生令人厌恶的色、臭、味或浑浊度的； d. 对人类、动物或植物有损害、毒性或不良生理反应的； e. 易滋生令人厌恶的水生生物的				
1	水温（℃）	人为造成的环境水温变化应限制在： 夏季周平均最大温升≤1 冬季周平均最大温降≤2				
2	pH	6.5～8.5				6～9
3	硫酸盐①（以 SO_4 计）≤	250 以下	250	250	250	250
4	氯化物①（以 Cl 计）≤	250 以下	250	250	250	250
5	溶解性铁①≤	0.3 以下	0.3	0.5	0.5	1.0
6	总锰①≤	0.1 以下	0.1	0.1	0.5	1.0
7	总铜①≤	0.01 以下	1.0（渔 0.01）	1.0（渔 0.01）	1.0	1.0
8	总锌①≤	0.05	1.0（渔 0.01）	1.0（渔 0.01）	2.0	2.0
9	硝酸盐（以 N 计）≤	10	10	20	20	25
10	亚硝酸盐（以 N 计）≤	0.06	0.1	0.15	1.0	1.0
11	非离子氨≤	0.02	0.02	0.02	0.2	0.2
12	凯氏氮≤	0.5	0.5	1	2	2
13	总磷（以 P 计）≤	0.02	0.1 （湖、库 0.025）	0.1 （湖、库 0.05）	0.2	0.2
14	高锰酸盐指数≤	2	4	6	8	10
15	溶解氧≥	饱和率 90%	6	5	3	2
16	化学需氧量（COD）≤	15 以下	15	15	20	25
17	生化需氧量（BOD₅）≤	3 以下	3	4	6	10
18	氟化物（以 F 计）≤	1.0 以下	1.0	1.0	1.5	1.5
19	硒（四价）≤	0.01 以下	0.01	0.01	0.02	0.02
20	总砷≤	0.05	0.05	0.05	0.1	0.1
21	总汞②≤	0.000 05	0.000 05	0.000 1	0.001	0.001
22	总镉②≤	0.001	0.005	0.005	0.005	0.01
23	铬（六价）≤	0.01	0.05	0.05	0.05	0.1
24	总铅②≤	0.01	0.05	0.05	0.05	0.1
25	总氰化物≤	0.005	0.05（渔 0.005）	0.2（渔 0.005）	0.2	0.2
26	挥发酚②≤	0.002	0.002	0.005	0.01	0.1
27	石油类②（石油醚萃取）≤	0.05	0.05	0.05	0.01	0.01
28	阴离子表面活性剂≤	0.2 以下	0.2	0.2	0.3	0.3
29	总大肠菌群③（个/L）≤			10 000		
30	苯并（a）芘③（μg/L）≤	0.002 5	0.002 5	0.002 5		

注：①允许根据地方水域背景值特征做适当调整的项目。

②规定分析检测方法的最低检出限，达不到基准要求。

③试行标准。

附录三 我国生活饮用水水质卫生标准（GB5749—85）

表1 生活饮用水水质卫生标准（GB5749—85）

序号	项 目	标 准
	感官性状和一般化学指标	
1	色	色度不超过15度，并不得呈现其他异色
2	混浊度	不超过3度，特殊情况不超过5度
3	嗅和味	不得有异嗅、异味
4	肉眼可见物	不得含有
5	pH值	不超过6.5~8.5
6	总硬度（以碳酸钙计）	不超过450 mg/L
7	铁	不超过0.3 mg/L
8	锰	不超过0.1 mg/L
9	铜	不超过1.0 mg/L
10	锌	不超过1.0 mg/L
11	挥发酚类（以苯酚计）	不超过0.002 mg/L
12	阴离子合成洗涤剂	不超过0.3 mg/L
13	硫酸盐	不超过250 mg/L
14	氯化物	不超过250 mg/L
15	溶解性总固体	不超过1 000 mg/L
	毒理学指标	
16	氟化物	不超过1.0 mg/L，适宜浓度0.5~1.0 mg/L
17	氰化物	不超过0.05 mg/L
18	砷	不超过0.05 mg/L
19	硒	不超过0.01 mg/L
20	镉	不超过0.01 mg/L
21	汞	不超过0.001 mg/L
22	铬（六价）	不超过0.05 mg/L
23	铅	不超过0.05 mg/L
24	银	不超过0.05 mg/L
25	硝酸盐（以氮计）	不超过20 mg/L
26	氯仿[①]	不超过60 μg/L
27	四氯化碳[①]	不超过3 μg/L
28	苯并（a）芘[①]	不超过0.01 μg/L
29	滴滴梯[①]	不超过1 μg/L
30	六六六[①]	不超过5 μg/L
	细菌学指标	
31	细菌总数	不超过100个/mL
32	总大肠菌	不超过3个/mL
33	游离性余氯	在接触30 min后应不低于0.3 mg/L，集中式给水，除出厂水应符合上述要求外，管网末梢水中不应低于0.05 mg/L
	放射性指标	
34	总α放射性	0.1 Bq/L
35	总β放射性	1 Bq/L

注：①试行标准。

附录四　国家饮用水水源的水质标准

表 1　生活饮用水水源的水质要求

序号	项目	标准限值 一级	标准限值 二级
1	色	色度不超过 15 度，并不得呈现其他异色	不应有明显的其他异色
2	浑浊度（度）	≤3	
3	嗅和味	不得有异嗅、异味	不应有明显的异嗅、异味
4	pH 值	6.5～8.5	6.5～8.5
5	总硬度（以碳酸钙计）（mg/L）	≤350	≤450
6	溶解铁（mg/L）	≤0.3	≤0.5
7	锰（mg/L）	≤0.1	≤0.1
8	铜（mg/L）	≤1.0	≤1.0
9	锌（mg/L）	≤1.0	≤1.0
10	挥发酚（以苯酚计）（mg/L）	≤0.002	≤0.004
11	阴离子合成洗涤剂（mg/L）	≤0.3	≤0.3
12	硫酸盐（mg/L）	<250	250
13	氯化物（mg/L）	<250	<250
14	溶解性总固体（mg/L）	<1 000	<1 000
15	氟化物（mg/L）	≤1.0	≤1.0
16	氯化物（mg/L）	≤0.05	≤0.05
17	砷（mg/L）	≤0.05	≤0.05
18	硒（mg/L）	≤0.01	≤0.01
19	汞（mg/L）	≤0.001	≤0.001
20	镉（mg/L）	≤0.01	≤0.01
21	铬（六价）（mg/L）	≤0.05	≤0.05
22	铅（mg/L）	≤0.05	≤0.05
23	银（mg/L）	≤0.05	≤0.05
24	铍（mg/L）	≤0.000 2	≤0.000 2
25	氨氮（以氮计）（mg/L）	≤0.5	≤1.0
26	硝酸盐（以氮计）（mg/L）	≤10	≤20
27	耗氧量（KMnO₄ 法）（mg/L）	≤3	≤8
28	苯并（a）芘[①]（μg/L）	≤0.01	≤0.01
29	滴滴梯（μg/L）	≤1	≤1
30	六六六（μg/L）	≤5	≤5
31	百菌清[①]（mg/L）	≤0.01	≤0.01
32	总大肠菌群（个/L）	≤1 000	≤1 000
33	总 α 放射性（Bq/L）	≤0.1	≤1
34	总 β 放射性（Bq/L）	≤1	≤1

注：①试行标准。

附录五　我国污水排放标准（GB8978—88）

表1　第 I 类污染物最高允许排放浓度

（单位：mg/L）

序号	污　染　物	最高允许排放浓度
1	总汞	0.05①
2	烷基汞	不得检出
3	镉	0.1
4	总铬	1.5
5	六价铬	0.5
6	总砷	0.5
7	总铅	1.0
8	总镍	1.0
9	苯并（a）芘②	0.000 03

注：①烧碱行业（新建、扩建、改建企业）采用0.005 mg/L。

②为试行标准，二级、三级标准区暂不考核。

表2　第 II 类污染物最高允许排放浓度

（单位：mg/L）

污　染　物 标准分级/规模	一级标准 新扩改	一级标准 现有	二级标准 新扩改	二级标准 现有	三级标准
1 pH值	6~9	6~9	6~9	6~9①	6~9
2 色度（稀释倍数）	50	80	80	100	
3 悬浮物	70	100	200	250②	400
4 生物需氧量（BOD₅）	30	60	60	80	300③
5 化学需氧量（COD）	100	150	150	200	500③
6 石油类	10	15	10	20	30
7 动植物油	20	30	20	40	100
8 挥发酚	0.5	1.0	0.5	1.0	20
9 氰化物	0.5	0.5	0.5	0.5	1.0
10 硫化物	1.0	1.0	1.0	2.0	2.0
11 氨氮	15	25	25	40	—
12 氟化物	10	15	10	15	20
	—	—	20④	30④	
13 磷酸盐（以P计）⑤	0.5	1.0	1.0	2.0	
14 甲醛	1.0	2.0	1.0	2.0	—
15 苯胺类	1.0	2.0	2.0	3.0	—
16 硝基苯类	2.0	3.0	3.0	5.0	5.0
17 阴离子合成洗涤剂（LAS）	5.0	10	10	15	20
18 铜	0.5	0.5	1.0	1.0	2.0
19 锌	2.0	2.0	4.0	5.0	5.0
20 锰	2.0	5.0	2.0⑥	5.0⑥	5.0

注：①现有火电厂和粘胶纤维工业，二级标准pH值放宽到9.5。

②磷肥工业悬浮物放宽至300 mg/L。

③对排入带有二级污水处理厂的城镇下水道的造纸、制革、食品、洗毛、酿造、发酵、生物制药、肉类加工、纤维板等工业废水，BOD₅可放宽至600 mg/L，COD可放宽至1 000 mg/L。具体限度还可以与市政部门协商。

④为低氟地区（系指水体含氟量＜0.5 mg/L）允许排放浓度。

⑤为排入蓄水性河流和封闭性水域的控制指标。

⑥合成脂肪酸工业新扩改企业为5 mg/L，现有企业为7.5 mg/L。

附录六 污水排入城市下水道水质标准（CJ18—86）

表 1 污水排入城市下水道水质标准

（除水温、pH值及易沉固体外） （单位：mg/L）

序号	项 目	最高容许浓度
1	pH 值	6~9
2	悬浮物	400
3	易沉固体	10 mL/L（15 min 沉淀后）
4	油脂	100
5	矿物油类	20
6	苯系物	2.5
7	氰化物	0.5
8	硫化物	1
9	挥发性酚	1
10	温度	55 ℃
11	生化需氧量（20 ℃，20 d）	100（300）
12	化学耗氧量（重铬酸钾法）	150（500）
13	溶解性固体	2 000
14	有机磷	0.5
15	苯胺	3
16	氟化物	15
17	汞及其无机化合物	0.05
18	镉及其无机化合物	0.1
19	铅及其无机化合物	1
20	铜及其无机化合物	1
21	锌及其无机化合物	1
22	镍及其无机化合物	2
23	锰及其无机化合物	2
24	铁及其无机化合物	10
25	锑及其无机化合物	1
26	六价铬无机化合物	0.5
27	三价铬无机化合物	3
28	硼及其无机化合物	1
29	硒及其无机化合物	2
30	砷及其无机化合物	0.5

注：括号内数字适用于排入城市污水处理厂的下水道系统。

附录七　工业污染物排入城市排水系统的限值

表 1　工业污染物排入城市排水系统的限值

序号	污染物	排入城市下水道的一般限值	限制的理由	超限时的措施以及预处理
1	流　量	城市污水流量的 50%	其水质偏离典型的城市污水，从而使污水处理的设计依据改变	(1) 均化及比例排放 (2) 厂内回用，压缩排放 (3) 修改污水处理厂的设计
2	BOD_5（20 ℃）	300 mg/L	避免污水处理厂的有机负荷过高	(1) 改革生产工艺 (2) 均化 (3) 厂内预处理（生物法）
3	色　度	1 份工业废水用 4 份城市污水稀释时颜色不显	城市污水处理厂一般不能完全去除色度	(1) 改革生产工艺 (2) 物化、化学法预处理进行脱色 (3) 均化 (4) 比例排放
4	悬浮固体（SS）	350 mg/L	避免城市污水处理厂固体负荷过高	(1) 改革生产工艺 (2) 均化 (3) 厂内沉淀预处理
5	pH 值	5.5～9.0	避免腐蚀下水道及处理厂设备	(1) 均化 (2) 厂内中和 (3) 厂内回收酸碱 (4) 改革生产工艺
6	油　脂	100 mg/L	避免初沉池及曝气池等受干扰及污泥系统超负荷	(1) 改革生产工艺 (2) 设存油弯，或设除油、回收油的预处理
7	重金属	Cu　1 mg/L Cr　1 mg/L Zn　5 mg/L Ni　5 mg/L	(1) 防止重金属抑制生物处理，特别是污泥消化池的生物作用 (2) 影响环境	(1) 均化 (2) 化学法预处理及沉淀法预处理 (3) 加强回收及综合利用
8	无机物及其他有毒化学药品	不得对污水处理厂的微生物以及附近人畜有毒害	避免毒害生物处理设施并危害人畜身体健康	(1) 改革生产工艺 (2) 节水减污，压缩排放 (3) 采用厂内废水高级预处理技术

序号	污染物	排入城市下水道的一般限值	限制的理由	超限时的措施以及预处理
9	可燃液体、发泡剂、破布、凝固油脂、灰分、金属、炉渣、泥、草、玻璃、羽毛、焦油、塑料、木块、禽畜粪等	不得造成破坏城市下水道正常运行、危害操作人员身体以及事故等污水处理厂运行中的公害	避免造成多种公害、干扰城市下水道及污水处理厂正常运行、危害操作人员的人身安全	(1) 通过改革生产工艺去除 (2) 采用厂内物理化预处理去除（如筛除、预沉淀等）
10	水温	65 ℃	水温过高会加快腐蚀，使水中溶解氧外逸，使有害气体（如 H_2S）挥出	(1) 改革生产工艺 (2) 通过厂内预冷却 (3) 回收、重复采用热能
11	雨水	不得直接接入或由于下水道施工不良而进入（初期雨水不在此列）	避免占用下水道及污水处理厂的有效容积	(1) 采用分流制排水系统 (2) 改进施工质量
12	难降解有机物	不得有	污染城市污水处理厂出水，不利于出水回用或排放水体	(1) 改革生产工艺 (2) 加强厂内预处理 (3) 节水减污，压缩排放量
13	难去除的矿物质及盐类	B：0.7 mg/L NaCl：100 mg/L	污染城市污水处理厂的出水，不利于出水用于农田灌溉	(1) 改革生产工艺 (2) 采用膜分离法或蒸馏法对工业废水进行预处理

注：①本表引自美国 Nemerow 著："Industrial Water Pollution"，但此处略有补充、修改。

②水温的数值较高，我国标准值为 35 ℃。

附录八　水电部水利工程环境影响评价提纲

一、基本情况

1. 名称。

2. 地点：如枢纽地址、库址、灌溉地址、引水路线等。

3. 目标：除害兴利、综合利用、多目标的内容。

4. 主要工程技术指标：如坝型、坝高、库容、水库面积、装机容量、灌区面积、防洪除涝标准及工程布置等。

5. 主要建材：部件、能源、水的用量及来源。

6. "三废"等的种类；排放量和排泄方式。

7. 职工人数和生活福利区布置布局。

8. 占地面积和国土利用情况。

9. 比较方案：列表简述其他比较方案的主要工程技术指标。

10. 发展计划：上下游梯级开发或跨流域调水，以及同国土整治结合起来的地面水、地下水统一规划、合理开发利用方案等。

二、建设前环境状况

1. 工程地理位置：包括枢纽地址、库址、灌区地址、引水路线、厂房、建材开发区、辅助企业区、生活区及工程受益区等（附平面图）。

2. 自然环境：

①周围有关地区的地形、地貌和地质（包括水文地质）情况；

②土壤；

③水文、气象、气候；

④水质（包括水温）；

⑤周围有关地区的矿藏、森林、草原、绿州、水生生物和野生动物、植物、植被等自然资源情况。

3. 社会环境：

①周围地区的自然保护区、风景游览区、文物名胜古迹、温泉、疗养区以及重要的政治文化设施情况；

②周围地区的工矿企业、交通、农业、渔业以及其他国民经济布局情况、土地利用情况；

③周围地区城镇及生活住宅分布情况，以及人口密度及地方病、流行病、自然疫源性疾病等情况；

④影响水质的污染源：包括点源和非点源。

4. 生态系统。

三、工程的环境影响

1. 环境效益：包括除害（洪、涝、旱、碱、咸、污、淤等）、兴利（防洪、灌溉、发电、航运、水产、水上运动、旅游等）、多目标综合利用项目。应强调指出的是，要充分考虑发挥水利工程在改善水质、协调生态、优化环境等方面的有利作用。

2．自然环境：

①对周围有关地区的地形（包括库区坍岸、水库回水、上下游河道冲刷淤积变化等）、水文、气象、水质、水温、地质（包括水文地质）、诱发地震、土壤、植物群、动物群、微生物群、水生生物等的影响；

②对周围有关地区（包括上下游、左右岸、河口等）自然资源及自然保护区等的影响。

3．社会环境：

①对周围有关地区、自然保护区、风景游览区、文物名胜古迹的影响；

②库区及引水路线周围的淹没、浸没损失及其对国土利用、交通等的影响；

③移民（包括枢纽地址、库区、灌区引水路线、滞洪区的人口、城镇迁移、城市公用服务事业、农业生产与生活等）。

4．对生态系统和人群健康的影响。

5．溃坝决口造成的影响。

四、减免不利影响的措施及损益分析

1．设计方面。

2．施工方面。

3．运行管理及其他方面。

4．专项环境保护措施的投资估算（列表），包括设计、施工、运行、管理及其他方面。

5．损益分析。

五、工程实施对环境造成不可逆转和不可恢复的影响

六、本工程的代替方案

1．取消本工程项目，即采取非工程措施。

2．有选择地取消或部分取消工程的子项目。

七、本工程环境保护可行性技术经济论证意见

八、有关本工程逐步办成水（利）、农（林）、工（副业）、商（业）和旅游联合企业的意见

九、与有关部门的协议和调整

附录九　新技术新方法在环境工程地质中的应用

目前，一些学者提出了一些应用于环境工程地质研究的新方法，但还很难举出环境地质学的特有方法。只不过是已有的方法，在环境地质研究中表现了某些特色，因此，还只能说，应用于环境工程地质中的新技术和新方法还处于尝试阶段，尚未形成比较完整、系统的研究手段。

下面简要介绍一下这方面的现状。

一、遥感技术的应用

遥感技术，以其方便、及时和能控制大区域以及多时相对比等特点，成为环境地质研究中重要而较有效的手段。

（一）崩滑的工程地质环境监测

对于有人类大规模活动参与的水库区、矿山区以及陆上交通沿线，其工程地质环境的变化，可以用多时相的遥感方法进行对比论证，寻求其规律性。例如，用不同时间和航空热红外扫描方法，辅以侧视雷达以及空中摄像手段，可以进行多时相、多片种的遥感图像综合分析。这种技术，既可初步圈定工程地质环境恶化区（即环境工程地质问题分布区），也可对比不同时间工程地质环境的变化。

（二）海洋及河口污染监测

在我国环境监测中，根据热红外图像的分析，发现了蛇口沿岸的油膜及工业污染，以及来自香港的污染源。这一事实，为快速、准确地确定污染源、污染范围以及扩散途径等提供了依据。同时，通过多时相遥感资料的对比，还发现深圳西海岸线不断向珠江口扩展，清晰反映出泥沙的运移途径，为该区污染及港湾整治提供了科学依据。另外，有关单位已把感技术用于海洋的污染监测，以维护海洋法的实施，从另一方面说明，这一方法也可用于环境地质研究。

目前，多时相、多片种的遥感资料解译研究，配合地面准同步辐射温度测试，以及大量的野外试验工作，初步建立了一套遥感工作程序。

二、水污染之室内外弥散、追踪试验

这种试验，一是可以查明地下水的径流运动；二是可以据之建立水质模型，以便进行水污染评价。室内试验，可用于求取环境水文地质参数。

三、注、抽水技术的应用

注水和抽水技术，可以用于处理废液、驱油开采，也可以用于注水致裂测量地应力，或模拟水库地震，甚至控制水库地震。

在平原城市地区，注、抽水可用于调节地下水源，控制地面沉降，及至贮藏冷能等。

四、高分辨率反射技术

这种技术，对于查明第四纪断裂以及平原地裂缝是比较适用的，能为确定地裂缝的成因模式提供论证。西安地裂缝的研究，使用了这一技术，取得了显著成效。

五、微震台网

一般用于重点工程区域或强震区的监测，具有实用和理论两方面的意义。近年来，微震台网以其定位的有效性，更多用于也更适于研究各种诱发地震。例如，目前各国在水库诱发地震区以及注水、抽水、矿山和核试验地区，都布设有微震台网。

参 考 文 献

1 中华人民共和国环境保护法. 1989

2 中华人民共和国水污染防治法. 1996

3 GB3838—88 国家地面水环境质量标准

4 GB5749—85 生活饮用水卫生标准

5 GB8978—88 国家污水综合排放标准

6 CJ18—86 污水排放城市下水道水质标准

7 GBJ4—73 工业"三废"排放试行标准

8 刘国昌. 中国地质发展的回顾、反思与展望. 河北地质学院学报, 1988, 11 (3)

9 王思敬. 工程地质新进展——第六届国际地质大会论评. 北京: 北京科学技术出版社, 1991

10 刘传正. 环境工程地质学导论. 北京: 地质出版社, 1995

11 孙广忠. 工程地质与地质工程. 北京: 地震出版社, 1993

12 张倬元, 王士天, 王兰生. 工程地质分析原理. 北京: 地质出版社, 1981

13 李荫堂. 环境保护与节能. 西安: 西安交通大学出版社, 1998

14 彭汉兴. 环境工程水文地质学. 北京: 中国水利水电出版社, 1997

15 林年丰, 等. 环境水文地质学. 北京: 地质出版社, 1990

16 张忠祥, 钱易. 城市可持续发展与水污染防治对策. 北京: 中国建筑工业出版社, 1998

17 孙玉科, 许兵, 李瑞. 论环境工程地质学的科学属性. 长春科技大学学报, 1999, 29

18 林炳营. 环境地学基础. 重庆: 科学技术文献出版社重庆分社, 1985

19 李宇峙. 公路工程概论. 武汉: 华中理工大学出版社, 1995

20 陈永奇, 王铁民, 乔西现. 黄河流域片缺水城市水资源供需预测. 郑州: 黄河水利出版社, 1997

21 布劳德尼柯夫 Н И, 等著. 控制人为水文地质作用是保护生态系统的基础. 王伟礼译. 水文地质工
   程地质译丛, 1985, (4)

22 哥尼耶夫 К Г, 等著. 科学的一个新方向——水文地质生态学. 贾春义译. 水文地质工程地质译丛,
   1983, (3, 4)

23 刘培桐. 环境学概论. 北京: 高等教育出版社, 1985

24 王思敬, 等. 环境与自然灾害. 北京: 地震出版社, 1991

25 潘别桐, 黄克忠. 文物保护与环境地质. 北京: 中国地质大学出版社, 1992

26 吴恒. 城市地质环境问题专家系统介绍. 水文地质工程地质, 1989, (2)

27 王思敬, 黄鼎成. 攀西地区环境工程地质. 北京: 海洋出版社, 1990

28 谢德荣. 环境工程地质. 西安: 陕西人民教育出版社, 1995

29 周国云, 等. 中国地面沉降研究的有关问题. 水文地质工程地质, 1993, (3)

30 王景明. 我国地裂缝及其灾害分析. 见: 第四届全国工程地质大会论文选集. 北京: 海洋出版社,
   1992

参考文献

1. 中华人民共和国水利部标准，1990.
2. 中华人民共和国水资源公报，1996.
3. GB/T838—87.
4. GB/T5—85.
5. GB8975—88.
6. CJ18—86.
7. CJ26—73.
8. 刘俊，中国城市及其防洪问题，《水利学报》，1988.(3)
9. 王超，地下水动力学，北京：中国水利水电出版社，1997
10. 薛禹群，地下水动力学，北京：地质出版社，1995
11. 薛禹群，地下水动力学，北京：地质出版社，1997
12. 张蔚榛，地下水与土壤水动力学，北京：中国水利水电出版社，1881
13. 李文忠，水文地质学基础，武汉，武汉大学出版社，1998
14. 徐敬华，地下水动力学，北京，中国水利水电出版社，1997
15. 郭东屏，地下水动力学，北京：地震出版社，1990
16. 沈照理，水文地球化学基础，北京：地质出版社，1998
17. 薛禹群，地下水动力学原理，北京地质大学学报，1990，20
18. 陈梦熊，地下水系统，北京，1995
19. 李砚阁，地下水系统，北京，中国大地出版社，1995
20. 陈梦熊，王秉忱，地下水系统，北京，中国大地出版社，1997
21. 陈雨孙，地下水，北京，大气出版社，1985
22. 王浩，地下水，1983.(3×4)
23. 刘昌明，北京：科学出版社，1988
24. 王浩，北京：测绘出版社，1991
25. 薛禹群，地下水动力学，北京，中国地质大学出版社，1992
26. 史万，武汉工业大学出版社，1989.(C)
27. 薛禹群，北京，科学出版社，1990
28. 陈梦熊，陕西人民出版社，1997
29. 周维博，北京，大连理工大学出版社，1998.(C)
30. 李砚阁，中国科学院地理研究所，1993